J. COURTILLON
C. GUYOT-CLÉMENT

3

LIVRE DU PROFESSEUR

 2-278-04028-6 Imprimé en France

TABLE DES MATIÈRES

ORGANISATION DU LIVRE DU PROFESSEUR DE *LIBRE ÉCHANGE 3*

- Une fiche de travail pour l'oral et une fiche de travail pour l'écrit servent de modèle pour le déroulement des séances.

- Le livre du professeur suit le plan du livre de l'élève :
  – Il donne pour **chaque sous-dossier un tableau synoptique** mentionnant les supports audio et textuels, les activités de production orale et écrite ainsi que les exercices d'entraînement.
  – Il fournit **les références culturelles** explicites et implicites contenues dans les textes. Ces références sont regroupées par ordre alphabétique sous forme de notes avant les corrigés.
  – Il propose soit pour les activités d'oral, soit pour la production écrite des corrigés qui **ne constituent pas des corrigés-types** mais plutôt des « exemples » permettant au professeur de se faire une idée du type de production attendue des élèves.
  – Chaque corrigé est précédé du numéro de page renvoyant au livre de l'élève.

FICHE DE TRAVAIL POUR L'ORAL

Cette fiche a été élaborée à partir du sous-thème : Les rêves d'évasion

REMARQUES GÉNÉRALES

Treize personnes sont interviewées dans le micro-trottoir de ce thème. Les interviews de chaque sous-dossier sont trop longs pour être travaillés en une seule fois, il faut donc les travailler en deux fois pour respecter la capacité de mémorisation des élèves.

Il faut se souvenir que la compréhension se fait à l'oral - comme à l'écrit - en fonction des paramètres suivants :

- familiarité avec le thème, qui induit une attente ou anticipation du contenu
- le nombre des mots connus
- la transparence des mots inconnus
- la capacité à déduire ou inférer en fonction de la logique du contenu
- des informations d'ordre paralinguistique : l'intonation en particulier (pour l'oral seulement).

PROPOSITION DE DÉMARCHE POUR L'ÉTUDE DES MICRO-TROTTOIRS

• ***1re partie de l'interview***

PRÉPARATION À L'ÉCOUTE

Poser à la classe la question suivante : « Si vous aviez la possibilité de partir pour vous évader, où aimeriez-vous aller ? »

Laisser quelques minutes de réflexion avant de donner la parole aux élèves.

Leur donner la parole (celui ou celle qui a accepté de parler, parle). Cette activité peut durer de 10 à 15 minutes.

Mais si le désir de parole est grand, et le niveau de production satisfaisant, elle peut durer plus longtemps.

ÉCOUTE VISANT UNE COMPRÉHENSION GLOBALE NON GUIDÉE de la première partie (jusqu'à Christian inclus).

La question à poser aux élèves est : « Quelles idées avez-vous retenues ? » Les élèves qui le désirent s'expriment. Ils peuvent se compléter ou même se contredire.

Passer la bande plusieurs fois.

ÉCOUTE GUIDÉE, c'est-à-dire écoute comportant des objectifs de compréhension à donner aux élèves :

– Qui a très envie de partir ?
  [*Réponse :* Marie-François - Sabine]
– Qui n'a pas envie de partir :
  [*Réponse :* Christian].
– Qui a envie de partir, mais à certaines conditions et quelles sont ces conditions ?
  [*Réponse :* Marie-Paule, Dominique, Roger]

Naturellement les trois objectifs doivent être donnés simultanément. Si la formulation des conditions est oubliée ou est inexacte, repasser la partie de la bande concernant Marie-Paule, Dominique et Roger en demandant aux élèves de repérer la formulation exacte. S'arrêter après chacun des locuteurs pour que les élèves aient le temps de reproduire ce qu'ils ont entendu.

AUTRE DÉMARCHE POSSIBLE pour une compréhension guidée.

Faire écouter chaque personne interviewée - ou seulement celles qui vous paraissent les plus intéressantes - et demander aux élèves de repérer, pour chacune d'elles, l'idée principale, leur demander de l'écrire sous forme de prise de note en utilisant des mots-clé, des phrases ou extraits de phrases. Laisser une ou deux minutes, selon la longueur de l'interview, pour cette prise de notes.

ÉCOUTE SUIVIE DE COMMENTAIRE

Faire réécouter si nécessaire cette première partie de l'interview et demander aux élèves :

a) de choisir l'interviewé duquel ils se sentent le plus proche - ou le plus lointain - pour obtenir un court commentaire personnel. À ce niveau cette activité de commentaire ne doit pas durer plus de dix minutes pour l'ensemble de la classe.

b) de comparer les raisons pour lesquelles les différentes personnes interviewées veulent partir.

• *2e partie de l'interview*

On procédera à l'écoute de la deuxième partie en utilisant la même démarche excepté la préparation à l'écoute et on insistera sur les locuteurs : Maria, Vincent, Alice et Sandrine.

ACTIVITÉ D'ANALYSE

Faire faire par groupes de deux, l'exercice du Livre de l'élève intitulé *Analyse* p. 10. Les élèves peuvent le faire à l'aide des notes qui ont été prises pendant les écoutes.
Mettre en commun les résultats des groupes.

ÉTUDE LINGUISTIQUE

a) Faire faire aux élèves les **repérages** suivants qui sont plus précis que les *repérages* de caractère global qui se trouvent dans le livre de l'élève. On passera séparément chaque extrait.
- Je ne veux pas partir n'importe où **(Dominique).**
- La raison pour laquelle **Marie-France** se sent bien dans une île.
- Si je vais bien ou mal, j'ai toujours envie de partir **(Sabine)**.
- La raison pour laquelle **Vincent** veut être riche.
- **Alice** veut passer toute sa vie en vacances.
- La raison principale pour laquelle **Sandrine** fait la route.

La finalité de cet exercice est de faire repérer les phrases les plus intéressantes du point de vue de la forme linguistique afin d'en faciliter la mémorisation.
Réponses :
- Je n'ai pas envie de partir n'importe où ni dans n'importe quelle condition, ni pour n'importe quel coin.
- Je me sens vraiment comme dans une bulle sur une île.
- Que ça aille mal ou que ça aille bien, de toutes façons, pour moi la solution c'est de partir au bord de la mer.
- J'aimerais être millionnaire non pas pour être célèbre, mais pour ne rien faire, me la couler douce.
- Je rêve de vacances perpétuelles.
- Je n'ai pas envie d'entrer dans le système, mais de vivre une vie originale.

b) **Exercice.** Pour fixer le **vocabulaire** (*cf.* Livre de l'élève p. 10)

c) **Exercice de réemploi**
Faire regrouper les mots des 2 listes de l'exercice pour fixer le vocabulaire, en fonction des idées suivantes (les élèves peuvent également utiliser des mots qu'ils auraient retenus en écoutant la bande).
• L'idée de **travail** et son contraire, l'idée de **loisir.**
Réponses : bosser/travailler/se la couler douce/vivre sans soucis, sans contraintes professionnelles/se sentir comme dans une bulle.
• **L'idée d'argent**
Réponses : mettre de l'argent de côté/être millionnaire/économiser/avoir de l'argent en poche.
• **L'idée de cliché**
Réponses : banal/carte postale/stéréotype.
Discuter les regroupements et demander aux élèves de faire à partir des mots du texte, quelques phrases qui leur paraissent justes, c'est-à-dire qui correspondent à ce qu'ils pensent.

Exemples de phrases possibles :

- Il est difficile de vivre sans soucis si l'on doit travailler pour économiser et enfin, pouvoir se la couler douce.
- Peut-on vraiment vivre dans une bulle quand on est millionnaire ?
- Pour mettre de l'argent de côté, il faut bosser.

EXPRESSION

Le travail de préparation ci-dessus permet aux élèves de faire les activités d'expression orale et écrite du livre de l'élève. Mais il n'est pas nécessaire de les enchaîner directement. Il est au contraire préférable d'étudier les textes écrits « Quand les célébrités rêvent d'anonymat » et « Le temps du week-end », avant de procéder au sondage. Le travail de ces textes renforcera les connaissances des élèves et les rendra plus aptes à rédiger la synthèse des interviews.

Ces synthèses qui devront être préparées par groupes de 2 ou 3 élèves, seront mises en commun et écrites au tableau à partir des meilleures propositions émanant de chaque groupe.

FICHE DE TRAVAIL POUR L'ÉCRIT

Cette fiche a été élaborée à partir du texte : « Le temps du week-end », p. 14.

REMARQUES GÉNÉRALES

1. Tout texte de *Libre échange 3* est ancré dans une thématique signalée en première page de chaque sous-dossier. Un rapport étroit existe donc entre le thème général et le contenu du texte à étudier, ce qui doit rassurer le lecteur et renforcer ses capacités à anticiper le sens, à formuler des hypothèses et à repérer les informations essentielles.

2. Les textes sont généralement illustrés. Ces illustrations évoquent le propos et servent à le concrétiser, ce qui est un autre facilitateur de compréhension.

3. La typographie : grand titre, chapeau en gras, paragraphe et passages en italiques, source du document, date et signature sont également des repères précisant de quelle situation de communication il s'agit. Cela permet notamment de prévoir pour qui est écrit le texte et dans quelle intention de communication.

LA DÉMARCHE

La démarche proposée dans *Libre échange 3* vise à faciliter la compréhension, mais aussi la mémorisation des structures linguistiques et discursives des textes, ainsi que le repérage des procédés expressifs et stylistiques des textes non littéraires, dans le but d'assurer une meilleure production écrite des élèves. L'amélioration de l'expression écrite est en effet fondée sur l'observation et l'analyse des textes de départ et non sur des exercices détachés de tout contexte.
C'est en découvrant eux-mêmes un nouveau vocabulaire, des structures de textes variées et des procédés expressifs que les élèves seront le mieux à même de se les approprier et de les ré-employer spontanément lorsqu'ils seront en situation d'écriture.

Le passage à l'écriture peut ne pas intéresser tous les publics. Dans ce cas, on attachera plus d'importance, parmi les activités proposées, à celles qui consistent à interpréter le texte et à prendre position vis-à-vis des idées qu'il contient.

ACTIVITÉ PRÉALABLE

Interroger la classe sur le rapport entre le titre de l'article et le thème du sous-dossier « Les rêves d'évasion ». On demande aux élèves de regarder les illustrations et de lire les légendes et sous-titres.
Les élèves prennent le temps de réfléchir, puis s'expriment librement. Il s'agit en fait d'une sorte de « remue-méninges » qui va créer un climat d'expression spontanée et qui peut activer les facultés d'inférence (déduction).
Si les élèves n'ont pas l'habitude de cet exercice, on peut leur demander de relever « arrière pays niçois », « village de Corrèze », « village dans l'Yonne ». Qu'est-ce que cela leur permet de découvrir par rapport au titre de l'article ? (Les lieux visités pendant les week-ends).
On leur demandera aussi la source de l'article (*Le Point*, magazine à visées socio-économiques pour un public cultivé et plutôt aisé), la date (1992, date récente), l'hypothèse qu'ils peuvent formuler quant au contenu de l'article (comportement de Français aisés, en matière de voyages pendant le week-end, les voyages semblent se faire surtout en France).

LECTURE SILENCIEUSE DU CHAPEAU DE L'ARTICLE

Quelles informations y sont données ? (Les Français voyagent plus souvent, mais leurs voyages sont plus courts).
En partant de ce qui a été dit, on attirera l'attention des élèves sur la dernière phrase du chapeau (suggestions d'escapades).
Qu'est-ce que cela signifie ? (on va trouver dans l'article des idées pour s'évader le temps d'un week-end). On fera remarquer que l'article ne se contente pas **d'informer** sur les comportements des Français, mais **incite** les lecteurs à partir.

LECTURE SILENCIEUSE DE L'ARTICLE

On demandera d'abord aux élèves de numéroter les paragraphes de 1 à 7. On leur donnera les consignes suivantes :

Lisez silencieusement tout l'article en recherchant les informations essentielles dans chaque paragraphe. Essayez de lire sans traduire. Continuez à lire même si vous rencontrez des mots inconnus. Si le mot vous paraît important, essayez d'en deviner le sens.

Après une première lecture, on leur demandera d'échanger par groupes de deux les informations qu'ils ont retenues et de discuter du sens des mots non compris.

Procéder à une seconde lecture silencieuse et faire ensuite un échange avec un autre partenaire.

MISE EN COMMUN DES INFORMATIONS ESSENTIELLES

Cette activité servira de préparation à la prise de notes et au résumé, on demandera aux élèves de citer les informations essentielles. On pourra les écrire au tableau sous forme de prises de notes.

À titre indicatif, voici le contenu de chaque paragraphe :

1er paragraphe : voyages en Europe/folie du voyage court/découvrir ou redécouvrir les pays européens.

2e paragraphe : retrouver la vraie France, puis repartir vers Paris d'un coup d'aile.

3e paragraphe : selon GPM, la mode du voyage court dure depuis dix ans déjà. C'est un nouveau style de vie.

On ne passe plus un mois complet à la plage, on part trois fois dans l'année pour des endroits différents.

4e paragraphe : Les Français recherchent une meilleure qualité de voyage. Ils partent pendant les vacances scolaires. Ils ne quittent pas longtemps leur travail. Ils partent pour faire quelque chose : remise en forme, stage sportif, séjour culturel. Ils veulent « s'enrichir ».

5e paragraphe : En France, grâce au TGV et à la billetterie automatique, le départ est facilité et les séjours se multiplient.

6e paragraphe : L'Europe, sujet préféré des Français, mais les pays de l'Est ne sont pas totalement visités (il n'y a pas grand chose à manger !), sauf Prague et Budapest. La vedette du voyage court ? C'est Londres et la campagne anglaise ou écossaise, parce que la Grande-Bretagne cadre parfaitement avec les besoins actuels, c'est l'anti-stress.

7e paragraphe : Les contacts entre l'Angleterre et la France vont en s'intensifiant (tunnel sous la Manche).

Cette activité peut se faire oralement pour certains textes plus faciles, ou parce que les objectifs des élèves ne sont pas l'écriture ou le résumé de texte. Quoi qu'il en soit c'est une étape importante pour l'apprentissage. En effet les élèves proposent de nombreuses formulations, plus ou moins correctes, le professeur demande de reformuler ce qui est incorrect. Toute la classe doit participer à l'exercice et on doit toujours partir des productions des élèves, sans qu'il soit nécessaire d'aboutir au modèle ci-dessus. C'est en s'exerçant à reformuler des expressions maladroites ou incorrectes qu'on apprend à améliorer son expression. C'est un exercice fondamental à ce niveau.

Au cours de cette phase de « compréhension-expression », le professeur devra vérifier que certains mots ou expressions qui lui paraissent plus difficiles ont bien été compris. Il le fera en demandant une paraphrase ou un synonyme ou encore de les réemployer dans un contexte. Si les demandes d'explications de mots viennent des élèves, le professeur, demandera d'abord à la classe si quelqu'un peut les expliquer, avant de les expliquer lui-même.

SYNTHÈSE DE LECTURE OU RÉSUMÉ

Il peut se faire à partir des notes écrites au tableau. Le professeur demandera aux élèves d'organiser le texte en articulant les paragraphes les uns aux autres. Il sera sans doute utile d'avoir déjà étudié quelques modes d'organisation de textes avant de procéder à cet exercice (*cf.* Analyse, livre de l'élève p. 48). Mais on peut également le faire collectivement en partant des propositions des élèves.

Résumé possible :

« Que ce soit en Europe ou en France, les Français multiplient les voyages courts. Ils veulent voir ou revoir les capitales européennes ou la vraie France. Selon les spécialistes du tourisme, ce nouveau style date des années 80. On ne prend plus un mois de congé, on part trois fois par an dans des lieux différents. Les voyages doivent être utiles et enrichissants physiquement ou culturellement. Ce sont les technologies nouvelles (TGV/billetterie automatique) qui favorisent ces voyages courts. En Europe, c'est surtout Londres et la campagne britannique qui attirent les Français. S'ils visitent aussi les autres grandes villes européennes, ils laissent encore de côté l'Europe de l'Est où le confort est insuffisant. La Grande-Bretagne, par contre, leur offre le calme et la douceur de vivre nécessaire pour lutter contre le stress. Avec le tunnel sous la Manche, les contacts seront encore facilités. »

RENFORCEMENT DE LA MÉMORISATION

L'exercice de *Repérages* (p. 16) permet de retourner au texte pour le connaître plus à fond. Il contribue à fixer des structures et expressions jugées intéressantes et utiles. Il peut se faire avant ou après le résumé, au hasard des besoins.

COMMENTAIRES PERSONNELS ET DISCUSSIONS OU DÉBATS

Cette activité où la parole est libre permet un ré-investissement de ce qui a été vu au cours des premières étapes du dossier, et contribue à fixer les acquis dans la mémoire à long terme. Il fournit également un moyen de vérifier la compétence d'une façon pragmatique.

Dans ce but, on peut de temps en temps enregistrer une partie des échanges et les faire ré-écouter pour une auto-évaluation globale.

ÉTUDE LINGUISTIQUE

- **Le discours rapporté**

  Faire repérer dans l'article du *Point* le nom des personnes interviewées par le journaliste. Faire souligner la manière dont leurs paroles sont rapportées (exercice d'*Analyse* p. 16)

  Comme application ou vérification des savoir-faire en matière de discours rapporté, on pourra choisir quelques paroles des personnes interviewées dans le micro-trottoir et demander aux élèves de faire un texte rapportant leurs paroles, c'est-à-dire leurs points de vue, texte qui pourrait convenir à un article de presse.

  En fonction des résultats, si des lacunes apparaissent, faire faire l'exercice d'entraînement n° 3 pp. 26-27.

- **Fixation du vocabulaire et ré-emploi**

  Faire réaliser en équipes l'exercice *Pour fixer le vocabulaire,* p. 16.

  Cet exercice facilitera la mémorisation d'un lexique utile, parce que récurrent. Il serait bon que les élèves retrouvent, dans le texte original, les passages d'où ces mots et expressions ont été extraits. L'activité de fixation du vocabulaire se terminera par un réemploi : demande de produire un court texte où on utilisera un vocabulaire précis. Par exemple : « Pour rendre compte d'un voyage ou d'un week-end, écrivez une carte postale dans laquelle vous utiliserez les verbes suivants : ne pas se passer de/faire (un pays)/dénicher, etc. »

EXPRESSION ÉCRITE

Il s'agit de rédiger en équipe un article journalistique à partir d'un sondage (*cf. Expression orale et écrite* p. 16). Les élèves doivent se donner un public (adolescents ou adultes). L'article devrait imiter, au plan de la forme, celui du *Point* et comprendre une partie de description des comportements et une partie d'expression des points de vue de ceux qui parlent. Les articles des élèves seront retravaillés en commun en ce qui concerne les aspects grammaticaux. Ils seront évalués ensuite pour concourir au titre de "vedette du journalisme". Pour évaluer les articles, les élèves devront tenir compte des aspects suivants :

- la langue (vocabulaire et syntaxe)
- les aspects discursifs du texte, c'est-à-dire l'organisation générale, l'enchaînement entre la partie descriptive et les discours rapportés.

- le « style », c'est-à-dire l'expressivité des formules et de la syntaxe utilisée (images ou métaphores, « lisibilité » du texte, présentation concise des faits qui permet une bonne compréhension, phrases courtes et phrases nominales, ponctuation, questions rhétoriques, etc.).

Ce premier texte permet d'aborder ce qui fait la spécificité d'un certain discours journalistique, très répandu dans les hebdomadaires. Comme on le voit, il s'agit d'un travail de longue haleine qui peut prendre quelques semaines. L'enseignant pourra prévoir de laisser, à la fin de chacune des séances de français, quelques minutes pour que les élèves mènent à bien ce travail de rédaction

D'autres types de travaux sont possibles en fonction des thèmes et des textes. D'autres démarches sont également possibles. Elles sont valables :

a - si elles incitent les élèves à comprendre le texte dans ses aspects les plus importants,

b - si elle renforcent leur goût pour la lecture en améliorant leurs facultés de repérage et d'analyse,

c - si elles leur permettent d'acquérir des moyens linguistiques nouveaux, plus efficaces, pour s'exprimer et échanger des idées à partir d'un contenu d'informations scientifique ou culturel. C'est là la spécificité d'un « niveau » 3 de l'apprentissage.

DOSSIER 1

À QUOI RÊVENT LES FRANÇAIS ?

1 A - LES RÊVES D'ÉVASION

TEXTES	ACTIVITÉS		ENTRAÎNEMENT
	ORAL	ÉCRIT	
Micro-trottoir p. 8 (Transcription p. 234)	Deux groupes s'interviewent mutuellement sur les raisons d'évasion.	Rédaction par deux d'un texte court présentant la synthèse des résultats donnés. Commentaire et comparaison avec l'interview des Français (travail interculturel).	Exercices 1 et 2
Quand les célébrités rêvent d'anonymat, *Le Nouvel Observateur,* p. 12	Faire une interview d'une personne connue hors de la classe.	Rédaction d'un article journalistique rendant compte de cette interview.	
Le temps du week-end, Gilles Pudlowski, *Le Point,* p. 14	Élaboration par groupe d'un questionnaire pour interviewer des personnes hors de la classe/compte rendu oral en classe.	Rédaction d'un article de presse.	Exercices 3 et 4
Le routard et les autres, Pascal Bruckner, Alain Finkielkraut, extrait de *Au coin de la rue, l'aventure,* p. 17	Jeu de rôles.	Rédaction d'un texte argumenté.	Exercice 5
Le Club Med, Pascal Bruckner, Alain Finkielkraut, extrait de *Au coin de la rue, l'aventure,* p. 20	Jeux de rôles.	Rédaction d'une publicité comportant des indicateurs chronologiques.	Exercice 6
Airport, Jacques Lacarrière, extrait de *Ce bel aujourd'hui,* p. 22	Prise de parole en classe à propos de la compréhension du texte.		Exercice 7
Les timbres-poste de l'exotisme, Gilles Lapouge, extrait de *Pour une littérature voyageuse,* p. 24	Dire ses goûts à propos de la philatélie.		Exercice 8

MICRO-TROTTOIR : LES RÊVES D'ÉVASION

Est-ce que vous aimeriez partir ?

p. 10 *Repérages*

Interviewé 1 : Marie-Paule, 28 ans, secrétaire.
Interviewé 2 : Dominique, 30 ans, institutrice.
Interviewé 3 : Marie-Françoise, 40 ans, journaliste.
Interviewé 4 : Sabine, 41 ans, directrice d'école.
Interviewé 5 : Roger, 55 ans, chômeur.
Interviewé 6 : Christian, 35 ans, artiste.
Interviewé 7 : Jeannette, 55 ans, commerçante.
Interviewé 8 : Jacques 55 ans, technicien.
Interviewé 9 : Michèle, 22 ans, étudiante.
Interviewé 10 : Maria, 23 ans, étudiante.
Interviewé 11 : Vincent, 21 ans, étudiant.
Interviewé 12 : Alice, 52 ans, éditrice.
Interviewé 13 : Sandrine, 25 ans, sans domicile fixe.

– Idées d'évasion (être ailleurs)

Interviewé 4 : pour « moi, la solution c'est de partir au bord de la mer, de m'évader de tous mes soucis, du quotidien. Partir aux Seychelles, à l'île Maurice... »

Interviewé 6 : « partir sans partir... mon moyen de partir sans partir », « je vais au cinéma. C'est un moyen d'évasion très fort ».

Interviewé 8 : « j'ai toujours été attiré par l'Amérique du Sud... j'aime le côté exotique de l'Amérique du Sud, le Brésil, surtout. »

– Idée de bien-être

Interviewé 3 : « partir très loin... au soleil, au bord de la mer... je pars en vacances sur une île... je me sens vraiment comme dans une bulle sur une île ».

Interviewé 9 : « j'aimerais partir dans un pays où il fait toujours beau, chaud. Où je pourrais être sur la plage tous les jours, voir la mer... pour être plus tranquille ».

Interviewé 10 : « j'aimerais partir dans le Sud... un rythme de vie différent... les gens sont toujours de bonne humeur ».

– Idée de repos

Interviewé 5 : « partir, c'est les vacances »

Interviewé 12 : « je rêve de vacances perpétuelles ! une éternité sans contraintes domestiques ou professionnelles... »

Interviewé 11 : « prendre le temps. M'allonger. Prendre un bouquin... être millionnaire pour ne rien faire, me la couler douce... »

– Le regret de ne pas accomplir son rêve

Interviewé 7 : « non, je n'aimerais pas partir et puis je ne pourrais plus le faire. C'est trop tard. »

– Le refus de la société

Interviewé 13 « pour le moment je n'ai pas envie de rentrer dans le système mais de vivre une vie originale ».

– Autres idées

Le rêve d'être utile

Interviewé 1 « si j'étais médecin, je crois que je partirais avec Médecins sans frontières ou Médecins du Monde. »

Le refus de partir

Interviewé 2 : « peut-être... je n'ai pas envie de partir n'importe où, ni dans n'importe quelle condition ni pour n'importe quel coin... »

Interviewé 11 : « je ne rêve pas de partir, je rêve d'avoir rien à penser, être tranquille... ».

p. 10 *Analyse*

Question 1 :

La tendance majoritaire est de partir, au soleil, sur une île, dans le sud, dans un pays où il fait chaud pour les vacances pour se reposer, changer de rythme de vie. Sept interviewés expriment cette tendance : 1-2-3-4-5-8-9. La tendance minoritaire est celle exprimée par ceux qui ne souhaitent pas partir : 2-7-11.

Question 2 :

Le cas particulier est celui de l'interviewé 13, Sandrine qui, elle, a choisi de vivre en marge de la société. Il n'est pas question pour elle de « rêver » partir puisqu'elle « fait la route depuis l'âge de 18 ans ». Elle est à part, ayant choisi pour le moment un mode de vie où les notions mêmes de « partir/revenir » n'existent pas : elle est hors norme.

p. 10 *Pour fixer le vocabulaire*

Mots ou expressions	Synonymes
C'est très cliché	– stéréotypé
Je me sens comme dans une bulle	– protégé
Je vais être très carte postale	– banal
Je pense mettre un peu d'argent de côté	– économiser
Je veux être millionnaire pour me « la couler douce »	– vivre sans soucis
Dans n'importe quel coin	– endroit
Je me remets à « bosser »	– travailler

p. 12

QUAND LES CÉLÉBRITÉS RÊVENT D'ANONYMAT

Propos recueillis par Diane Wulner, *Le Nouvel Observateur.*

Notes

Cabrol Christian : cancérologue, spécialiste des greffes cardiaques. Il a effectué la première greffe du cœur en France en 1968.

Gaillot Mgr Jacques : évêque d'Évreux, connu pour ses prises de position progressistes ; homme médiatique, il ne craint pas de parler avec les journalistes des problèmes actuels de la société française : avortement, sida...

Longo Jeannie : championne cycliste, elle a remporté de nombreux records féminins (en 1986, 87, 89) sur piste en plein air et sur piste couverte.

Mgr : abréviation de Monseigneur.

Noir Michel : homme politique français, RPR, maire de Lyon.

Le Nouvel Observateur : hebdomadaire politique d'informations générales, de tendance de gauche et réputé pour ses petites annonces.

plaquer : ce verbe de registre populaire, depuis le XVIe siècle signifie « abandonner quelqu'un ou quelque chose », synonyme de « laisser tomber ». exemple : « un mari abandonné par sa femme dira : « elle m'a plaqué ! » et une femme abandonnée par son mari dira : « il m'a plaquée ! ».

Portzamparc Christian de (né en 1944) : fait partie de la nouvelle génération des architectes français célèbres. A réalisé la Cité de la Danse et de la Musique au parc de La Villette à Paris.

Pr : abréviation de professeur.

Reeves Hubert : astrophysicien canadien, auteur de plusieurs ouvrages scientifiques et de vulgarisation, aux accents poétiques. Homme médiatique. A participé à de nombreuses émissions de TV.

p. 13 *Analyse linguistique*

- **Relevé des temps et des modes**

Le futur :

Mgr Jacques Gaillot : « j'arrêterai un jour... je m'en irai sur la route... »

Valeur d'emploi : l'action peut se réaliser.

Le conditionnel présent :

Jeannie Longo/Pr Christian Cabrol/Christian de Portzamparc/Michel Noir.

« Je choisirais de me retirer... je vivrais d'agriculture... J'aimerais beaucoup partir au Brésil... là j'écrirais, je lirais, je ferais du dessin... »

« J'aimerais pouvoir jouer du violoncelle... j'aurais envie de composer... J'en garderais... J'aimerais voyager... »

Valeur d'emploi : la condition n'est pas réalisée au moment où l'on parle.

Pour bien exprimer la valeur de ce conditionnel, on peut attendre ce type de formulation de la part des élèves :

> *« Si Jeannie Longo pouvait tout abandonner, elle se retirerait dans un environnement plutôt sauvage loin de la société de consommation pour y vivre de l'agriculture Elle aurait une vie plus spirituelle et aussi peut-être qu'elle écrirait. Mais elle ne peut pas vivre ainsi car elle ne peut pas abandonner sa vie actuelle. »*

ou pour exprimer le rêve de Michel Noir :

> *« Si le maire de Lyon pouvait tout abandonner, il jouerait du violoncelle et il aimerait voyager mais ce n'est qu'un rêve car il ne peut pas quitter sa fonction de maire. Les conditions ne sont pas remplies pour qu'il puisse réaliser son rêve. »*

Le conditionnel passé :

Hubert Reeves : « J'aurais aimé être violoncelliste. Il y a quinze ans... »

Valeur d'emploi : dans le passé, la condition n'a pas été réalisée.

Paraphrase : *« Si Hubert Reeves avait pu changer de vie, il y a quinze ans, il aurait aimé être violoncelliste mais il était trop âgé, il n'a pas pu le faire et maintenant, il ne le regrette pas. »*

p. 13

Expression écrite

Exemple de production écrite que l'on peut attendre des élèves :

> Si j'**avais** la possibilité de tout plaquer, j'**aimerais** vivre en montagne pendant au moins quelques années. J'**habiterais** une petite maison accrochée au flanc de la montagne, entourée de sapins. Il y **aurait** un village pas trop loin pour que je puisse y aller à pied faire les courses. Je **vivrais** au rythme des saisons, me **chaufferais** avec un poêle à bois, ferais fondre la neige pour récupérer l'eau que je garderais dans de grosses casseroles... Bref, j'**expérimenterais** une vie saine, proche de la nature et je **profiterais** de ce temps accordé à la lumière et à la nuit...

p. 14

LE TEMPS DU WEEK-END

Gilles Pudlowski, *Le Point.*

Notes

Air Inter : compagnie nationale de transport aérien desservant le territoire métropolitain.
Albion : nom donné parfois à l'Angleterre à cause du blanc de ses falaises et souvent employé de manière péjorative : « La perfide Albion ».
Beaujolais : région de vignobles réputés, aux contreforts du Massif Central, s'étendant sur une partie des départements du Rhône et de la Loire.
Beaujolais nouveau : vin du Beaujolais qui se consomme dans l'année de sa fabrication, dès novembre. « Le Beaujolais nouveau est arrivé ! » annonce la campagne promotionnelle.
Belle-Ile ou Belle-Ile en Mer : la plus grande des îles bretonnes (8461 hectares), située dans l'Atlantique au large de Quiberon. Sa beauté a attiré des personnalités célèbres comme Claude Monet, Matisse, Colette... Le tourisme y est très important.
Bresse : région de l'est de la France, dans le bassin de la Saône, qui s'étend sur deux départements : l'Ain et la Saône-et-Loire. La Bresse est réputée pour ses élevages de volailles « de ferme ».
Brive-la-Gaillarde : chef-lieu de la Corrèze, département du Limousin. Cette région économiquement assez pauvre, évoque le retour à la nature et l'isolement.
Calanques : région du littoral méditerranéen des Bouches-du-Rhône, entre Marseille et Cassis. La calanque est une crique étroite aux parois rocheuses escarpées.
Colette (1873-1954) : femme de lettres, peintre de l'âme féminine et de la nature familière. Auteur de la série des « Claudine ».
Dronne : petite rivière du Périgord.

***Le Point* :** hebdomadaire politique d'informations générales, de tendance centriste.
Loup : fleuve des Alpes-Maritimes de 48 km, aux gorges célèbres.
Milly-Lamartine : petite commune de Saône-et-Loire dans laquelle vécut Alphonse de Lamartine (1790-1868), grand poète romantique et homme politique français.
Périgord : conté français situé au nord-est du bassin aquitain, dans le département de la Dordogne. Il évoque la douceur de vivre et la bonne chère : canard, foie gras, etc.
Provence-Alpes-Côte d'Azur (PACA) : région du Sud-Est de la France regroupant six départements : Alpes-de-Haute Provence, Hautes-Alpes, Alpes-Maritimes, Bouches-du-Rhône, Var, Vaucluse.
SNCF : Société Nationale des Chemins de Fer Français créée en 1937.
Solutré : Commune de Saône-et-Loire. Le président François Mitterrand se rend traditionnellement, une fois par an, à la roche Solutré.
T.G.V. : Train à Grande Vitesse pouvant atteindre 300 km/h. La première rame a été mise en service en 1980, sur le tronçon Paris-Lyon. Le réseau s'étend maintenant à l'Ouest et au Nord.
Vacances scolaires : les jeunes français ont environ 15 semaines de vacances : une à la Toussaint, deux pour Noël, deux l'hiver, deux au printemps et sept l'été.
Vallée des Merveilles : vallée des Alpes-Maritimes dans laquelle on trouve des gravures préhistoriques à ciel ouvert.

p. 16 *Repérages*

• – **Les faits nouveaux en matière de voyage dans les trois premiers paragraphes du texte**
- des voyages courts
- redécouvrir le monde
- respirer l'air de liberté des pays de l'Est
- retrouver la « vraie » France
- découvrir les régions françaises
- connaître des lieux rendus célèbres par des écrivains
- chercher des itinéraires nouveaux.

– **Explication donnée par G. Petit de Mirbeck**
Prendre des vacances plus courtes correspond à un nouveau style de vie qui a débuté en France, il y a à peu près une dizaine d'années.

– **Celle donnée par R. Bulot**
Le Français aspire à une meilleure qualité de vie : un équilibre entre le travail et le repos.

• **Liste des désirs des Français en matière de voyages en France**
- s'éloigner le moins possible de son lieu de travail
- partir plus souvent
- découvrir la « vraie » France celle qui offre les meilleurs crus ou qui a été valorisée par la présence d'un grand écrivain.
- se refaire une santé au bord de la mer (thalassothérapie), faire des stages sportifs, ou des séjours culturels.

• **Raison essentielle qui facilite les déplacements en France**
- le TGV

• **Liste des villes que les Français visitent par ordre de préférence**
Londres - Prague - Budapest - Venise - Florence - Rome - Berlin - Stockholm - Berne - Madrid - Oslo.

• Selon J.C. Georget, le choix des Français s'explique par le fait que l'Angleterre a su garder ses traditions, un environnement protégé et accueillant « une économie bonhomme ».

p. 16 *Analyse*

– **Personnes et organismes :**
... **lâche** Gilbert Petit de Mirbeck, directeur de Visit France ;
... **affirme** Régis Bulot, président des « RC ».
... **lance** Suzanne Lannes, de la SNCF, qui ajoute...
... Explications de Darmon : « ... »
... **lance** Jean-Claude Georges de Transtours
... **interroge** tout haut Pierre Bergasse de l'Office du Tourisme de Grande-Bretagne.

- **Procédés syntaxiques utilisés :**
  - style direct sans verbe introducteur
  - style direct avec verbe introducteur
  - phrase nominale : explications de Darmon : «...»
- **Exemples de paroles rapportées des personnes interviewées dans le micro-trottoir :**
  « Partir ? Non, je n'y pense pas. Je suis bien ici avec mes enfants et ma famille », **affirme** Jeannette, commerçante.
  « Moi je ne rêve pas de partir » **lance** Vincent, étudiant « mais de m'allonger », et il ajoute « j'aimerais être millionnaire non pas pour être célèbre, mais pour m'acheter des années de liberté ».
  Rêve de Michèle, étudiante : « Si je pouvais, je partirais sûrement, vers les Antilles ».
  « Oh ! oui, partir très loin, au soleil au bord de la mer, sur une île », **rêve** tout haut Marie-Françoise, journaliste. « C'est très cliché mais c'est très sincère ».

p. 16 *Pour fixer le vocabulaire*

Expressions	Synonymes
Ils ne se lassent pas de partir	se fatiguer
Ils veulent « faire » les capitales européennes	visiter
Ils désirent combler leurs lacunes et	compléter un savoir insuffisant
aller au cœur de d'un Venise champêtre	au centre de
La France s'est rétrécie	réduire (elle s'est réduite)
Il ne bronze plus idiot	se dorer sur une plage sans rien faire d'autre
Il suit le rythme chaotique des vacances scolaires	irrégulier
Ils veulent dénicher les gorges du Loup	découvrir

p. 16 *Expression écrite*

Pour la rédaction de l'article, le professeur contraindra ses élèves en leur demandant de respecter le modèle de l'article du *Point* étudié précédemment
- titre
- chapeau
- des citations introduites selon les mêmes procédés syntaxiques relevés
- une conclusion spécifique

Car c'est d'abord en imitant qu'à ce niveau d'apprentissage, l'élève pourra assimiler des formes d'écrits spécifiques (ici un article de journal où le journaliste rend compte d'une enquête), pour pouvoir ensuite être capable de rédiger correctement selon un style qui lui sera propre.

p. 17 LE ROUTARD ET LES AUTRES

Pascal Bruckner et Alain Finkielkraut, extrait de *Au coin de la rue, l'aventure.*

Notes

Le routard : ce terme n'est pas dans le dictionnaire. Il est formé de « route » + « ard », suffixe germanique (-hart) qui s'est introduit dans le français par des noms propres comme Bernard, puis a donné des noms communs et des adjectifs comme montagnard, campagnard, c'est-à-dire quelqu'un qui habite dans la montagne. Ici, le routard est celui qui fait la route, qui vit sur la route.
Ce suffixe « ard » a parfois une valeur péjorative comme dans : un chauffard, un mauvais conducteur ou un richard, quelqu'un qui est devenu riche et qui est devenu prétentieux et vaniteux, ou un vantard, quelqu'un qui se vante tellement qu'il devient odieux à son entourage.
On dit aussi un « zonard » pour parler de celui qui habite « la zone », c'est-à-dire les banlieues défavorisées des villes.
Le Guide du Routard est une collection de guides de voyages pour ceux qui ont une petite bourse et sont friands de petits restaurants sympas et pas chers ou d'hôtels confortables mais bon marché. Ces guides sont actualisés tous les ans.

p. 18 *Repérages*

•

Idées	Formulations exactes du texte
Le portrait du routard est paradoxal.	– « un personnage mixte **mi-aristocrate, mi-vagabond** »
Le routard refuse de se plier au rythme habituel du travail et des vacances.	– « il **détraque** le métronome boulot congé »
Il revendique sa liberté totale.	– « il refuse qu'une instance supérieure décide pour lui »
À l'inverse du routard, le touriste obéit aux normes sociales.	– « c'est l'individu **conditionné** »
Le touriste, selon le routard, recherche toujours sa propre culture à l'étranger.	– « un individu **casanier** qui se rend à l'étranger à la condition expresse d'y rencontrer des compatriotes »
Les routards méprisent le côté petit bourgeois des touristes.	– « les douillets, les rechigneurs de la belle étoile, les amateurs de palace climatisé, les inconditionnels du drap propre »
Ce qui caractérise le voyageur initié c'est son plaisir à montrer qu'il connaît parfaitement le pays visité.	– « le voyageur initié revient ravi de son séjour… il a sur les touristes l'insigne supériorité du familier… »
Le voyageur initié ne part pas pour partir.	– « il est entré en profondeur dans ce pays »
Les voyages du voyageur initié sont comparables à la migration estivale des troupeaux de moutons.	– « à l'époque des **transhumances** touristiques »

• **Propositions de titres :**

Premier paragraphe :

Le routard, mi-aristocrate, mi vagabond voyage quand il veut où il veut

ou

Opposé à tout diktat, le routard voyage entre le luxe et le dénuement

Deuxième paragraphe :

Le touriste, figure antinomique du routard

ou

Loin du confort, le routard est l'ascète de la route

Troisième paragraphe :

Le voyageur initié : un connaisseur distingué

ou

Le voyageur initié Français « revient » des States plus américain que les Américains

p. 19 *Analyse*

• **Définition la plus synthétique qui caractérise les trois catégories de personnages :**

– le routard : un personnage mixte mi-aristocrate, mi vagabond
– le touriste : un individu conditionné qui s'amuse à date fixe/un individu casanier qui se rend à l'étranger pour y rencontrer des compatriotes.
– le voyageur initié : raconte son séjour en alignant des noms de code, se livrant aux joies gratifiantes d'un langage chiffré.

• **Construction antithétique : portrait du routard**

– mi-aristocrate	– mi-vagabond
– le tourisme somptuaire des jeunes lords du XVIIe siècle	– nomadisme des trimardeurs
– le luxe suprême	– l'extrême délabrement
– la caste de rentiers.	– le dénuement/la misère.

• **Le touriste** est un « individu conditionné », « casanier » « il veut rencontrer des compatriotes à l'étranger ». Il veut bénéficier des mêmes facilités que chez lui. Il est « douillet » et aime les « palaces climatisés ». Il rechigne à dormir « à la belle étoile ». C'est un inconditionnel « du drap propre ». Il explore le folklore dans les boîtes de nuit.

Par opposition, voici ce qu'est **le routard** :

C'est un voyageur qui part sur les routes quand il l'a choisi ou quand il en a envie. Pour lui, il y a « un ascétisme » de la route, c'est-à-dire qu'il faut « mériter » le plaisir de « faire » la route. Il faut en « baver » pour entrer dans la « confrérie » : aimer dormir à la belle étoile, accepter les hôtels bas de gamme où la propreté est parfois douteuse, voir de vrais spectacles folkloriques aux dates voulues par le calendrier des communautés autochtones, rechercher la vérité des rapports humains, prendre des risques pour rester fidèle à son idéal de vivre authentiquement. Loin de la foule des touristes abêtis par le groupe, il est fier de n'appartenir qu'à lui-même, il est l'unique membre de « la secte » des voyageurs.

• **Dans le troisième paragraphe, voici ce qui oppose le voyageur initié aux touristes :**

Le voyageur initié	Les touristes
– raconte son périple en alignant des noms de code, un langage chiffré	
– c'est sa manière de « tutoyer » l'Amérique	– « effleurent distraitement le pays ».
– se présente comme un familier de l'Amérique	
– est entré en profondeur dans ce pays	
– revient ambassadeur des États-Unis en France	

p. 19 *Pour fixer le vocabulaire*

Associez les mots ou expressions des deux colonnes :

Se dit de quelqu'un dont les vêtements sont déchirés.	– il est dépenaillé
Se dit de quelqu'un qui n'a pas de domicile fixe.	– un vagabond
L'état d'être sans biens ni argent.	– le dénuement
L'état de non entretien, presque de ruine.	– le délabrement
Se dit de quelqu'un qui aime rester chez soi.	– être casanier
Se dit de quelqu'un qui habite le même pays que soi.	– un compatriote
Quelqu'un de sensible à la moindre douleur ou au moindre inconfort.	– un douillet
Mettre de la mauvaise humeur à faire quelque chose.	– rechigner à faire quelque chose
S'amuser à faire quelque chose.	– « s'éclater » (registre familier)
Se donner beaucoup de mal.	– « en baver » (registre familier)
Un voyage mouvementé.	– un périple
Toucher doucement, ne pas entrer en profondeur.	– effleurer
Se dit des animaux qui se déplacent en troupeaux. l'été pour trouver de nouveaux pâturages.	– la transhumance

p. 19 *Expression écrite*

Proposition de texte :

Voyager, pour moi, **c'est aller** le plus loin de chez moi dans un pays qui ne ressemble absolument pas au mien : ni par la langue, ni par la culture, ni par la religion.

Voyager, pour moi, **c'est être léger**. Il y a toute une expérience de la chose : apprendre à n'emporter que le strict minimum, ne pas surcharger inutilement mon sac. Il faut savoir boucler sa valise sans s'asseoir dessus, être léger en vêtements m'oblige à être attentif au climat et aussi à épouser le vêtement de ceux que je rencontre : je porterai l'anorak des Esquimaux, la djellaba des Tunisiens ou le dohti des Bengalis. Et comme le vêtement fait le moine, en endossant un nouvel habit, j'essaie d'adopter de nouvelles coutumes. Je l'ai déjà expérimenté : c'est extraordinaire de ressentir la chaleur sur son corps avec du coton indien ou le froid à travers un anorak esquimau !

Voyager pour moi **c'est être sensible à** toutes les sollicitations extérieures et c'est me faire le plus invisible pour pouvoir mieux voir, observer, ressentir, goûter, toucher, entendre tout ce que l'environnement exotique où je suis me donne à comprendre. Vous l'avez compris je voyage plus avec mon corps qu'avec ma tête. Pendant les vacances, je privilégie les connaissances des sens à celles de l'esprit ; c'est pourquoi, je me rapproche plus du routard que du touriste. **Me dépayser, c'est faire jouer** mes cinq sens sur une gamme de parfums nouveaux, sur un kaléidoscope de sensations nouvelles et pour cela, il n'est pas toujours nécessaire de traverser la Terre mais simplement de changer de quartier !

(À Paris, des rues, des restaurants évoquent le monde arabe, chinois, sud-américain, ou même indien).

p. 20 LE CLUB MED

Pascal Bruckner et Alain Finkielkraut, extrait de *Au coin de la rue l'aventure.*

Notes

Le Club Med = le Club Méditerranée fut fondé par Gilbert Trigano en 1950. Les Villages de vacances du Club furent les premiers à proposer à des prix forfaitaires : l'hébergement, la nourriture, les activités sportives ou ludiques. Le Club compte actuellement 136 villages en France et dans le monde, 86 000 lits dans 35 pays.

Baudelaire Charles (1821-1867) : poète français qui exprime les conflits de l'âme humaine, le « spleen ». Dans un poème des *Fleurs du mal,* intitulé *L'invitation au voyage,* il évoque une île voluptueuse.

« le rêve baudelairien d'une île voluptueuse » : référence au poème L III des *Fleurs du Mal* de Baudelaire.

L'INVITATION AU VOYAGE

Mon enfant, ma sœur,
Songe à la douceur
D'aller là-bas vivre ensemble !
Aimer à loisir,
Aimer et mourir
Au pays qui te ressemble !
Les soleils mouillés
De ces ciels brouillés
Pour mon esprit ont les charmes
Si mystérieux
De tes traîtres yeux,
Brillant à travers leurs larmes.

Là, tout n'est qu'ordre et beauté
Luxe, calme et volupté.

[...]

Vois sur ces canaux
Dormir ces vaisseaux
Dont l'humeur est vagabonde ;
C'est pour assouvir
Ton moindre désir
Qu'ils viennent du bout du monde.
Les soleils couchants
Revêtent les champs,
Les canaux, la ville entière
D'hyacinthe et d'or ;
Le monde s'endort
Dans une chaude lumière.

Là, tout n'est qu'ordre et beauté,
Luxe, calme et volupté.

p. 21 *Repérages*

Idées	Expressions précises du texte
– Le village est situé dans une nature splendide et généreuse.	– «... dans l'univers **édénique** d'une nature **gratifiante.** »
– Le village est décrit de façon superlative.	– « **Les plus beaux** sites près des eaux, les **plus bleues** et **les plus chaudes** du Monde. »
– Le Club détraque le métronome des saisons.	– « Toute la gamme des climats se trouve annulée au profit d'un système violent qui ne fait pas de détails. »
– Au Club, on ne manque jamais de rien.	– « Il sait toujours **fournir la matière nécessaire à point nommé...** « les buffets d'abondance » où l'on se sert et ressert à volonté. »
– Au Club, tout signe de la vie de travail est transformé.	– « **L'argent**, lui-même, non pas signe d'infamie mais de sueur et d'effort **est** aussi **remplacé par** le **collier-bar de boules multicolores...** on est invité à clochardiser avec magnificence, à devenir des indigènes luxueux. »
– Le village offre tout ce à quoi rêvait Baudelaire dans l'*Invitation au voyage*.	– « Tout est parfait, tout est facile... cette perfection **euphorise** : le village réalise dans un décor tropical, **le rêve baudelairien d'une île voluptueuse.** »
– Mais une semaine de vacances, c'est très court.	– « La **brièveté** déchirante de chaque semaine évite à l'estivant de s'ennuyer et ne lui donne que des regrets de déjà partir. »
– Il faut donc faire autant d'effort pour se reposer que pour travailler.	– « Il faut **se défoncer avec** la même application que l'on s'astreint au travail pendant l'année. »
– Ces efforts sont pourtant totalement opposés à l'esprit des vacances.	– « Un **forcing** du plaisir et de la joie de vivre qui contredit la **nonchalance** propre aux vacances. »
– Au Club « tout le monde, il est beau, tout le monde est gentil ».	– « C'est tout le village qui **ruisselle de gentillesse**, d'amabilité, d'effusion. »
– Quand ça ne va pas bien, le gentil organisateur vous oblige à être de bonne humeur.	– « Si, par hasard, l'**ambiance fléchissait**, le G.O. est là qui se chargera d'injecter, dans l'apathie générale, du contact, de la bonne humeur, du rire »
– Parce que pendant les vacances, il est impensable d'aller mal.	– « Car **il est inconcevable de flipper** ou d'être triste en vacances »

p. 21 *Analyse*

1. • Indicateurs chronologiques :
   D'abord... Et puis... Enfin...
   • Mot qui signale le début du résumé :
   Bref...

2. • Conjonction marquant l'opposition : **mais**
   • Terme conclusif : **Enfin...**
   – Terme marquant la conséquence :... **d'où...**
   – Une expression introduisant une hypothèse : **Et si...**
   – Un terme répété indiquant la cause :... **car...**

3. • Propositions de titres :

Première partie (« Toute l'ambiance… → une île voluptueuse »)

Le Club : un paradis sur Terre

ou

Le Club : un rêve euphorisant

ou

Vivre au Club, c'est vivre sur une île luxuriante

Deuxième partie («Le Club… → rendement »)

Une semaine au Club : une semaine de plaisirs forcés

ou

Huit jours passés au Club : une défonce organisée

Troisième partie (« Enfin… → en vacances »)

Tous des copains heureux

ou

Interdiction d'être triste au Club : le G.O. veille !

ou

Au Club : tout le monde, il est beau, tout le monde il est gentil !

p. 21 Expression écrite

Proposition : publicité pour un livre d'art sur l'art égyptien

VOYAGE AU PAYS DES PHARAONS

D'abord, vous serez séduit par les couvertures élégantes des volumes : chaque volume de 23 cm sur 28 cm contient 176 pages. De très nombreuses photos, des illustrations spécialement réalisées pour cette collection, des cartes et des schémas en coupe vous feront découvrir comment vivaient les Égyptiens.

Et puis, des tableaux chronologiques en couleur vous permettront de mieux comprendre le passé de cette civilisation illustre. D'époque en époque, vous explorerez les monuments : les temples d'or ornés de pierres précieuses, les pyramides, les tombes des rois et des reines à Louxor, et vous embarquez sur les felouques d'hier semblables à celles d'aujourd'hui.

Enfin, des reproductions des papyrus d'il y a 4500 ans, vous initieront à l'écriture des hiéroglyphes. Vous serez littéralement transplanté sur place, en Haute Égypte. La beauté des photographies, l'intelligence du texte écrit par les plus grands spécialistes, la qualité éditoriale de chaque ouvrage vous feront voyager au pays des Pharaons.

Bref, sans quitter votre fauteuil, vous aurez à portée de main les œuvres d'art les plus belles, vous pourrez, en feuilletant les pages, entendre le clapotis des barques sur le Nil et sentir le zéphyr du soir sur votre visage… N'attendez plus, consultez l'offre exceptionnelle faite par les éditions X pour recevoir chez vous ce monde de rêves !…

p. 22

AIRPORT

Jacques Lacarrière, extrait de *Ce bel aujourd'hui.*

Notes

Babel : la Tour de Babel (dans la *Genèse* XI, 1-9) est symbole de variété linguistique, de difficultés de communication, de vanité et d'échec.
Cendrars Blaise (1887-1961) : écrivain français d'origine suisse. Son œuvre est une conquête poétique du monde entier. Grand voyageur dès l'âge de 17 ans, il a nourri son œuvre de voyages réels ou imaginaires. *Bourlinguer* (1948) ou *La prose du Transsibérien* (1913) atteste de ce goût enfiévré de la vie, de toutes vies qu'il aimait saisir dans des instantanés.
Invalides : quartier de Paris (VIIe arrondissement) qui tient son nom de l'hôtel des Invalides, conçu par Louis XIV en 1670 pour abriter les soldats blessés. L'aérogare des Invalides est un lieu de départ des navettes assurant la liaison avec les aéroports parisiens.
Lacarrière Jacques : écrivain contemporain, grand marcheur et grand voyageur ; dans *Chemin faisant* J. Lacarrière brosse une France rurale, la région du Massif Central qu'il a arpenté à pied. Il ne parle que de ce qu'il a expérimenté « physiquement » : marche à pied ou voyages.
Orly : aéroport du sud de Paris. Il dessert le territoire national et étranger.
Roissy : aéroport international du nord de Paris aussi appelé aéroport Charles de Gaulle.
Sirènes : démons mythologiques marins (femme à queue de poisson, oiseau à tête de femme, ou femme ailée) dont les chants séducteurs provoquaient les naufrages. Ulysse (*L'Odyssée*) comme Orphée (l'Argonaute) vaincront les sirènes.
Ulysse : héros grec, guerrier habile et rusé immortalisé par Homère, dans *L'Iliade* et *L'Odyssée.*

p. 23

Repérages

• A la fin du texte, Jacques Lacarrière écrit que dans les aéroports « on ne parle pratiquement qu'une seule langue. Depuis la dernière guerre, l'anglais est devenu la langue officielle des nuages... »
L'anglais étant la langue « officielle », il est logique que l'auteur écrive le mot anglais « airport » pour aéroport. L'auteur, observateur attentif et perspicace souligne ainsi dès le début le caractère exogène du lieu.

• Il s'agit de l'ouïe.

• Les termes repris par « ces octaves extrêmes » sont :
« le susurrement des hôtesses... » et « le vrombissement des réacteurs ».

• Dans les gares, les voix annonçant le départ ou l'arrivée des trains étaient des voix rocailleuses de mâles, car le voyage était une affaire d'hommes. Alors que maintenant, le voyage a changé de sexe : il est devenu féminin, surtout le voyage aérien d'où les voix enjôleuses des hôtesses.

• Les voix des haut-parleurs des aéroports sont :
« enjôleuses » - quasi « cajoleuses », c'est-à-dire qu'elles exercent un pouvoir de séduction sur les voyageurs (enjôler : ce verbe qui date du XVIe siècle vient du mot « géôle », prison, signifiait « emprisonner », en-géole). Abuser par de belles paroles (synonyme : tromper, duper, séduire). De même « cajoler » (se disait au XVIe siècle pour les oiseaux = crier, chanter) aujourd'hui signifie avoir des manières et des paroles tendres, caressantes (synonymes : choyer, dorloter). Ces voix ont le pouvoir de calmer, de rassurer, de séduire.

• Les hôtesses sont comparées aux « sirènes ».

• L'aéroport est comparé à Babel. La Tour de Babel dans le livre de la *Genèse* (XI, 1-9) est un édifice très élevé que les hommes bâtissent pour se rapprocher des cieux. Dieu, jaloux de sa suprématie, introduit la diversité des langues, l'entreprise échoue et les races se dispersent. La Tour de Babel symbolise la variété linguistique du monde.

p. 23

Analyse

• L'auteur peut se permettre cette image grâce à la métaphore des « sirènes ». Les hôtesses sont comparées à des « sirènes », personnages mythologiques du monde marin ; l'adjectif « océane » connote aussi ce même monde océan/mer.

• « La zone privilégiée des espaces en franchise », où l'on peut acheter des produits de luxe comme des produits alimentaires, fait penser à un marché où viennent s'approvisionner les ménagères, c'est-à-dire les femmes qui font leurs courses pour nourrir leur famille. Ici, elles viennent du monde entier, d'où le terme « cosmopolite ».

Le paradoxe est exprimé par le rapprochement des deux termes.
« Une ménagère » connote le quotidien, le local alors que l'autre terme « cosmopolite » connote l'appartenance au monde entier.

• Le « sentiment du transitoire » ressenti par l'auteur s'explique par le fait que dans un aéroport « on s'y sent doublement passager : dans la ville elle-même et dans sa propre vie ».
« doublement » parce que « tout passage d'une ville à une autre, d'un continent à un autre... implique une petite épreuve et de subtiles initiations » ; il y a donc deux passages : un physique (géographique) et un autre mental (une initiation).

• Ce « sentiment du transitoire » est adouci par « les lumières tamisées, les sons filtrés, la voix des sirènes, l'aménagement des halls ».

• Les anciens Égyptiens comme le voyageur devaient prouver qu'ils n'étaient pas des malfaiteurs, « des terroristes ». La différence est que les uns étaient jugés sur leurs actes (vie morale) alors que le voyageur est testé sur des objets (vie matérielle).

• Dans un aéroport, on ne perçoit pas immédiatement la réalité du voyage parce qu'on « n'aperçoit l'avion qu'au moment d'y monter ». Ce qui n'est pas le cas pour un port ou une gare où les bateaux et les trains sont visibles dès l'arrivée.

p. 24 LES TIMBRES-POSTE DE L'EXOTISME

Gilles Lapouge, extrait de *Pour une littérature voyageuse.*

Notes

Delacroix Eugène (1798-1863) : peintre et lithographe français, chef de l'école romantique. Auteur du célèbre tableau *Les femmes d'Alger dans leur appartement*, 1834.
Gauguin Paul (1848-1903) : peintre et sculpteur français post impressionniste et symboliste. Il est célèbre pour ses peintures exotiques et ses portraits. (*cf.* p. 31)
Gilles Lapouge : écrivain contemporain. Il a travaillé avec Bernard Pivot aux débuts de l'émission *Apostrophes* - émission littéraire qui a connu un grand succès, maintenant terminée.
Lilliput : pays imaginé par Swift dans *Le voyage de Gulliver*, peuplé de minuscules petits êtres. « Un univers Lilliputien ».
Papous : groupe de peuples de Malaisie, Mélanaisie et Polynésie ne parlant pas la langue officielle (le néo-malaisien). S'emploie au sens figuré pour évoquer la différence farfelue.
Rousseau Henri dit « Le douanier Rousseau » (1844-1910) : peintre français initiateur de l'art naïf. Il est célèbre, entre autres, pour ses paysages exotiques, ses fleurs fantastiques et sa vision de Paris.

p. 25 *Repérages*

– Les différents termes qui évoquent l'exotisme sont :
« les baobabs, les oiseaux de paradis - les papillons - le désert de Gobi - des Guadeloupe et des Virginie - les chaleurs du sable ou l'ombre des palétuviers ».

– Le timbre-poste est comparé « aux autres modes de locomotion », c'est-à-dire aux autres moyens de transport : des véhicules comme le train, la voiture.

– Le mystère du timbre-poste réside dans sa petite taille qui est capable d'enclore tout un monde. L'infiniment petit qui peut contenir l'infiniment grand. C'est cet étrange pouvoir qui fascine l'auteur.

– Le timbre-poste donne au narrateur « la puissance et la gloire » de « posséder » « tout un continent... toutes les senteurs de l'Arabie », et même « le monde ». Il est comme le maître du monde.

– Il n'aime pas les collections de timbres car s'il faisait une collection « il devrait » classer les timbres, les mettre dans des compartiments, tracer des limites, respecter des distances, composer des continents, sacrifier à la notion d'États. C'est le contraire même de son attitude.

– La « jouissance exotique » « réclame » une planète truffée de terrae inconitae c'est-à-dire une terre où il y a des contrées inconnues et où l'imagination dérègle la géographie.

p. 25

Analyse linguistique

• **Dans le premier paragraphe**, le relevé des verbes (*cf.* ci-après) correspond à l'étude d'un champ lexical, première étape d'une étude stylistique d'un texte littéraire.

– Les verbes qui prouvent **le pouvoir d'exotisme** des timbres :

- m'exaltaient
- ils m'emportaient du désert de Gobi
- m'emmenait plus loin que...

Les timbres ont le pouvoir d'exalter le narrateur et de l'entraîner dans le monde d'un exotisme lointain, comme s'ils étaient dotés d'une puissance magique.

– Les verbes qui prouvent **la curiosité** du narrateur :

- cet exotisme philatélique m'intriguait
- je flairais un mystère
- je m'interrogeais...

Curiosité intellectuelle, et aussi « instinctive » (flairer : sentir avec insistance comme le ferait un animal).

– Les verbes qui prouvent la **puissance** du narrateur :

- sa dimension lilliputienne me donnait la puissance et la gloire (il reçoit du timbre la puissance : il est dans une attitude de réception, c'est le timbre qui lui confère la puissance)
- je possédais
- je me fabriquais des pays
- je les gérais, je les organisais

La puissance du narrateur consiste à d'abord « posséder » puis, par l'imaginaire « il crée/il fabrique » d'autres pays qu'il « gère » et qu'il « organise ». Il devient comme un démiurge : il crée lui-même d'autres mondes dont il est « le gérant ». Il fait et défait « son monde » comme il l'entend.

– L'emploi de l'imparfait est ici totalement justifié puisque le narrateur évoque son passé - sans doute son enfance -. Ce contact avec les timbres, cette fréquentation a duré longtemps (*cf.* au début du texte : « longtemps, j'ai confondu l'exotisme et les timbres-poste »). Les imparfaits qui suivent, évoquent cette longue fréquentation des timbres, le narrateur se situe « pendant le déroulement » de ce moment du passé. L'imparfait a cette valeur d'évocation d'un moment du passé où le narrateur choisit cette vision du passé où il est « pendant le déroulement » et non après comme l'exprime le passé composé.

• – **Dans le dernier paragraphe** : relevé des verbes qui expliquent pourquoi le narrateur ne collectionne pas les timbres :

- elle eût découpé le globe...
- elle eût tracé des limites/respecté des distances/composé des continents, sacrifié à la notion d'États.
- elle eût colmaté les vides entre les pays...

– Ces verbes sont conjugués **à la seconde forme du conditionnel passé** ; il serait possible de paraphraser ces verbes en employant la première forme du conditionnel passé : elle aurait découpé le globe... surtout elle aurait colmaté les vides entre les pays...

Paraphrase :

Le narrateur n'a jamais imaginé de faire une collection parce qu'elle aurait découpé le globe en compartiments, tracé des limites... s'il l'avait faite... mais il ne l'a pas faite car c'est le contraire de sa démarche.

Ce mode du conditionnel exprime cette éventualité possible dans le passé si la condition avait été remplie, ce qui n'a pas été le cas.

Remarque : la deuxième forme du conditionnel passé est identique à celle du plus-que-parfait du subjonctif.

p. 25 *Pour fixer le vocabulaire*

Expressions	Formulations exactes du texte
• – Je les ai pris l'un pour l'autre.	« j'ai confondu »
– Les timbres-poste m'enthousiasment.	« m'exaltent »
– Les pays étrangers me rendent curieux.	« m'intriguent »
– L'exotisme des œuvres d'art est moins sûr que celui des timbres.	« ne tient pas la route »
– Avec un timbre-poste, on peut aller très loin sans risque de se perdre en route.	« le plus vilain timbre-poste m'emmenait plus loin que le plus beau des portulans »
– Je sens qu'il y a un mystère.	« je flaire un mystère »
– Les timbres-poste permet de se déplacer très vite.	« de se balader à une vitesse de foudre »
• – En été, la nature est pleine de couleurs.	« est bariolée »
– Il n'avait pas d'appareil photo mais il a réussi à en emprunter un.	« il s'est débrouillé pour en emprunter un »
– Ne touche pas sans cesse à mon appareil photo, il est chargé.	« Ne tripote pas mon appareil »
– En été, beaucoup de jeunes se promènent à pied dans la montagne.	« se baladent »
– Ceux qui ne craignent pas le danger, escaladent le Mont-Blanc.	« intrépides »
– Il faut remplir ces trous si vous voulez que le mur reste debout !	« il faut colmater ces vides »
– Tout ce qu'il dit est souvent plein de mensonges.	« truffé de mensonges »

ENTRAÎNEMENT

p. 26

Micro-trottoir

1. Partir c'est vivre un peu mieux !

1. Dominique n'aime pas partir. Elle dit : « L'idée de partir ne **me séduit pas** ».
2. Marie-Françoise adore les îles. Elle **s'y sent** bien.
3. Quand le médecin **éprouve** de la lassitude, il part au bord de la mer se reposer.
4. Certains interviewés pensent que partir est un moyen de **s'évader des** soucis quotidiens.
5. Un commerçant avoue **être attiré par** l'Amérique du Sud parce que les Sud-Américains ont de l'imagination.
6. Maria veut partir dans le sud de l'Europe parce que le mode de vie dans ces pays **lui convient** mieux.

2. Vous avez la parole

Pas de correction (activité orale).

Le temps du week-end

3. Quelle est votre analyse de la situation ?

A. Des responsables d'agences touristiques parlent :

Exemples de réponses :

1. Gilbert Grand : « les vacances plus courtes correspondent aux besoins actuels des vacanciers ».
2. Marie Dumont : « les Français aspirent à une meilleure qualité de vacances ». Ils s'orientent vers des séjours de « re-découverte » du pays. Ils apprécient les traditions anglaises. »
3. Philippe Petit : « la rapidité des transports répond au style de vie moderne. Elle facilite les évasions périodiques ».
4. Catherine Dumaître : « les Français, aujourd'hui cherchent à partir plus souvent et moins longtemps. Les évasions périodiques correspondent bien à leur nouveau style de vie moderne ».
5. …

B. Discours rapporté

1. Gilbert Grand **constate que** les vacances plus courtes correspondent aux besoins actuels des vacanciers.
2. Marie Dumont **ajoute que** les Français aspirent à une meilleure qualité de vacances et **elle souligne qu'**ils s'orientent vers des séjours de re-découverte du pays et ensuite elle **fait remarquer** qu'ils apprécient les traditions anglaises.
3. Quant à Philippe Petit **il affirme que** la rapidité des transports répond au style de vie moderne et qu'elle facilite les évasions périodiques.
4. Enfin, Catherine Dumaître **prétend que** les Français aujourd'hui cherchent à partir plus souvent et moins longtemps et **elle explique que** les évasions périodiques correspondent bien aux désirs des Français.
5. …

Le routard et les autres

4. C'est le jour et la nuit !

Le touriste classique **choisit** le confort des hôtels **mais** le routard rejette cette tranquillité et **décide de** faire du camping sauvage.

Si le routard **refuse** l'organisation des clubs modernes, le touriste classique la **recherche** et l'apprécie.

Le routard choisit les transports modestes parfois inconfortables **alors que** le touriste préfère voyager dans le confort.

Le touriste classique **est attiré par** la tranquillité que lui offre son agence de voyage **tandis que** le routard fuit ce type d'organisation.

Si le touriste **hésite à** prendre des transports locaux, le routard les préfère à tout autre.

Si l'un recherche l'aventure, **l'autre** la fuit.

Le vacancier classique **choisit** des clubs modernes pour se refaire une santé, pour se reposer **alors que** le routard refuse ce type de vacances pour privilégier la découverte et l'aventure.

Le Club Med

5. Les règles du jeu

Propositions

Le chef du Club Med reçoit un futur GO et lui donne des conseils précis :

« Il faudra **favoriser** au maximum la bonne entente entre les membres du groupe.

Vous devrez **prendre en charge** l'animation des soirées et **vous vous efforcerez** de rentabiliser au mieux le capital humain du groupe : **ne manquez pas de** faire participer les plus bavards comme les plus timides.

Ayez toujours à l'esprit que vous êtes le baromètre du groupe, vous êtes la référence : sourire, disponibilité et bonne humeur.

Astreignez-vous à être ponctuel. Si vous fixez un rendez-vous à votre groupe, donnez l'exemple : soyez à l'heure car le temps de loisir demande à être respecté comme le temps de travail.

Évitez de parler du travail ou du retour à la vie quotidienne.

Vous êtes un G.O. **Multipliez** les occasions de faire rire, c'est excellent pour la santé du Club et pour la vôtre aussi.
Forcez-vous à vous réveiller tôt, même si vous vous êtes couché tard la veille. Cela est une bonne hygiène pour le corps comme pour l'esprit : rien de tel qu'un bon bain le matin à 7 heures pour être en forme toute la journée.
Allez, le Club vous fait confiance, n'oubliez pas mes conseils et tout se passera bien.
Bref, soyez le GO idéal pour vos clients ».

Grammaire

6. Des goûts et des couleurs...

1. Une nouvelle existence, **j'y** réfléchis souvent.
2. Des nourritures spirituelles, **j'en** vivrais tout le temps.
3. Changer de vie, **j'y** ai parfois songé.
4. Partir, je ne m'**en** lasse jamais.
5. M'éloigner trop longtemps de mon travail, je **n'y** tiens pas.
6. Découvrir les atouts culturels de la vraie France, j'**en ai** besoin.
7. Le charme exotique de l'Inde, je **l'**imagine depuis toujours.
8. Ah ! la douceur de la province, je **la** retrouve...
9. Tout plaquer, j'**y ai** très souvent pensé.
10. M'astreindre aux périodes de vacances obligatoires, je **le** déteste.

Grammaire

7. Tant qu'il y aura des touristes

1. **Ce dont** j'ai besoin, pendant mes vacances, **c'est** d'exotisme.
2. **Ce dont** je ne me lasse jamais, **c'est de** voyager.
3. **Ce qui** m'intéresse, **c'est la** diversité des modes de vie.
4. **Ce que** j'apprécie, **c'est** l'hospitalité et la gentillesse des habitants.
5. **Ce à quoi** j'aspire, **c'est au** calme et à la tranquillité et je **les** trouve dans ce petit village.
6. En vacances, **ce à quoi** je tiens surtout, **c'est à** me distraire.
7. En tout cas, **ce que** je déteste, **c'est** bronzer idiot sur une plage.
8. **Ce dont** j'ai toujours envie, **c'est** de soleil et de mer bleue.
9. **Ce qui** me passionne, **ce sont** les coutumes des autres pays.
10. **Ce qui** m'intrigue beaucoup, **c'est** la diversité des langues et des cultures.

Airport

8. Les portes de l'évasion

1. ... chaque destination devient **la Terre Promise**.
2. Ces voies enjôleuses et cajoleuses font penser à celles **des sirènes qui dans l'Odyssée...**
3. Ici, la « voix des sirènes » représente **la voix des hôtesses**.
4. ... les magasins de l'aéroport sont **un Eden**.
5. **Les anciens Égyptiens** devaient franchir...
6. ... est comparable **à la Tour de Babel**.
7. ... que l'auteur appelle **le babélien**.
8. Du temps **de Babel**, les hommes ne se comprenaient plus.
   En comparant l'anglais **au babélien**, l'auteur de *Airport* ne fait donc pas un compliment réel à la langue de Shakespeare !

Les timbres-poste de l'exotisme

9. Plein phare sur la culture générale

1. Références culturelles

• *Le désert de Gobi :* ce désert du sud de la Mongolie intérieure d'une longueur de plus de 1500 km et d'une largeur variant de 500 à 900 km est un des plus grands déserts du monde.
La chaleur y est torride en été et le froid glacial en hiver (-25°).
Son sol est rocheux et sablonneux, la steppe se trouve seulement sur ses confins. En chinois, « désert de sable » se dit « Sha-Mo ».

• *La Guadeloupe :* la plus grande des Antilles françaises, située au nord de la Martinique, est un département français. Elle est formée de deux îles : Grande-Terre et Basse-Terre. Basse-Terre, de terre volcanique, est la plus élevée des deux ; le mont culminant de l'île est la Soufrière (1467 m), forêts très denses.

Grande-Terre est de faible altitude et propre à l'élevage. Le climat est chaud avec des pluies abondantes. La canne à sucre occupe 50 % des terres. La population active est composée en majorité de noirs et de mulâtres travaillant dans les plantations. Les ressources étant limitées, une forte émigration de Guadeloupéens se fait vers la France.

• *La Virginie* est un État de l'est des États-Unis. Capitale : Richmond. Les montagnes « les Appalaches », le Piémont et la plaine qui aboutit à la baie de Chesapeake en font une région prospère. L'agriculture et les industries classent la Virginie au 3e rang des 11 états du sud-est des États-Unis. Sept des douze premiers présidents des États-Unis étaient de Virginie. Elle fit sécession en 1861. Réadmise dans l'Union en 1870. Les problèmes raciaux y restèrent très aigus.

2. Exemple de publicité pour le désert de Gobi

G comme géant
O comme Orient
B comme bivouac
I comme immense
Le désert de Gobi vous fascinera.
Loin des sentiers battus,
Loin du monde et de ses agitations.

Si vous aimez l'espace, la pureté des formes et le vent, venez nous voir pour découvrir cette terre rarement visitée qu'est le désert de Gobi.

Apportez vos chaussures de marche, votre sac à dos, et bien sûr votre appareil photo. Le reste, nous nous en chargeons.

Contactez l'agence « Découverte des déserts », 23 rue du Fer à Moulin, Paris. Ouvert toute la semaine (sauf dimanche) de 9 heures à 19 heures.

3. Exemple de résumé sur Paul Gauguin

Paul Gauguin (1848-1903) : Les musées de Paris, Prague, Londres, Boston, Tokyo possèdent des œuvres de Gauguin. Ce peintre-sculpteur-graveur, célèbre et connu du monde entier a vécu au XIXe siècle. Né en 1848 à Paris, il mourut à 55 ans (en 1903) aux îles Marquises. Sa vie fut une aventure*. L'exotisme de Gauguin exprime la quête douloureuse qu'il a poursuivi pour redécouvrir la valeur essentielle des symboles magiques et religieux. Comme Van Gogh avec qui il vécut à Arles (1888), Gauguin a senti la faille qui sépare le christianisme de l'homme moderne : il a recherché un nouvel ordre du monde et sa plongée dans les arts primitifs en est la preuve. Les délices du Pacifique comblèrent son attente. Gauguin évolue de l'impressionnisme au synthétisme qui définit l'œuvre d'art comme une forme non-naturaliste où le dessin concis et la saturation de la couleur dominent. Gauguin avait le culte de Raphaël, d'Ingres et aussi de Delacroix ; il disait « la ligne, c'est la couleur, l'intensité de la couleur, la couleur pure ! il faut tout lui sacrifier ! » Il est considéré comme le libérateur de l'art moderne.

* Ses va et vient entre la France et le Pacifique le prouvent.

1 B - LES RÊVES D'AMOUR

TEXTES	ACTIVITÉS		ENTRAÎNEMENT
	ORAL	ÉCRIT	
Micro-trottoir p. 30 (Transcription p. 234, 235)	Faire parler deux personnages ou personnes qui ont deux types de comportements amoureux très différents.	Ecrire une lettre au courrier du cœur d'un journal.	Exercice 1
L'art de la séduire, Anne-Marie Furon, *Santé Magazine,* p. 34	Commentaires à propos du texte (activités interculturelles).	Écrire une parodie du texte.	Exercice 2
La naissance de l'amour, Stendhal, p. 36	Argumentation orale à propos du texte de Stendhal.	Écrire un texte à la manière de Stendhal mais en langage moderne.	
L'amoureuse, Paul Éluard, p. 37			
La recette de l'amour fou, Serge Gainsbourg, p. 38	Jeux de rôles : mise en scène théâtrale.	Écrire un texte à la manière de Gainsbourg.	Exercice 3
Mon rêve familier, Paul Verlaine, p. 40			

MICRO-TROTTOIR : LES RÊVES D'AMOUR

L'amour, qu'est-ce que c'est pour vous ?

p. 32 *Repérages*

- L'amour passe
  « J'ai pas l'impression qu'on puisse toujours être amoureux. »
- L'amour, c'est échanger
  « L'amour c'est l'échange » « l'amour oui, c'est l'échange. »
- L'amour, c'est partager
  « L'amour c'est aussi partager quelque chose. »
  « C'est partager les problèmes, les bons moments, les vacances. »
- Aimer, c'est s'oublier
  « Penser à l'autre avant de penser à soi. »
- Aimer, c'est se dépasser
  « L'amour nous permet de nous dépasser : on est meilleur en tout quand on aime ».

p. 32 **Analyse**

- A la première question, chaque élève répond selon son opinion.
- Les interviewés citent différents types d'amour :
  – l'amour filial, parental
  – l'amour conjugal
  – l'amour est plus fort que l'amitié
  – l'amour complice
  – l'amour fidèle
  – l'amour des enfants hors de la famille
  – l'amour de l'humanité
  – l'amour de Dieu
  – l'amour-confiance
- Chaque élève fera un commentaire sur l'ensemble des réponses.

Prise de parole libre.

p. 32 **Pour fixer le vocabulaire**

- Définitions les plus exactes.

Quand on est amoureux, on « plane »	– On est dans un état de bien-être.
Je suis incapable de définir de but en blanc	– dans l'instant
L'amour c'est la complicité	– une entente profonde
L'amour c'est aussi les « engueulades »	– des disputes plutôt violentes
Réparer les dégâts de l'éducation parentale	– les résultats très négatifs
Avoir accès à la divinité	– être en contact avec…
Le plus beau fleuron de l'humanité	– ce qu'il y a de plus parfait

- Synonymes
  la perle = le fleuron
  voler = planer
  les dommages = les dégâts
  participer de = avoir accès à + nom
  immédiatement = de but en blanc (du tac au tac)
  la connivence = la complicité
  la querelle = les engueulades (se quereller/s'engueuler avec quelqu'un).

p. 32 **Expression écrite**

Propositions :

Lettre d'un garçon au courrier du cœur d'un journal pour les jeunes comme *Salut les Copains* (en France).

Chère Dorothée

Je m'appelle Philippe, j'ai vingt et un ans et j'ai un gros problème. Je n'ai pas de travail et je vis toujours sous le toit de mes parents. J'aime une fille de vingt ans, Isabelle qui a un bon travail chez un architecte. Elle est belle, intelligente et moi je ne suis pas très beau et sans travail. Je suis complexé et timide. Dites-moi ce que je peux faire pour lui dire que je l'aime.

Philippe

Lettre d'une jeune fille

Je suis amoureuse de Sébastien et mon amie Sophie est amoureuse de Jean-François. Hélas ! Sébastien ne fait pas attention à moi, en revanche j'ai l'impression que Jean-François me regarde souvent. Il me sourit et s'arrange toujours pour que je le croise, seul de préférence. J'ai accepté de le voir en cachette. Il dit que j'ai l'air plus dégourdie et plus sexy que ma copine. Qu'est-ce que Sophie va penser de mon attitude ?

Catherine (16 ans)

p. 34 **L'ART DE LA SÉDUIRE...**

Anne-Marie Furon, *Santé-Magazine.*

Notes

Don Juan : personnage mythique du séducteur libertin, créé par Tierso de Molina en 1624 dans *Don Juan ou le convive de Pierre* et immortalisé, entre autres, par Molière et Mozart.
Santé Magazine : périodique, au public essentiellement féminin.

p. 35 ***Repérages***

– *Première idée*
Oui : une femme est plus difficile à séduire qu'un homme. Le texte dit « Pas facile, d'autant plus qu'une fois que l'on croit tout possible, il suffit parfois de peu de choses pour qu'une femme batte en retraite ». Séduire une femme est **d'autant plus** difficile **que** l'on croit que tout est possible. En fait, croire que tout est possible pour séduire une femme, est faux.

– *Deuxième idée*
Non : « Un homme séduit par des gestes, non pas par des cadeaux ».

– *Troisième idée*
Non : Un homme attire l'attention par « un regard complice et non parce qu'il a les yeux verts ». Ce ne sont pas les yeux mais le regard, qui est une expression plus qu'un trait physique, signe de beauté : des yeux bleus ou des yeux noirs. La couleur importe peu, c'est l'expression du regard qui compte.

– *Quatrième idée*
Non : Un homme séduit « parce qu'il exerce un attrait particulier, souvent indéfinissable [...] le physique est important mais ce n'est évidemment pas une affaire de beauté. Plutôt de charme et d'attitude ».

– *Cinquième idée*
Oui : « La majorité des femmes sont sensibles à certains détails ».

p. 35 ***Analyse***

• *Image de la femme*
 – émotive - aime la sincérité
 – sensible - susceptible
 – aime les fleurs
 – aime les lieux exotiques
 – aime recevoir des lettres
 – sensuelle
 – aime les musiques vibrantes

Image de l'homme
– un charme indéfinissable
– séduit par ses gestes, son attitude,
– n'aime pas écrire
– doit être sincère et se montrer émouvant

p. 35 ***Pour fixer le vocabulaire***

Expressions	**Formulations du texte**
Comment la domestiquer ?	« l'apprivoiser »
Il est particulièrement attirant.	« il exerce un attrait particulier »
Un bon conseil pour faire céder une femme.	« craquer »
Ne vous comportez pas comme tout le monde.	« à vous d'être l'exception qui confirme la règle »
Rappelez-lui votre dernière soirée.	« lui remémorer... » (remémorez-lui...)
Il éprouve un amour très fort.	« ardent »
Choisissez de préférence une ambiance exotique.	« privilégiez... »
Si vous êtes adroit.	« si vous savez y faire »

Notes

« **craquer** » **:** verbe de registre familier. Ici signifie « céder », dans le cadre de la séduction. La femme qui est séduite « craque », se laisse aller, se laisse prendre par la séduction que l'homme exerce sur elle. Il est

aussi employé dans un autre contexte, pour signifier aussi que l'on n'a pas pu résister. Par exemple : une femme raconte à une amie qu'elle a acheté un manteau très cher : « écoute, j'ai vu ce manteau, il était splendide, son prix était trop cher pour moi mais j'ai craqué, je l'ai acheté quand même ! ». Le désir a été plus fort que la raison !
« **savoir y faire** » **:** « tu sais y faire », « vous savez y faire », exprime que l'on reconnaît une compétence à celui à qui on s'adresse. Le « y » renvoie au savoir-faire en question. Ici : l'art de séduire une femme, mais cette expression peut bien sûr être employée dans d'autres contextes : cuisine, éducation, bricolage... D'ailleurs, le synonyme donné « si vous êtes adroit » renvoie à une habileté : être adroit de ses mains = être habile, l'emploi est métaphorique.

p. 35

Expression écrite

Proposition de texte : Parodie = imitation burlesque c'est-à-dire « pour rire ».

COMMENT FAIRE CRAQUER UN HOMME

Qui avez-vous envie de séduire ?

L'homme de votre choix, bien entendu. Mais comment le domestiquer, attirer son regard sur vous ? Difficile, **d'autant plus que** lorsque vous croirez qu'il vous est acquis, il suffit parfois d'un tout petit détail pour que l'homme séduit ne le soit plus.

Une parole de trop à propos du dernier match de foot ou un plat préféré mal mijoté, un rouge à lèvres trop tenace et tout peut être à recommencer.

Bref, l'art de séduire un homme demande du tact, de la nuance, une véritable stratégie amoureuse.

Voici donc, les « cinq trucs » qui les font généralement « craquer » :

Montrez-vous féminine...

Un homme sera toujours sensible à une certaine beauté. Mettez en valeur ce que vous savez être le plus joli en vous : vos yeux, votre teint, vos cheveux et surtout n'oubliez pas vos mains : elles attirent leur regard tout autant que votre visage, elles complètent votre visage, elles trahissent votre caractère : pensez-y !

Ne lui écrivez pas, téléphonez-lui...

Mais attention, choisissez votre heure. Trop tôt, cela risque de le déranger alors qu'il est en train de se raser, trop tard, c'est inconvenant. La fin de l'après-midi est préférable et si vous tombez sur son répondeur, soyez originale : apprenez à laisser des messages à la fois tendres et efficaces. N'oubliez pas de laisser vos coordonnées s'il ne les a déjà.

Invitez-le à une soirée

Mais attention, respectez ses goûts : n'invitez pas à une soirée dansante un homme qui ne danse pas, invitez-le au théâtre, au concert, ou au cinéma : cela vous permettra de mieux connaître ses goûts...

Ayez de l'imagination

Pour vos premières sorties en tête à tête, évitez les Mac Donald où la lumière est si affreuse qu'elle enlaidit le plus bel Apollon ! Choisissez des restaurants où l'intimité est respectée mais où il y a aussi de l'ambiance...

Proposez-lui des livres que vous aimez

C'est la plus innocente des propositions et elle vous permettra d'échanger des goûts, des idées. Vous serez **d'autant plus** séduisante **que** vous saurez habilement le laisser parler et s'exprimer. Généralement les hommes sont beaucoup plus bavards que les femmes ne le croient : il faut simplement leur donner l'occasion de le faire sur un sujet précis.

Pour le reste, votre charme, votre présence faite de délicatesse mais aussi de fermeté, agiront sur celui qui ne pourra que « tomber » à vos pieds. À vous alors, de savoir le relever et le garder.

p. 36

LA NAISSANCE DE L'AMOUR

Stendhal, extrait de *De l'amour.*

Notes

Salzbourg : ville d'Autriche, patrie de Mozart en l'honneur duquel y est organisé un festival de musique annuel célèbre pour ses marionnettes d'opéra. Salzbourg, littéralement « ville du sel », tient son nom des mines de sel qui l'entourent.

Stendhal (Henri Beyle, dit) (1783-1842) : homme de lettres français célèbre pour *Le Rouge et le Noir* 1830, *La Chartreuse de Parme,* 1839, également auteur de traités comme *De l'amour,* 1822.

p. 37

Analyse

- Ce qui indique que ce texte n'a pas pu être écrit à notre époque est le vocabulaire comme :
  « l'âme » : « voici ce qui se passe dans l'âme »
  aujourd'hui, avec la psychologie et la psychanalyse, on parlerait de psychisme.
  « un objet aimable »... « l'objet aimé » : pour parler de la femme aimée. Aujourd'hui ce terme est vieilli et précieux.
- D'après ce texte, le processus de la naissance de l'amour est d'ordre physique : « quel plaisir de lui donner des baisers »/« le plaisir si vif qu'il se traduit par des signes frappants »/« c'est avoir du plaisir à voir, toucher, sentir par tous les sens, et d'aussi près que possible un objet aimable »./
- Ce que l'on peut trouver d'original dans cette description, c'est en particulier la manière réaliste dont Stendhal évoque la cristallisation amoureuse en prenant comme image l'expérience réelle d'un rameau d'arbre couvert de cristallisations salines. Il y a un accord parfait entre le fait réel, naturel et la métaphore : à partir de rien, le rameau, le sentiment amoureux va embellir ce rien dans des proportions inimaginables.
- **Exemples de prises de parole** que l'on peut attendre des étudiants :

  « Je suis d'accord avec Stendhal lorsqu'il dit « aimer » c'est avoir du « plaisir à voir et à toucher ». On pourrait ajouter que ce n'est pas seulement un plaisir des yeux ou du toucher mais aussi qu'il y a un grand plaisir à entendre la voix de celle ou de celui qu'on aime. »

  « On pourrait ajouter que la voix aussi participe à l'émotion que l'on ressent quand on aime. »

  « Pour moi, la cristallisation c'est aussi sentir que l'on est dépendant de ce regard, de cette voix, ce n'est pas seulement imaginer des « perfections ».»

  « Il me semble que Stendhal ne tient pas compte suffisamment de la présence de l'autre. »

  « Il laisse entendre que seul, l'amant est actif, l'autre, « l'objet » aimé semble être réduit à une statue, « un objet » au sens moderne du mot. Il oublie qu'il ne peut y avoir « cristallisation » que s'il y a « promesse », donc un minimum de réciprocité semble nécessaire, non ?»

  « Stendhal a raison de souligner le caractère éphémère et splendide des effets de la « cristallisation » sur l'« âme » de l'amant, et l'image du rameau est séduisante. Mais faut-il pour autant ignorer que pour qu'il y ait « cristallisation », un environnement propice est nécessaire comme la mine de sel est propice au rameau. C'est précisément « cet environnement » qui souvent fait défaut pour que la cristallisation se fasse.»

  « Bien que Stendhal le prétende, il est faux de dire que l'amant « orne » de « mille perfections » une femme de l'amour de laquelle on est sûr ». Cette exagération généreuse n'est plus de mise de nos jours : il me semble que le désir de l'autre ne rend pas aveugle au point de parer l'autre de toutes les qualités. On sait bien que ce qui attire peut aussi être source de désaccord.»

  « Pour moi, une bonne définition de l'amour serait de garder le premier point de Stendhal : l'admiration. On ne peut aimer que celui ou celle qu'on admire, et la nature de l'admiration est multiple... »

Proposition :

LA NAISSANCE DE L'AMOUR

Voici ce qui se passe dans le cœur, dans le corps et dans l'esprit de celui qui est séduit.

Oui, je préfère le terme de « séduction » pour parler de la naissance de l'amour car il me semble plus juste. D'abord, on est séduit et c'est seulement après que l'on aime ou que l'on décide d'aimer.

1. Les yeux

La séduction des yeux. La plus immédiate, la plus pure. Celle qui se passe de mots. Tactilité des regards où se résume toute la substance virtuelle des corps en un instant subtil.

2. Le secret

Dans ce regard, on perçoit un secret et ce secret est fascinant. Rien n'est dit et c'est cette absence de parole qui crée le mystère. Mystère qui durera après la prise de parole ou qui mourra, c'est selon.

Si le mystère dure après l'écoute de la voix alors...

3. la voix

devient cet élément complémentaire qui enrichit ce que les yeux ont révélé.

La voix charrie des mots importants et insignifiants qui touchent, qui chavirent, qui s'insinuent au travers du vide, qui comblent l'espace qui sépare encore les corps.

4. La main

Et si la voix, elle aussi a été séductrice alors, le premier attouchement peut se réaliser « naturellement ». La main, les mains à leur tour s'expriment et souvent elles ont une folle liberté que ni les yeux, ni la voix ne se permettraient. Elles osent les mains comme si elles étaient déjà en terrain conquis... Attention, c'est là que la séduction va basculer ou non dans l'admissible ou l'inadmissible.

Vous êtes séduit, donc fragilisé. Vos mains ont osé dire ce que peut-être vous ne vouliez pas... ou pas tout de suite.

Fragile, vulnérable, vous avez montré votre désir. C'est par là que vous avez séduit et que vous êtes séduit. C'est cette faille qui permettra ou non la naissance de l'amour. Mais l'amour, c'est « une autre histoire » et ces quelques lignes ne voulaient qu'ébaucher un début de scénario, le début du début.

p. 37

L'AMOUREUSE

Paul Éluard, extrait de *Mourir, ne pas mourir.*

Notes

Éluard Paul (1895-1952) : poète français, surréaliste, engagé dans la Résistance puis au Parti Communiste. Homme marqué par la douleur, ses œuvres proposent une conception plastique de l'existence, de l'amour.

À lire et à découvrir librement.

p. 38 LA RECETTE DE L'AMOUR FOU

Serge Gainsbourg

Notes

Chopin Frédéric (1810-1849) : pianiste et compositeur franco-polonais, aux œuvres romantiques, tendres et passionnées.

Gainsbourg Serge (1928-1991) : auteur compositeur et chanteur français, aimant provoquer. A écrit des chansons pour Brigitte Bardot, Jane Birkin. Très apprécié des médias et très aimé des jeunes des années 90.

p. 39 *Repérages*

- Ce texte s'adresse à une femme qui veut séduire un homme.
- **Classement des mots :**
  - Ceux qui appartiennent **au domaine de la cuisine**
    - faites mijoter
    - c'est qu'il est cuit
    - laissez frémir, faites revenir
    - consommez
  - Ceux qui appartiennent **au domaine de l'amour**
    - laissez s'asseoir et se détendre
    - mettez-vous au piano
    - jouez Chopin
    - faites revenir ce cœur bien tendre
    - faites attendre encore
    - il ne tient qu'à vous d'être tendre
    - tamisez toutes les lumières
    - dites « jamais » dites « toujours »
    - après les « transports »
- **Mots à double sens**

Cuisine	*Autres sens*
un cœur bien **tendre** (par exemple une viande de bœuf « tendre » à faire cuire)	un cœur bien **tendre** (cœur = siège de l'amour et de la tendresse)
un canapé : petit sandwich rond fait de pain de mie	**un canapé** : un fauteuil à plusieurs places
égrener = enlever les grains d'un raisin	**égrener** : métaphore signifiant que les notes sont jouées les unes après les autres, bien distinctement
faites revenir : cuire un morceau de viande dans une cocotte	**revenir** : venir une deuxième fois
mijoter : laisser cuire longtemps à petit feu	**mijoter** (sens métaphorique) : attendre longtemps ou préparer une action avec beaucoup d'attention (généralement le sens est négatif)
frémir : se dit de l'eau qui tremble légèrement avant de bouillir	**frémir** de peur ou de frayeur
la farce : ensemble d'ingrédients qui farcissent les volailles comme la dinde ou le poulet	**la farce** = la comédie
consommer : manger	**consommer** : aboutir
il est **cuit** ≠ cru	**il est cuit** : il est pris ! (registre familier)

- **Métaphores utilisées par Serge Gainsbourg :**
  - ce cœur bien tendre
  - sur canapé
  - faites revenir ce cœur bien tendre
  - c'est qu'il est cuit
  - laissez frémir
  - consommez sur canapé

La métaphore utilisée par l'auteur est celle de la recette de cuisine. Cette métaphore est filée, c'est-à-dire qu'elle court tout au long du texte. Elle a été possible car dès le début du texte, le mot « cœur tendre » était à double sens et permettait le jeu des connotations référant au domaine culinaire.

p. 39

Expression écrite

Proposition de texte :

Dans une discothèque, invitez votre copine
Sur un air de slow ou de rap, laissez-la danser
Versez un verre de coca
Et puis asseyez-vous à ses côtés.

Le premier soir, ne faites que danser
Danser, et encore danser.

Le deuxième soir, fixez-lui rendez-vous
Dans un bar à vous,
Là vous connaissez le patron
Et au fond, offrez-lui un autre coca
Discutez, parlez, faites-la rire
Les filles adorent ça
Et avec des mots à vous, très doux
Emmenez-la sur votre moto.

p. 40

MON RÊVE FAMILIER

Paul Verlaine, in *Poèmes saturniens.*

Notes

Verlaine Paul (1844-1896) : poète français. Son énergie créatrice donne une œuvre plastique et musicale traduisant aussi bien le désarroi moral que l'aspiration spirituelle.

• On pourra demander aux élèves de relever **les traits caractéristiques** de cette femme rêvée par Verlaine : consolatrice ? intime ? Est-il possible de faire un portrait physique de cette femme ?
• Essayez à votre tour d'écrire un poème évoquant un être cher.

p.41

Micro-trottoir

1. Elle n'a jamais connu l'amour

1. Je **n'ai pas l'impression que** l'on puisse vivre avec la même personne toute la vie.
2. Pourtant, **le plus beau fleuron** de la vie, c'est bien sûr l'amour ! (note : fleuron est un ornement en forme de fleur mais, au sens figuré, il signifie « le bien le plus précieux »).
3. Moi, malheureusement, je **suis incapable** de croire à la vie à deux.
4. Certes, je **me suis rapprochée** de quelques personnes qui m'étaient chères.
5. Mais, je **n'ai jamais permis à quelqu'un** de partager mon intimité.
6. Jamais ces personnes **n'ont eu accès à ma vie intime**, jamais !
7. C'est étonnant, mais je **n'ai pas pris le temps d**'aimer.
8. Si vous me demandiez, **de but en blanc**, ce que c'est que l'amour, je **serais dans l'impossibilité** de vous répondre.

Comment rendre une femme amoureuse

2. Modèles syntaxiques

Proposition

1. Séduire une femme **est particulièrement** difficile, **d'autant plus que** l'on croit tout possible alors que ce n'est pas du tout le cas.
2. **Il suffit parfois de** peu de choses, d'un tout petit détail **pour que** tout soit à recommencer !
3. Un homme **me séduit parce qu**'il parle de choses intéressantes **et non pas parce qu**'il a de beaux yeux !
   Une femme me séduit par ce qu'elle a de mystérieux et non parce qu'elle a de jolis cheveux !
4. Parfois un regard **suffit, pour que** la relation devienne sérieuse.
5. Un homme de petite taille **est moins** attirant **qu**'un homme de grande taille, **mais tout aussi** charmant ou charmeur !
   Une femme un peu forte **est moins** attirante **qu**'une plus mince **mais** elle peut être **tout aussi** charmante si son visage et sa conversation méritent qu'on s'y arrête.

La recette de l'amour fou

3. Des mots à double sens

Mots de la chanson de Gainsbourg

1. … son boudoir.
2. … sur des canapés.
3. … Il a pris **une larme de** porto.
4. … a égrené toute une série d'accords.
5. … il faut égrener la grappe.
6. … laisser **mijoter** vos légumes.
7. … L'opposition **a mijoté** son attaque contre le gouvernement.
8. … le voleur s'est écrié : « je suis cuit ! »
9. … fait **frémir** d'émotion certains mélomanes.
10. L'eau doit continuer **à frémir** pendant dix minutes.
11. Tamisez votre farine pour qu'elle soit plus fine.
12. Une lumière tamisée… Tamisez les lumières.

1 C - LE CULTE DU CORPS

TEXTES	ACTIVITÉS		ENTRAÎNEMENT
	ORAL	ÉCRIT	
Micro-trottoir, p. 42 (Transcription pp. 235-236)	Élaboration d'un questionnaire pour interroger des personnes extérieures à la classe. Exposé oral en classe du résultat de l'interview.		Exercices 1, 2, 3
La solitude en sueur, Michel Hanoun, p. 46	Jeu de rôles : entretiens dans une agence matrimoniale.	Rédaction d 'un texte journalistique sur le culte du corps.	Exercices 4, 5
Si tu t'imagines, Raymond Queneau, p. 49			
Citations de Racine, Sartre, Proust, Debussy, Rostand, Rimbaud sur « la beauté » pp. 50-51	Prise de parole libre.	Travail de création libre : poème ou recherche de citations.	

Notes

Cardin Pierre : grand couturier français qui a libéré la mode masculine.
Deneuve Catherine : actrice de cinéma français qui a fait ses débuts dans « Les parapluies de Cherbourg » en 1964. Souvent considérée comme canon de beauté féminine, son buste a servi de modèle à « Marianne », symbole de la République Française.
Saint-Laurent Yves : grand couturier français.

MICRO-TROTTOIR : LE CULTE DU CORPS

Qu'est-ce que vous pensez du culte du corps ? Est-ce que vous avez le culte du corps ?

p. 44 *Repérages*

- – **Certains sont sensibles** à la beauté du corps, aux proportions, à l'habillement.
  – **D'autres sont plus attentifs** à leur alimentation ; à ce qu'ils mangent ou à ce qu'ils portent comme vêtements.
  – **D'autres encore se préoccupent de** leur santé, d'être bien dans leur peau.
  – **Tout le monde fait un effort pour** rester jeune, présentable.
  – **Les plus nombreux sont ceux qui** font attention à leur alimentation, à leur apparence extérieure.
- Le culte du corps semble préoccuper une majorité d'interviewés bien qu'ils ne sachent pas trop comment définir ce qu'est ce « culte » du corps. À part la commerçante qui n'a pas le temps, ils font tous attention à leur apparence physique ou à leur corps : que

ce soit par le choix de leur alimentation ou par leur activité sportive (marche, danse, sports : tennis, natation…).

- Les étudiants exprimeront leur opinion personnelle, on peut attendre d'eux, des formulations comme celles-ci :

  « Personnellement, je me sens plus proche de Michèle l'étudiante qui fait attention à ce qu'elle mange quand vient l'été. Comme elle, je fais attention à mon corps pour moi-même et j'aime aussi faire beaucoup de sport : surtout marcher en montagne. J'ai horreur des salles de gym. »

  ou

  « Moi, je suis comme Fatima, j'adore les vêtements, surtout les grandes marques. Pour moi, le vêtement c'est comme une seconde peau. Si j'avais beaucoup d'argent, je dépenserais tout en vêtements ! »

  ou

  « Je ne me sens proche d'aucune des personnes interviewées. Ce n'est pas comme cela que je parlerai du corps. Tous, dans ces interviews parlent du corps comme d'une apparence, c'est vrai que superficiellement c'est ça, mais, pour moi il est beaucoup plus que ça : une machine extraordinaire qui fonctionne. Je vois plus les corps comme de belles machines dont on ne connaît que l'extérieur… »

p. 44 Analyse

Dans ces interviews, la notion de culte du corps a plusieurs sens.

Exemple de prise de notes :

Le culte du corps, c'est
- faire attention à son mode de vie, son alimentation
- ne pas se faire mal avec son corps physiquement et psychologiquement
- être très sensible à la beauté du corps (danse)
- être dans le culte du corps de l'autre
- mettre des crèmes anti-rides
- pour des gens seuls qui ont le temps…
- être plus attrayant, plus agréable à voir
- faire attention à ce qu'on mange
- adorer les vêtements de marque
- être bien dans sa peau
- pour la santé
- la société qui nous oblige à être attentif à notre corps
- une sorte de politesse
- avant tout, la propreté.

p. 44 Pour fixer le vocabulaire

Mots ou expressions	Synonymes
des gens qui sont un peu ronds	– aux formes arrondies
… un corps svelte	– élancé
… boulottes	– gros, grosses
… ma tasse de thé	– ce que je préfère
Je suis bien dans ma peau	– je suis à l'aise dans mon corps
… ne me calque pas sur…	– imiter
… qui s'embêtent	– s'ennuyer
… « trop branchée »	– passionnée
Je ne me goinfre pas	– je ne mange pas trop

p. 46
LA SOLITUDE EN SUEUR

Michel Hanoun, extrait de *Nos solitudes. Enquête sur un sentiment.*

p. 48
Repérages

Idées	Expressions du texte
– À partir de trente ans, **il ne faut pas cesser de lutter** pour garder un corps jeune.	« À partir de trente ans, il faut **jouer serré avec** son corps »
– Cette préoccupation est plutôt celle des femmes ou celle des hommes ?	« Ce souci esthétique est-il **plus spécifiquement** féminin **que** masculin ? »
– Dans les salles de gymnastique, on s'occupe uniquement du corps.	« La technique est au service du corps, **et du corps seulement** »
– Certains fréquentent la salle de gym comme on pratique une religion.	« La salle de gym **devient une église** pour certains… »
– Ils parcourent les campagnes et les parcs des villes, **chaque semaine**.	« Nos campagnes environnantes et nos espaces verts urbains sont **hebdomadairement** investis »
– Les agences matrimoniales ne sont pas gratuites.	« Une agence matrimoniale qui (…) rappellera qu'il y a **un prix à payer** pour sa solitude »

p. 48
Analyse

Analyse des idées

- – Les activités par lesquelles se manifestent le culte du corps sont :
  - celles des salles de gymnastique : avec les nouvelles formes de gym « aérobic, body-building, stretching, gym-tonic.
  - la marche en plein air, la course.

  – Elles ne sont pas plus féminines que masculines. Elles sont différentes.
  - Ce qui est plutôt masculin : le body-building.
  - Ce qui est plutôt féminin : le stretching, l'aérobic.

  – Les comportements dans les salles de gym se caractérisent par le fait que les hommes sont séparés des femmes simplement parce qu'ils ne font pas la même gymnastique.

  – **La métaphore** qui synthétise ce comportement : ce monde où l'on cultive son corps est comparé **au monde religieux**.

  Relevé des termes qui construisent la métaphore :
  - le culte du corps/ses fidèles/à la communion
  - la salle de gym devient une église comme la nature un temple
  - à mâtines, vêpres, ou complies ils célèbrent leur dieu
  - chaque dimanche matin à la grand messe en plein air.
- Le culte du corps a remplacé le culte catholique qui faisait que les gens allaient à la messe le dimanche matin, à la grand messe, celle de 10 heures ou de 11 heures.

  Cette célébration du Dieu chrétien est remplacée par celle du corps.

Note :

Matines, vêpres, et complies sont les prières chantées par les moines aux heures du matin, de l'après-midi et du soir.

- Compte rendu oral du texte. Proposition :

  « Parmi les personnes qui s'occupent de leur corps, les célibataires hommes ou femmes sont majoritaires. Après trente ans, il faut entretenir son corps c'est pourquoi les salles de gym sont très fréquentées par cette clientèle. En fait, la salle de gym n'est pas le lieu de rencontres idéal car les activités pratiquées par les hommes ne conviennent pas aux femmes. Chacun, seul dans son coin, transpire en silence. Pourtant, le club de gym, les parcs urbains ou la campagne deviennent des lieux sacrés où se retrouvent ces adeptes du culte du corps. Tous, solitaires et narcissiques, ces passionnés de l'esthétique du corps recherchent non seulement leur

propre satisfaction personnelle mais aussi l'âme-sœur. Peut-être que pour cela, il faudra l'aide d'une agence matrimoniale si les astres ne sont pas cléments !
À mon avis, il serait bon de rappeler à ces forcenés du « corps parfait » ce vieil adage latin « mens sana in corpore sano », c'est-à-dire un esprit sain dans un corps sain ; l'essentiel étant la santé de l'esprit qui s'harmonise avec la santé du corps. Cultivez votre esprit et faites de votre corps un jardin ! »

Analyse du texte

• Étude de l'argumentation du texte

– *1er paragraphe*
Définition du problème : les femmes célibataires veulent prendre soin de leur forme physique et de leur ego.

– *2e paragraphe*
Le groupe de mots « ce souci esthétique » reprend l'idée du premier paragraphe. Ici, « ce », adjectif démonstratif, ne démontre rien mais a une fonction référentielle, il rappelle ce qui précède. Il établit un lien de cohérence textuelle.

– *3e paragraphe*
Conséquence de la situation décrite dans les deux premiers paragraphes : « Du coup » qui a le sens de « c'est pourquoi », « en conséquence » ou « par conséquent » introduit le résultat, la conséquence de cette situation, de ce besoin pour les hommes et les femmes d'avoir un corps beau.
« les salles de gym s'emplissent » est **la conséquence** de cette situation.

– *4e paragraphe*
Il est construit sur une **opposition** exprimée par « mais » : un grand nombre d'hommes et de femmes fréquentent ces clubs de gym dans l'espoir d'y faire des rencontres **mais** cet espoir est vite déçu car les hommes sont séparés des femmes ; ils ne pratiquent pas les mêmes gymnastiques.

– *5e paragraphe*
Il introduit une restriction par rapport à l'idée précédente :
« **pourtant** » la salle de gym devient pour certains un lieu sacré comme une église où tous communient dans le même culte du corps.

– *6e et 7e paragraphes*
Conclusion par reprise de l'idée principale du thème et de l'opposition des deux types de solitaires :
Même si certains adeptes de « cette religion du culte du corps » recherchent surtout une valorisation d'eux-mêmes, d'autres rêvent de rencontrer le ou la partenaire qui viendra mettre un terme à leur solitude.

p. 48 **Pour fixer le vocabulaire**

Du coup	– c'est pourquoi
Jouer serré avec	– lutter
Le souci	– la préoccupation
Pléthorique	– très abondant
Propice à	– qui convient à
« draguer »	– chercher à séduire
Investis	– envahis
La quête	– la recherche.

p. 49

SI TU T'IMAGINES

Raymond Queneau, extrait de *L'instant fatal.*

Notes

se gourer : se tromper. Ce verbe appartient au registre populaire. Il est souvent employé par les adolescents.

Raymond Queneau (1903-1976) : a créé le groupe d'écrivains appelé l'Oulipo, c'est-à-dire l'Ouvroir de Littérature Potentielle, le 24 novembre 1960 dont le manifeste exposait une théorie littéraire faite de contraintes formelles, ludiques et créatives. Les œuvres de Queneau les plus connues du grand public sont : *Exercices de style, Zazie dans le métro* (mots-valise, jeux de mots, manières nouvelles d'écrire le français, par exemple, « Xa Va » : priorité donnée à la phonie, insertion de l'oral dans l'écrit...).

Georges Pérec, écrivain français très connu pour son livre *Les Choses* et *La vie mode d'emploi,* faisait partie de l'Oulipo ainsi qu'un écrivain italien très célèbre, Italo Calvino. Ce mouvement oulipien continue encore aujourd'hui avec d'autres écrivains qui adhèrent au même manifeste.

Cette chanson écrite par Raymond Queneau a été chantée par Juliette Gréco. C'est la version « moderne » de ce fameux poème de Ronsard (1524-1585).

Mignonne, allons voir si la rose où le poète conseille à Cassandre de « profiter » de sa jeunesse car le temps est impitoyable :

ODE À CASSANDRE (1555)

Mignonne, allons vois si la rose
Qui ce matin avait déclose*
Sa robe de pourpre au soleil,
À point perdu cette vesprée*
Les plis de sa robe pourprée,
Et son teint au vôtre pareil.

Las !* voyez comme en peu d'espace,
Mignonne, elle a dessus la place,
Las, las ses beautés laissé choir !
O vraiment marâtre Nature,
Puisqu'une telle fleur ne dure
Que du matin jusques au soir !

Donc, si vous me croyez, mignonne,
Tandis que votre âge fleuronne
En sa plus verte nouveauté,
Cueillez, cueillez* votre jeunesse :
Comme à cette fleur, la vieillesse
Fera ternir votre beauté.

*avait déclose :... avait ouvert
vesprée : les vespres (la soirée), ce soir
Las ! : hélas !
Cueillez : référence au poète latin Horace : Carpe diem = cueille le jour.

Il pourrait être intéressant, après avoir étudié le texte de Raymond Queneau de demander aux élèves de comparer les deux textes : la morale reste la même, ce sont les connotations culturelles qui changent.

Relevez les métaphores des deux textes et comparez-les.

Lequel des deux poèmes préférez-vous ?

p. 50

LES CANONS DE LA BEAUTÉ À TRAVERS LES ÂGES

Notes

Debussy Claude (1862-1918) : compositeur français, à l'origine d'une nouvelle sensibilité musicale, aussi bien dans la structure des œuvres, l'harmonie que la rythmique.
HLM : Habitation à Loyer Modéré. Logements pour les familles de revenus modestes mis à disposition par les pouvoirs publics.
Ingres Jean-Auguste (1780-1867) : peintre français, chef de l'école classique. Sa peinture se distingue par le raffinement et la pureté du trait.
Maillol Aristide (1861-1944) : peintre et sculpteur français. Son œuvre sculptée est consacrée presque entièrement à l'étude du corps féminin.
Proust Marcel (1871-1922) : écrivain français et romancier.
Racine Jean (1639-1699) : poète dramatique français qui incarne l'idéal de la tragédie classique. Ses œuvres dépeignent la passion comme une force fatale qui détruit ceux qui en sont possédés.
Rimbaud Arthur (1854-1891) : poète français au génie précoce et déséquilibré. Entre romantisme et surréalisme, son œuvre a profondément influencé la poésie moderne.
Rostand Jean (1894-1977) : biologiste et écrivain français. Auteur d'importants ouvrages de vulgarisation scientifique et de philosophie. Membre de l'Académie Française.
Sartre Jean-Paul (1905-1980) : écrivain philosophe français. Père de l'existentialisme, considérant la liberté comme fondement de l'être.

ENTRAÎNEMENT

p. 52

Micro-trottoir

1. Le culte du corps : ce qu'ils en pensent

1. Je ne sentais pas le besoin **de** faire attention au maquillage
2. Je me mets **à** utiliser des crèmes antirides
3. Si j'avais la possibilité **de** bien m'habiller,
4. Je suis très attentive **à** la beauté du corps, je fais toujours très attention **à** la beauté du corps
5. Je ne me suis jamais préoccupé **du** culte du corps
6. C'est la société qui nous oblige à nous occuper **des** apparences physiques

Micro-trottoir

2. Parlez en votre propre nom

Propositions

1. Je **fais attention à** la façon dont les autres s'habillent car je **suis sensible à l'apparence physique** des femmes comme des hommes.
2. Je **fais un effort pour** être toujours « présentable », c'est-à-dire que **j'essaie d'être attentif (ve) à mon alimentation** pour ne pas grossir, **je m'oblige à** respecter un certain **mode de vie** pour éviter de cacher par des **artifices vestimentaires** des rondeurs disgracieuses.
   Je **fais aussi un effort pour le maquillage** même si je n'aime pas les femmes trop maquillées : je n'emploie que des crèmes qui soulignent mon teint naturel : **je m'empêche de** trop boire (quand je sors avec des amis !) car trop d'alcool est mauvais pour le teint.

Micro-trottoir

3. Votre opinion, s'il vous plaît !

Propositions (oral) :

1. *« Je crois que c'est essentiel. Toute personne peut avec le corps qu'elle a, être présentable. Ce n'est pas une question de beauté plastique mais beaucoup plus une question de mode de vie, de savoir se mettre en valeur. ».*
2. *« Je crois que, même si ce n'est pas hyper important, c'est déterminant. L'apparence physique exprime toute la personne. Et je crois que la séduction passe par le corps de l'autre même s'il n'est pas un Apollon ou une Vénus ! »*

3. *« Non, je ne crois pas ; ce n'est pas très convaincant ce que vous demandez. Il ne s'agit pas de se priver de manger mais de manger de façon régulière et équilibrée, ce qui convient à notre organisme. »*
4. *« Dans mon milieu social : j'habite en ville et je rencontre beaucoup de gens dans mon travail, l'apparence joue un rôle incontournable. Il est hors de question de sortir sans réfléchir aux vêtements que je dois mettre et d'ailleurs, je ne m'habillerai pas de la même façon pour aller à un cocktail ou pour aller au bureau ! Les autres, ceux qui vivent avec vous dans votre milieu professionnel, sont très sensibles aussi à votre « apparence ». C'est un signe de respect je crois, cela signifie que vous les considérez à leur juste valeur. En vacances, bien sûr, c'est très différent : un pull et un jean ! »*
5. *« Oui. Je pense que la propreté est incontournable. Quand on vit en société, avec les autres, c'est le minimum à respecter. »*

La solitude en sueur

4. C'est une question de cohérence !

1. *Au début du deuxième paragraphe :* « Ce souci... »
   Au début du troisième paragraphe : « Du coup »
   Au début du quatrième paragraphe : « Dans ces salles,... »
   Au début du cinquième paragraphe : « Pourtant »...
   Au début du sixième paragraphe : « À l'heure où... »
   Au début du septième paragraphe : « C'est donc... »
2. Quels types de liaison ?
   - Liaisons qui expriment un lien logique de « conséquence » : Du coup.../C'est donc... et de « temporalité » : À l'heure où...
   - Liaison qui exprime une idée d'opposition : « Pourtant »
   - Liaisons qui assurent la cohérence du texte : « **Ce** souci.../Dans **ces** salles... ». Le démonstratif « ce/ces » renvoie à ce qui précède. Ce souci, c'est le souci esthétique du corps dont l'auteur a parlé dans le 1er paragraphe. De même : « ces salles », ce sont les salles de gym dont l'auteur a parlé dans le paragraphe précédent.
3. Le nombre des célibataires qui attachent de l'importance à leur corps va en augmentant. **Ce qui** explique la multiplication des salles de gym. **Pourtant**, le souci d'être en forme physique n'est pas la seule préoccupation des célibataires. Ils veulent **aussi** briser une solitude affective, **c'est pourquoi** ils sont très nombreux à fréquenter les clubs de rencontre. **C'est** plus la quête de l'autre que la valorisation de soi qui les motive.

La solitude en sueur

5. Mettez-y des nuances

1. Dans les cinq phrases données, l'adverbe de phrase est dans la phrase a :
   Généralement, il faut surveiller son poids.
   Pour les autres phrases : b/c/et d/ l'adverbe « généralement » modifie le sens du verbe : surveiller/plaire/et le participe passé « connu ».
2. Propositions de phrases :
   - Assez significativement
     Assez significativement, la clientèle la plus représentée dans ces salles de gym est celle des célibataires. (adverbe de phrase)
   - Particulièrement
     Il a **particulièrement** bien travaillé ce trimestre. (adverbe de mots)
     Il y a beaucoup de monde dans les salles de gym, **particulièrement** les mois qui précèdent l'été. (adverbe de phrase)
   - Également
     Les sportifs courent dans les campagnes à la périphérie des villes et **également** dans les parcs publics. (adverbe de phrase)
     Elle danse et court **également**. (adverbe de mot)
   - En général
     En général, les femmes préfèrent une gym plus douce que celle des hommes. (adverbe de phrase)
     Il ne fait pas de gym **en général** avant d'avoir pris son petit déjeuner. (adverbe de phrase)
     Il plaît **en général** aux femmes. (adverbe de mot)

- Davantage
  Il dort **davantage** le week-end. (adverbe de mot)
- En principe
  En principe, vous ne devez pas faire de gym tous les jours. (adverbe de phrase)
  Il travaille **en principe** après avoir fait sa gym quotidienne. (adverbe de mot)
- Aisément
  Elle parvient **aisément** à courir 5 km sans être fatiguée. (adverbe de mot)
  Aisément, elle court 5 km ! (adverbe de phrase).
- Apparemment
  Apparemment, elle ne se fatigue pas ! (adverbe de phrase)
  Elle ne se fatigue **apparemment** pas ! (adverbe de mot)
- Naturellement
  Naturellement, ils font leur jogging au bois, tous les matins ! (adverbe de phrase ; sens = oui, bien sûr)
  Ils courent **naturellement** sans forcer ! (adverbe de mot ; sens = de manière naturelle, sans vouloir forcer)
  Elle est venue **naturellement** me demander d'être sa femme. (adverbe de mot; sens = avec simplicité)
- Hebdomadairement
  Ils se voyaient **hebdomadairement**. (adverbe de mot)
  Hebdomadairement, ils allaient au même club de gym, ils ont fini par se marier ! (adverbe de phrase)
- Solitairement
  Il s'entraîne **solitairement**. (adverbe de mot)
  Solitairement, chacun s'épuise dans des exercices de remise en forme ! (adverbe de phrase).

1 D - DIS-MOI QUEL EST TON HÉROS...

TEXTES	ACTIVITÉS		ENTRAÎNEMENT
	ORAL	ÉCRIT	
Micro-trottoir, p. 54 (Transcription pp. 235, 237)	Expressions de l'opinion : justification de la définition qui semble la plus juste à chaque élève.	Rédaction de l'analyse du micro-trottoir à partir de la prise de notes.	Exercice 4
51 % des Français n'ont pas de héros, *Biba,* p. 58	Faire un sondage et en rapporter oralement les résultats.	Comparaisons et analyse de l'ensemble des résultats.	Exercices 1, 2
Après la bataille, Victor Hugo, p. 61	Inventer une histoire.	Écrire un poème à la manière de Victor Hugo (version moderne).	Exercice 3

MICRO-TROTTOIR : DIS-MOI QUEL EST TON HÉROS...

Quel est votre héros ?

p. 56 *Repérages*

Notes

Gaston Lagaffe : héros de bande dessinée apparu en 1957. Sa naïveté et sa lourdeur sont souvent source de situations rocambolesques.

Idées	Citations du micro-trottoir
– Le héros n'existe pas dans la vie réelle.	« le héros, on ne le rencontre pas tous les jours, il est de l'ordre de la fiction ». « Le héros c'est un concept de littérature, quoi ! » « un héros c'est quelque chose d'idéal ».
– En ce moment, il n'y a pas de héros.	« Y a plus de héros. Notre époque ne connaît pas de héros ».
– Le héros est celui qui se dévoue pour les autres.	« il a toujours défendu les bonnes causes »/« le héros est capable de donner sa vie pour les autres »
– Le héros, c'est l'idole.	« Le héros c'est quelque chose d'idéal »/«Quelqu'un qui ferait des choses hors du commun ».
– Les héros sont ceux qui aiment la vie.	« des gens qui adorent la vie… une boulimie de vie ».

p. 56 *Analyse*

- **Définitions du « héros »**

un héros c'est quelqu'un qui se dévoue pour les autres comme l'abbé Pierre en France.
c'est un personnage fictif qui sert de modèle pour vivre,

c'est un ami, un ami avec qui on vit,
c'est quelqu'un qu'on peut admirer, qui serait à la recherche de l'absolu comme Don Quichotte,
c'est quelqu'un qui fait des choses hors du commun.

- **Proposition d'analyse incluant « votre » conception du héros.**

Il me semble que les personnes interviewées ne savent pas comment définir ce qu'est un héros, ou du moins elles éprouvent beaucoup de mal à dire à quoi ou à qui ressemble « leur » héros.
Personnellement, je dirais que le mot de « héros » me fait penser à la littérature. Je suis d'accord avec Christelle, l'avocate qui dit que ce terme appartient aux romans. En effet, le héros dans une définition romanesque, c'est celui qui est au cœur de l'histoire, de la narration, et il peut être un héros « héroïque » mais aussi être un antihéros comme Fabrice Del Dongo dans la *Chartreuse de Parme* de Stendhal. J'aime bien les antihéros, peut-être parce que j'ai le sentiment qu'ils sont plus proches de moi : avec leur désir fou et le choc pénible de la réalité. Quant à l'abbé Pierre dont parlent certains, je ne crois pas qu'il soit un héros, ce terme ne lui convient pas. Pour moi, il est un homme religieux qui toute sa vie est resté fidèle à son engagement, vouloir servir les plus pauvres. Je dirai qu'il est une sorte de saint car la force qui l'anime est intérieure même si elle s'exprime souvent à un niveau politique. Pour finir, j'ajouterais que tous les hommes peuvent être des héros : il suffit parfois de circonstances imprévues ou tragiques pour que des êtres apparemment banals deviennent capables de gestes altruistes, dignes de « héros », c'est-à-dire ayant un caractère exceptionnel et salvateur.

p. 56

Pour fixer le vocabulaire

Mots ou expressions	Synonymes
Vous me « coupez la chique », là.	– surprendre quelqu'un
Il est très dévoué.	– tout faire pour les autres
Ah ! Est-ce que j'ai droit au joker, là ?	– passer à une autre question
C'est une question très embarrassante.	– difficile à résoudre
Je n'ai pas envisagé les choses sous cet angle-là.	– voir les choses différemment
Il joue le rôle du niais.	– le naïf
Se battre contre les moulins à vent, c'est héroïque.	– chercher à atteindre l'impossible

p. 58

51% DES FRANÇAIS N'ONT PAS DE HÉROS

Extrait de *Biba*.

Notes

Abbé Pierre : capucin, fondateur de l'association « Emmaüs » en 1949 à l'attention des sans-logis. Son appel à l'aide, lors du rigoureux hiver 54 l'a rendu célèbre. On en a même fait un film.
Belmondo Jean-Paul : acteur très populaire en France.
Biba : mensuel féminin.
Bruel Patrick : chanteur français très populaire auprès des jeunes des années 90.
Cavada Jean-Marie : journaliste français célèbre pour son émission télévisée *La marche du siècle*, traitant de sujets d'actualité.
Coluche (1944-1986) : artiste de variété et acteur populaire en France. Il a lancé les « restaurants du cœur » en 1985. *Cf.* Livre de l'élève *Libre Échange 3*, p. 138.
Cousteau : commandant de marine et cinéaste français. Il est célèbre pour ses recherches océanographiques.
Daguet : division française d'action rapide, constituée pour la guerre du Golfe, en 1991.
Delon Alain : acteur français, une des vedettes internationales les plus populaires du cinéma français.
Gaulle Charles de (1890-1970) : général et homme politique français, fondateur du « Rassemblement du Peuple Français » de la Ve République, président de la République, de 1959 à 1969.

Kouchner Bernard : médecin et homme politique français, ancien ministre de la Santé et de l'Action Humanitaire. Il a fondé « Médecins sans frontières ».
Lalonde Brice : homme politique français, membre du gouvernement Rocard, président de « Génération écologie ».
Mère Teresa : religieuse albanaise, fondatrice de la Congrégation des missionnaires de la Charité en Inde. Prix Nobel de la Paix en 1979. (*Cf.* p. 58)
Montand Yves (1921-1991) : chanteur français d'origine italienne. Connu pour ses qualités de comédien au théâtre, au cinéma et au music-hall.
Papin Jean-Pierre : footballeur jouant dans l'équipe de France et excellent buteur.
Rocard Michel : homme politique français (Parti Socialiste). Premier Ministre de François Mitterrand de 1988 à 1990.
Rolland Romain (1866-1944) : écrivain français, dramaturge, philosophe et romancier.
Tazieff Haroun : géologue et vulcanologue français. Il a réalisé des films documentaires, des ouvrages scientifiques et de vulgarisation.

p. 60

Repérages

- **Repérages dans le texte**
  - Catégories de personnes parmi lesquelles se trouvent les héros :

selon le dictionnaire	*selon les Français*
- un demi-dieu - un surhomme - une figure légendaire qui a du courage et accomplit des exploits remarquables.	- champion des causes humanitaires ou des causes planétaires - des stars.

  - La profession la plus souvent choisie par les sondés : chanteur ou acteur (17 % d'entre eux).
  - Le héros que les adultes et les enfants ont en commun : le général de Gaulle.
- **Repérage des traits du portrait actuel du héros**
  - Portrait du **héros actuel** vu par les Français

    - le héros d'aujourd'hui est proche par la géographie (dans l'actualité française) et par les sentiments : Coluche ou Yves Montand
    - il n'est pas fort et musclé
    - il est sportif ou vainqueur sur lui-même
    - il est médiatique donc célèbre mais fragile car il ne vit pas longtemps dans la mémoire des personnes interrogées
    - il peut être vite remplacé pas un autre « héros du jour »

    Ceux qui se rapprochent le plus des héros traditionnels sont : les hommes d'action, ceux qui ont fait leurs preuves, les conquérants de l'impossible, soit dans le domaine humanitaire comme l'abbé Pierre, soit des champions de l'extrême comme Cousteau ou d'Aboville.

    Non, les hommes politiques n'en font pas partie.
  - Les phrases qui résument le point de vue de l'analyste du sondage :

    « On y verra la preuve d'un certain sens de la relativité dans l'admiration, une prise en compte de la faiblesse humaine, l'abandon de la version « demi-dieu » pour celle plus modeste, de l'individu qui va au bout de ses croyances [...] la définition de Romain Rolland : « Un héros est celui qui fait ce qu'il peut. Les autres ne le font pas ».

p. 60

Analyse

- **Liste des verbes utilisés.**

a) *Ceux qui indiquent le choix des Français :*
- ... élisent (élire)
- les suffrages vont d'abord...
- ils admirent...
- ceux qui forcent notre admiration...
- ... choisissent...
- ils votent pour...
- ils font un vrai flop.

b) *Ceux qui indiquent le point de vue de l'auteur :*
– on s'attendait donc à ce que...
– c'est à se demander si...
– c'est à peine si on ose vous le dire
– c'est à se demander si les sondés... – à peine trouve-t-on 7 %...
– c'est dire que la préférence va aux êtres de chair...
– ainsi, on ne s'étonnera pas que...
– à moins (hypothèse évidemment idiote) qu'ils n'aient perdu...
– il n'y a guère que...
– contrairement à ce qu'on pourrait attendre...

- **Classement des expressions employées par l'analyste :**
  – *Conséquence logique*
  - on s'attendrait donc à ce que... eh bien pas du tout.
  - ainsi, on ne s'étonnera pas que...
  - c'est pourquoi, il est susceptible...

  – *Opposition*
  - mais pour le reste...
  - malgré tout...

  – *Étonnement et surprise*
  - c'est à peine si on ose vous le dire...
  - c'est à se demander si...
  - contrairement à ce qu'on pourrait attendre...

  – *Jugement dépréciatif (négatif)*
  - à moins (hypothèse évidemment idiote) qu'ils n'aient perdu depuis longtemps les vertus de l'imaginaire et les repères de bon sens...

- **Proposition de synthèse :**

Si la définition du héros donnée par le dictionnaire était celle des Français, ils éliraient des figures marquantes du XXe siècle. Il n'en est rien. Le suffrage des Français se porte en priorité sur les champions des causes humanitaires ou planétaires et ensuite sur les gens du spectacle. Seul, le général de Gaulle rallie les jeunes et les adultes autour de sa personne emblématique.

Le héros français d'aujourd'hui appartient à l'actualité hexagonale : sportif ou victorieux sur lui-même, il touche les sentiments du public ; célèbre parce que médiatique, il a la fragilité d'un produit de consommation courante.

Malgré cela, les hommes et les femmes d'action à qui le courage n'a pas manqué pour réussir leurs exploits humanitaires ou sportifs correspondent plus à la définition officielle du héros et sont plébiscités par les Français. Ainsi, les Français sont-ils conscients du caractère relatif de leur admiration pour tel ou tel, privilégiant dans leur choix celui ou celle qui sait aller au bout de ses croyances : conception modeste du héros mais suffisante car peu d'hommes en sont capables.

p. 60 Expression écrite

Le professeur proposera à ses élèves de réemployer dans leur analyse les verbes, les expressions employées par l'analyste dans son article. Ainsi, le texte étudié et analysé dans ses manières de dire et d'écrire sert de « modèle » contraignant à la production écrite des élèves.

p. 61

APRÈS LA BATAILLE

Poème de Victor Hugo, extrait de *La légende des siècles.*

Notes

Hugo Victor (1802-1885) : dans *La légende des siècles,* le poète retrace l'histoire de l'homme depuis ses débuts (d'Eve à Jésus) jusqu'au temps présent (Maintenant). Cette légende est nécessairement fragmentaire, elle veut être un acte de foi dans l'humanité malgré les guerres, les cataclysmes et les régressions historiques. Hugo écrit *La légende des siècles* en exil à Guernesey car il refuse le régime de Napoléon III. Ici le champ de bataille est probablement une bataille napoléonienne.
Housard : le housard est un hussard, soldat de l'armée napoléonienne appartenant à la cavalerie légère. L'important pour Hugo est de montrer l'exemplarité du geste du père plus que la vérité historique.

p. 61

Analyse

Propositions de réponses :

- L'auteur attribue à son père le terme de « héros » car il l'admire pour le geste qu'il a accompli sur le champ de bataille : un geste de générosité, de charité puisqu'il soulage de la soif un homme qui est son ennemi.
- Le terme qui conviendrait pour décrire cette attitude serait : la générosité, ou encore mieux la charité, car être charitable c'est aimer même ceux qui ne vous aiment pas.
- Ce geste rappelle le geste du « bon samaritain » de l'Évangile qui soigne les voleurs qui l'ont dévalisé. Le Christ disait « Aimez vos ennemis ».

p. 61

Expression écrite

Proposition :

Ma mère, cette femme au regard si doux
Suivi d'un seul de ses fils qu'elle aimait entre tous
Pour sa grande taille et son air farouche
Parcourait à pied, le soir d'un 14 juillet
La place de la Bastille encombrée et rieuse.
Il lui sembla dans l'ombre entendre un faible bruit :
C'était un petit chiot, tout poilu et sale
Qui gémissait au bord du trottoir,
Apeuré et semblant dire :
« Prenez-moi, je suis perdu, par pitié ! »
Ma mère, émue, regarda mon frère attristé
et d'une voix câline et amusée, lui dit :
« Ne crois-tu pas que nous devrions prendre ce petit ? »
Alors, au moment où elle se baissait
Pour prendre le petit animal, un homme, un colosse
Saisit le chien par la peau du dos
Et hurla à ma pauvre mère : « Voleuse ! »
Elle, étonnée, surprise, sans voix, le fixa
Et prenant son fils par le bras
S'en alla… et ils dansèrent au son des accordéons.

ENTRAÎNEMENT

p. 62

51% des Français n'ont pas de héros

1. Pour faire le portrait d'un héros

1. Un héros est :
   - quelqu'un qui est digne d'admiration.
   - quelqu'un qui est capable de se consacrer à des causes humanitaires.
   - celui qui est vainqueur, qui a vaincu l'Éverest ou vaincu une maladie.
   - c'est quelqu'un qui est digne de l'estime publique par les exploits remarquables qu'il a accomplis.
   - c'est quelqu'un qui a fait quelque chose d'impossible pour les autres et qui force l'admiration comme d'Aboville par exemple.
   - c'est quelqu'un qui va au bout de ses croyances avec courage, qui se consacre totalement à une cause humanitaire ou planétaire et qui justifie son idéal par des actions.
   - c'est quelqu'un qui conquiert l'estime et l'admiration par la force et le courage dont il est capable pour accomplir son dessein que ce soit un exploit sportif ou humanitaire.
   - c'est quelqu'un qui a fait ses preuves pour accomplir un exploit soit dans le domaine humanitaire soit dans le domaine sportif ou planétaire comme Cousteau.
2. Exemples
   - Les Français **jugent** l'action de l'abbé Pierre **digne de l'estime publique**. Ils **apprécient le courage** qu'il a pour dire aux hommes politiques ses convictions, même si souvent elles apparaissent comme révolutionnaires : défense des sans domicile fixe (les S.D.F.), des familles marginalisées à cause de revenus trop modestes...
   - Souvent, on **attribue** à Gérard d'Aboville **des qualités surhumaines**, on lui **prête un courage invincible**, on **juge son exploit extraordinaire** car il faut être **intrépide** pour décider de traverser le Pacifique dans un petit bateau à rames...

51% des Français n'ont pas de héros

2. Modèles syntaxiques

1. **Un** héros ou une héroïne, **si on en croit** le dictionnaire, **est un** demi-dieu, un surhomme, une figure légendaire à laquelle on attribue un courage et des exploits remarquables.
2. **De nos jours, on s'attendrait à ce que** nos contemporains élisent des figures importantes du siècle, **pourtant rares sont** les gens qui choisissent des hommes morts célèbres, sauf de Gaulle en France.
3. **51 %** des Français **affirment** qu'ils n'ont pas de héros, **d'autres prétendent** en avoir et ce sont des gens d'actions comme Mère Térésa de Calcutta ou Florence Arthaud.
4. **Il n'y a guère que 6 %** de Français qui choisissent un personnage imaginaire, **c'est dire que** la préférence des adultes va plus à des êtres réels, de chair et d'os.

Après la bataille

3. Des qualificatifs subjectifs et objectifs

1. Relevé des adjectifs ou des participes déterminant les noms :
   au sourire **si doux**/un **seul** housard/sa **grande** bravoure/sa **haute** taille/un **faible** bruit/un Espagnol qui se traînait **sanglant**... **râlant**, **brisé**, **livide**, et **mort**.../
   mon père **émus**/à son housard **fidèle**/ce **pauvre** blessé/le housard **baissé**.
   Adjectifs épithètes : ceux qui sont placés avant ou après le nom/
   Adjectifs attributs : ceux qui sont placés après le verbe.
2. Étude des seuls adjectifs épithètes :

a.

Après le nom	*Avant le nom*
un sourire **si doux**	un **seul** housard
mon père **ému**	sa **grande** bravoure
son housard **fidèle**	**haute** taille
le housard **baissé**	un **faible** bruit
	ce **pauvre** blessé

b. Les adjectifs qui peuvent changés de place sans changer de sens : tous sauf « seul » et « pauvre » qui changent de sens s'ils sont placés après le nom :
- un seul housard = il n'y a qu'un housard qui suit « mon père ».
un housard seul = un housard solitaire, isolé
- ce pauvre blessé = ce malheureux blessé
ce blessé pauvre = qui est économiquement pauvre (≠ riche)
- « grand » changerait de sens avec « homme »
un grand homme = un homme célèbre
un homme grand = de grande taille
Quand l'adjectif est placé devant le nom qu'il qualifie il a un sens subjectif et quand il est placé après, il a un sens objectif.

Grammaire

4. Dialogue

Thierry : Tiens, hier j'ai revu Nadine.
Yves : La fille **dont tu m'as parlé la semaine dernière.**
Thierry : Mais non ! Ce n'est pas celle-là ! **Celle à laquelle** je pense, c'est Christine.
Yves : Et alors ? Tu veux dire que tu vas encore tomber amoureux ?
Thierry : Je ne tombe pas amoureux **de toutes celles auxquelles je rêve**.
Yves : Et celle **dont tu étais amoureux**, il y a un mois ?
Thierry : Celle **qui te plaisait aussi ?**
Yves : Je ne comprends pas **à qui tu fais allusion**.
Thierry : Cherche un peu et tu comprendras **ce que je veux dire**.
Yves : **Ah ! tu veux parler de celle à qui j'ai offert un café après le cours… mais c'est ma cousine !**

1 E - LA PASSION QUI DÉVORE LE CORPS

TEXTES	ACTIVITÉS		ENTRAÎNEMENT
	ORAL	ÉCRIT	
Le dépassement par l'exploit gratuit, p. 64	Organisation d'une discussion/débat : jeu de rôles à 3 personnages.		
Salut à d'Aboville ! de Jean-François Deniau, *Le Figaro magazine*, p. 66	Analyse et compréhension orale du texte. Discussion, jeu de rôles à 3 personnages.	Rédaction collective d'un article de presse.	Exercice 1
Seul dans le Pacifique, *Le Nouvel Observateur*, p. 69	Repérage des idées fortes du texte.	Analyse orale ou écrite de ce qui fait que d'Aboville est un héros très humain.	
Les brillantes montagnes, Samivel p. 71	Explication des expressions du texte par des paraphrases/ repérage des différents moments du texte.	Résumé de ces différentes parties/analyse de la valeur stylistique des imparfaits.	Exercices 2, 3

p. 64 LE DÉPASSEMENT PAR L'EXPLOIT GRATUIT

Extrait d'articles de presse : *Newlook, Le Monde, Paris-Match.*

Notes

Accro : « être accro ». Définition de Pierre Merle dans son *Dictionnaire du français branché* (Édition Point Virgule) : abréviation de accroché (de l'américain hooked, accroché et dépendant de la drogue). Par extension, toute personne hyper passionnée par quelque chose est un accro.
Calanques (Les) : région du littoral méditerranéen des Bouches du Rhône, entre Marseille et Cassis. Une calanque est une crique étroite aux parois rocheuses escarpées. Beaucoup de grimpeurs s'y donnent rendez-vous pour s'entraîner à l'escalade alpine.
Défonce (la défonce absolue) : se défoncer est synonyme de s'éclater, aller jusqu'au bout de soi par n'importe quel moyen ; cela peut être la musique, l'alcool, la drogue ou ici, un sport extrême à la limite de l'acceptable.
S'éclater : prendre un plaisir extrême à faire quelque chose (mot de registre familier).
Eiger : sommet des Alpes suisses de 3 974 mètres d'altitude. Il a été atteint en 1938, après de nombreuses tentatives meurtrières.
Fun : Mot d'origine anglaise, amusement. Être fun, c'est être un peu (ou même beaucoup) adepte du n'importe quoi, partant du principe de base que plus il y a de choses disparates, mieux c'est. Que ce soit dans les tenues vestimentaires, dans le mode de pensée ou de raisonnement, ou les deux à la fois (Définition de Pierre Merle).
Lauda Niki : champion de course automobile de Formule 1, autrichien.
Le Monde : quotidien national français d'informations, fondé en 1944 et considéré comme journal de référence, « dit objectif », par de nombreux cadres et intellectuels.
New Look : magazine mensuel, créé en 1983.
Pajot Marc : navigateur français qui a fait le tour du monde à la voile sur un catamaran avec toute son équipe en 1992 et 1993, en moins de 80 jours.
Prost Alain : coureur automobile français, recordman du nombre des victoires en Grands Prix.
Saudant Sylvain : alpiniste français, skieur extrême. Il a été un des premiers à descendre à ski les parois glacées et à pic du massif du Mont-Blanc (Chamonix) et aussi dans l'Himalaya.
Verdon : rivière du sud-est de la France, longue de 175 km. Le Verdon se jette dans la Durance et est célèbre pour ses gorges.

p. 65 *Repérages-Analyse*

Les repérages, l'analyse et l'expression orale ne nécessitent pas de correction car ces extraits de presse favorisent la prise de parole libre des étudiants mettant en jeu leur propre investigation et compréhension du texte.

p. 66

SALUT À D'ABOVILLE !

Jean-François Deniau, *Le Figaro Magazine.*

Notes

Deniau Jean-François : écrivain politique français, né en 1928, membre de l'Académie Française.
Galérien : homme condamné à la suite d'une infraction, à ramer sur les galères, de l'Antiquité au XVIIIe siècle. Le mot « galère » désigne, au sens moderne du terme, une situation difficile : « Quelle galère ! ».
Le Figaro : quotidien national d'informations de la presse de droite, fondé en 1862. Il est accompagné de suppléments hebdomadaires *Le Figaro Madame, Le Figaro Magazine, Le Figaro TV.*
L'Équipe : quotidien national sportif français, publié depuis 1946.

p. 68

Repérages/Analyse

- **On pourrait donner comme titre à cette annonce :**
  « Aux aventuriers intrépides » ou « Exploration impossible » ou « Pour ceux qui aiment les risques extrêmes ! »
- **Repérage dans le texte**
  – Les traits qui, pour J-F Deniau caractérisent l'esprit d'aventure :
  - une énergie sans limite
  - la volonté de se dépasser
  - la lutte contre les éléments
  - la passion de faire mieux que les autres
  - la passion d'aller plus loin, plus vite, plus haut, ailleurs.
  – Les épreuves que d'Aboville a subies pendant la traversée :
  - les maladies, le froid, les ténèbres, les chavirages en série
  - le gros temps, l'aube qui paraît ne jamais venir.
  – Formule concise utilisée par J-F. Deniau pour caractériser d'Aboville :
  « il s'agit d'un fantastique exercice de caractère », « un athlète de l'esprit ».
  – La presse a nommé d'Aboville :
  « yogi des mers », « vagabond des mers », « dernier galérien ».
  – Le premier exploit de d'Aboville était de traverser l'Atlantique en 72 jours à la rame et *L'Équipe* avait salué cet exploit en parlant de « défi athlétique mais aussi mental ».
  – Au second exploit, d'Aboville « a doublé la mise » puisque le Pacifique, qu'il a traversé en plus de quatre mois, fait 5 000 miles, soit deux océans Atlantique.
- **Mots ou expressions servant à caractériser :**
  – La traversée de d'Aboville
  - « extraordinaire exploit physique »
  - « effort quotidien à la limite du drame »
  - « un exploit/un record olympique »
  - « une compétition où il n'y avait que lui-même »
  - « la fantastique traversée à l'aviron du Pacifique »
  – Les traversées des champions de la vitesse
  « On fait les titres dans les journaux avec un prototype et en essayant d'aller plus vite. » « Cette déesse du siècle qui est la vitesse, à laquelle sacrifie même la voile ? Et à cette reine absolue qu'est la technique ? »
  J-F. Deniau établit un parallèle entre deux types d'exploits : ceux qui sont dus à des prouesses techniques et ceux qui sont accomplis avec des moyens « primitifs » comme ici les mains du rameur. Ce contraste entre ces deux types d'exploits met en valeur le défi de d'Aboville. Deniau le salue comme un véritable « athlète de l'esprit ».
- On utilise l'expression « pour l'honneur » quand un geste n'est motivé ni par l'argent ni par aucune cause matérielle précise, mais seulement pour répondre à une éthique personnelle.
- J-F. Deniau dit ne pas aimer son époque car il reconnaît que - aujourd'hui - trop souvent l'argent et le profit se mêlent à la vie sportive. C'est un fait que beaucoup de courses à la voile sont « sponsorisées » par des marques de produits ou par des chaînes de radio ou de télévision ou des journaux qui se servent du sport pour faire leur propre publicité.

- Pour J-F. Deniau, l'exploit de d'Aboville a un sens profond car il exprime le courage dont un homme est capable ; mais surtout parce que cet exploit est « gratuit », fait pour l'honneur : ce qui est de plus en plus rare à notre époque.

p. 68 Pour fixer le vocabulaire

Mots ou expressions	Synonymes
Homme requis pour voyage périlleux	demandé/dangereux
Recruter son équipage	engager
Les ténèbres	l'obscurité
L'aube	le début du jour
Un défi athlétique	l'appel à réaliser l'impossible
Doubler la mise	jouer une somme deux fois plus grande
L'appât du gain	l'amour de l'argent
Le clan	un groupe social fermé

p. 68 Expression écrite

Proposition de texte sur Mère Teresa de Calcutta.

« Donne-leur aujourd'hui par nos mains leur pain de chaque jour et par notre amour compatissant donne la paix et la joie. »

Telle est la prière que Mère Teresa de Calcutta a écrite sur le petit livre de prières de sa Communauté des Missionnaires de la Charité.

Bien que Mère Teresa ne soit pas un héros, elle me semble représenter une personnalité tellement unique dans le monde que je trouve intéressant d'écrire un texte à son propos.

Biographiquement, il n'y a rien à dire de particulier sur sa vie.

Née de parents albanais en Yougoslavie le 27 août 1910, elle décida à l'âge de douze ans d'aller en Inde, car à l'école on lui lisait des lettres envoyées par les pères Jésuites yougoslaves de Calcutta où ils avaient une mission. Après avoir été enseignante à l'école de Loreto pendant vingt ans, un « jour de décision » : le 10 septembre 1946, elle demanda à sa supérieure de quitter le couvent pour aller travailler et vivre avec les plus pauvres de Calcutta. Et là commence une autre vie.

Vivre pour et avec les autres, **accepter** la pauvreté et l'obéissance, **travailler pour** les enfants abandonnés, les lépreux, les mourants, **éduquer** les enfants gratuitement ; **se réveiller** tôt le matin, entendre la messe **et** ensuite **aller rejoindre** ceux qui attendent la nourriture, les soins et l'amour d'un regard, bref, **c'est éliminer** les événements qui sont le fait d'une vie ordinaire pour ne pas vivre selon sa volonté propre **mais comme** Mère Teresa aime souvent le répéter : « Ce n'est pas moi, mais le Christ qui vit en moi ». (Épître de St-Paul aux Galates, 2, 20).

Mère Teresa a commencé son école avec cinq enfants en 1948, et aujourd'hui elle en accueille tous les jours à peu près cinq cents. **Plus encore qu'un exploit** ou un succès, **il s'agit d**'une fantastique histoire d'amour. **Oui, étonnante personne** : **les politiques** se moqueront, **les désabusés** hausseront les épaules, **les braves gens** s'émerveilleront. **Mais à quoi peut servir ce travail si petit face aux immenses problèmes de l'Inde** ?

Ne faudrait-il pas mieux une organisation étatique pour résoudre la misère, la maladie, l'analphabétisme ? Certes, Mère Teresa reconnaît que d'un point de vue purement humain ce qu'elle fait est une goutte d'eau dans l'océan. **Mais pour elle, comme pour** les petites Sœurs qui travaillent, **ce qui** compte **ce n'est pas seulement** la rentabilité **mais** la vie, la joie de la redonner aux enfants mal nourris, aux mourants accueillis près du temple de Kali, cette déesse hindoue célèbre au Bengale, la joie de se donner aux autres. Oui, bien sûr, cela ne va pas avec les préoccupations habituelles du Monde. C'est pourquoi, comme J-F. Deniau l'écrivait pour saluer d'Aboville, permettez-moi pour l'exemple et pour l'espoir, de saluer Mère Teresa comme un « héros » de notre temps.

BIOGRAPHIE

27 août 1910 : Naissance de Mère Teresa à Skopie en Yougoslavie.
29 novembre 1928 : Elle est envoyée en Inde à Calcutta pour commencer son noviciat.
1929-1948 : Elle enseigne la géographie à St Mary's High School de Calcutta
10 septembre 1946 : Mère Teresa demande de vivre seule à l'extérieur du couvent pour travailler dans les taudis de Calcutta.
8 août 1948 : Elle dépose l'habit de Loreto et prend le sari blanc à bordure bleue et croix sur l'épaule.
21 décembre 1948 : Elle ouvre sa première école gratuite pour les enfants.
7 octobre 1950 : La nouvelle congrégation des Missionnaires de la Charité est fondée à Calcutta.
1965 : Au Vénézuela, ouverture d'un centre près de Caracas.
1967 : À Ceylan, fondation d'une Communauté à Colombo.
1968 : En Tanzanie et à Rome.
1969 : En Australie.
1970 : À Amman en Jordanie.
8 décembre 1970 : Un noviciat est ouvert à Londres pour l'Europe et l'Amérique.
6 janvier 1971 : Mère Teresa reçoit le prix de la Paix du pape Jean XXIII.

p. 69

SEUL DANS LE PACIFIQUE

Interview de Gérard d'Aboville, *Le Nouvel Observateur.*

Notes
Compagnons du Tour de France : association d'ouvriers-artisans dont l'origine remonte au Moyen Age, maintenant synonyme de label de qualité.
Grande Guerre : première guerre mondiale (1914-1918).

p. 70

Repérages

Idées	Références textuelles
– Pour réussir un exploit, il faut de l'expérience, de l'obstination et du sacrifice.	– *Oui* : « un chef d'œuvre dans lequel entrent l'expérience, l'acharnement et le don »
– Être capable de résoudre les problèmes techniques de la traversée de l'océan à la rame est aussi rare que de rencontrer un mouton à cinq pattes.	– *Oui* : « il faut résoudre tant et tant de problèmes techniques que la mise au point d'un bateau ressemble à celle d'un mouton à cinq pattes »
– G. d'Aboville avait l'état d'esprit des soldats des tranchées en 1914.	– *Oui* : « je suis dans mon bateau comme un soldat de 14 qui doit sortir sans arrêt de la tranchée pour y aller »
– C'est plus facile de lutter que d'abandonner.	– *Non* : « il y a un moment où c'est plus facile d'arrêter de lutter que de continuer »
– La solitude stimule l'instinct de survie.	– *Non* : « l'instinct de survie a ses limites, qui sont aggravées par la solitude, le froid »
– Le plus grand ennemi, c'est l'épuisement (la fatigue).	– *Non* : « mon ennemi, c'est moi si je craque... si je n'avais pas eu cet état d'esprit, j'y serais resté ou j'aurais abandonné », « un exemple pour illustrer l'importance de cet état d'esprit ».

p. 70 ***Pour fixer le vocabulaire***

• **Le dépassement**	**L'effort**	**L'abandon**
l'audace	l'énergie	le découragement
la témérité	l'endurance	la facilité
le pari	l'instinct de survie	le confort moral
	l'épreuve	

• **Associations de substantifs avec les verbes :**

– Lutter | contre l'épreuve / contre le découragement / avec audace / avec énergie / avec endurance

– Tenir | le pari / avec acharnement / avec témérité / avec audace

– Se défendre | contre le découragement / contre la facilité / avec acharnement, avec témérité

– Supporter | l'épreuve, les épreuves / avec endurance l'épreuve...

• On pourrait appliquer les thèmes du dépassement, de l'effort et l'abandon au domaine du travail, de la recherche, d'une carrière politique ou artistique ou d'une vie spirituelle.

• Chaque groupe choisira un thème qui lui tient à cœur et rédigera un texte en reprenant le vocabulaire découvert avec cet interview de d'Aboville.

p. 71 **LES BRILLANTES MONTAGNES**

Samivel, extrait de *Contes des brillantes montagnes avant la nuit.*

Notes

Clarines : clochettes qu'on pend au cou des vaches, dans les pâturages de haute montagne et dont le son (les sonnailles) fait chanter les alpages.

Samivel (1907-1992) : dessinateur et écrivain savoyard par sa mère, ami de Paul-Émile Victor. Ses romans sont tous inspirés par la montagne. *L'amateur d'abîmes* est son roman le plus connu.

p. 72 ***Analyse***

• **Paraphrases explicatives des expressions suivantes :**

– *Cet azur intact :*

Samivel emploie cette expression pour évoquer le bleu du ciel à huit heures du matin. Il est si pur, si net, sans nuages qu'il est intact, c'est-à-dire que personne ne l'a encore touché (intact = non touché), ne l'a encore sali. Plus tard dans la journée, les traînées des avions qui sillonnent le ciel ou les fumées des usines de la vallée risqueront de l'obscurcir. Ce ciel bleu - cet azur - a la pureté d'un ciel originel. Pour qui a eu la chance de le voir en montagne - en altitude - l'évocation de Samivel est tout à fait juste.

– *La crainte de l'Abîme n'est-elle pas la Mère des Craintes :*

Tout d'abord il faut remarquer que les lettres majuscules donnent de l'importance à Abîme et à Mère, telle une personnification. Le contexte de la phrase aide à comprendre ce que veut dire Samivel : l'abîme (sans péchés) de la montagne connote avec l'abîme de l'Enfer dans la représentation imagée du dogme de l'Eglise catholique. Pensons à la Divine Comédie de Dante. Enfer, synonyme de vide absolu puisque l'âme est à jamais séparée de l'amour de Dieu, condamnée à la damnation éternelle. Le vide en montagne fait peur et en même temps attire, tel un gouffre ; c'est pourquoi Samivel parle au féminin de l'Abîme qui est la Mère des Craintes : lieu de perdition mais aussi attractif !

– *Le manteau bleu des horizons balancé en cadence par-dessus l'épaule :*

Les alpinistes descendent vers la vallée, leur sac à dos bien accroché à leurs épaules. Ils marchent en sautant sur les pierres des moraines ou sur les névés en cadence, c'est-à-dire au même rythme, du même pas.

Dans leurs sacs ils emportent avec eux « le manteau bleu des horizons » comme si eux-mêmes et leurs sacs avaient été recouverts, plongés, envahis par le bleu du ciel et des horizons du sommet. Cette métaphore du « manteau bleu... balancé » est très puissante stylistiquement car elle indique l'intimité, l'interaction entre le paysage et les hommes comme s'ils ne faisaient plus qu'un.

– *La paix régnait enfin sur la Terre pour les hommes de bonne volonté :*

De retour vers la vallée, les difficultés de la descente surmontées, l'alpiniste se sent plein d'un bonheur fait de paix car il retrouve le monde des hommes et ce monde lui apparaît beau et serein. En descendant du sommet, l'alpiniste est plein de la pureté de l'air qu'il a respiré et de la vision du monde virginal des sommets. En conséquence, la Terre semble ne pouvoir être à ce moment-là qu'un monde de paix pour des hommes pleins de bonne volonté. Cette phrase rappelle le message de Noël : les Anges du ciel qui chantent au moment de la naissance de Jésus « Paix sur la Terre aux hommes de bonne volonté » ; d'ailleurs c'est pour cela que Noël est avant tout une fête de la paix, respectée même en temps de guerre (la trêve de Noël).

- **Relevé des termes**

Comparaison à des êtres célestes	**puissance physique**	**légèreté**
– les voluptés d'un certain angélisme	– ayant cessé de percevoir la terrible malédiction de la pesanteur	– sans poids
– sans péchés	– sans crainte	– glissant
– baignés de soleil et de pur espace		
– au sein d'une dimension royale		

- **Trois moments d'une randonnée alpine :**

a. L'arrivée au sommet

À 8 heures du matin, une heure plus tôt que prévu, les alpinistes sont arrivés au sommet à 4 315 mètres d'altitude.

b. La descente en rappel

Ils ont décidé de descendre par une voie plus difficile, mais plus rapide que la voie classique : en rappel. Ils ont posé plusieurs rappels, glissant le long de la corde, légers, aériens.

c. Le retour dans la vallée

Puis, les bruits de la nature, des troupeaux et des hommes leur ont annoncé le retour à la vie harmonieuse de la société des hommes.

- **Relevé des verbes**

au passé simple	**à l'imparfait**
– il fallut se décider	– ils culbutaient...
– Jacob eut l'idée...	– au loin tournait...
– il s'en fut renifler...	– disait la carte... dosaient...
– ils échangèrent	– ils projetaient
– un premier rappel les posa...	– tout était si beau...
– ils plantèrent un piton...	– la corde se balançait...
– et se confièrent...	– ils éprouvaient...
– Jacob descendit... resta... ... leva...	– étaient éloignées de...
– Dampierre démarra...	– ils goûtaient...
– Une seconde, il s'immobilisa...	– la hauteur était faible
	– s'élevait...
	– un cumulus dérivait...
	– la Paix régnait enfin...

Dans cette narration, tous les imparfaits n'ont pas la même valeur :
– certains imparfaits ont la même valeur que le passé simple et marquent des actions successives, par exemple :
  ils culbutaient leurs sacs.../cinq minutes plus tard, la corde se balançait.../ils éprouvaient/ils goûtaient/
– d'autres imparfaits ont la valeur descriptive ou de « présent dans le passé ». Exemple : disait la carte/disaient les chiffres.../tout était si beau... La hauteur était faible. Les chiffres ne changent pas, ni la beauté du lieu, ni la hauteur de la montagne.
– Selon les verbes, ils donnent le cadre, l'ambiance, le décor de la situation (des imparfaits de description). Exemples :
  - au loin tournait une chevauchée de cimes
  - de la vallée s'élevait en cet instant une bulle de rumeurs légères
  - un cumulus unique dérivait...
  - la Paix régnait.

La première valeur de l'imparfait, celle du passé simple peut être revue avec les exercices 2 et 3, page 73 du manuel.

p. 73

ENTRAÎNEMENT

Salut à d'Aboville !

1. Modèles syntaxiques

Les élèves choisiront un thème lié au texte de J-F. Deniau (Salut à d'Aboville) : l'aventure aujourd'hui en quoi consiste-t-elle ? ou la notion d'honneur est-elle encore actuelle ? ou ils donnent par écrit leur opinion concernant l'exploit de d'Aboville.

Proposition : opinion d'un humaniste qui n'apprécie pas l'exploit de d'Aboville.

1. **Aujourd'hui, c'est non seulement** inutile d'entreprendre de telles aventures, **mais encore** plus dangereux de les montrer à la télévision car elles provoquent chez les jeunes qui les regardent un sentiment d'exclusion et d'impuissance.
2. **Il y a tant de** problèmes sociaux dans notre pays et dans le monde **à** résoudre, **alors pourquoi** perdre son temps et son énergie à parcourir les mers à la rame : c'est ridicule !
3. **Plus encore que de** vouloir être un exemple de courage, **il s'agit** pour d'Aboville **d'**être un héros des temps modernes malgré lui, et c'est cela que je n'accepte pas.
4. D'ailleurs, la presse aussi comme le journal *Libération* **n'a pas manqué de** le dire et de faire remarquer l'inutilité d'un tel exploit.
5. Je pense qu'il n'est pas possible de valoriser un tel exploit, **sauf si** l'on est soi-même un amoureux de la mer et des bateaux.

Les brillantes montagnes

2. Des faits-divers catastrophiques

Proposition

1. **À 8 heures précises**, M. P. Touret **mangea** une omelette aux morilles.
2. **Cinq minutes plus tard**, des crampes d'estomac l'**obligèrent** à s'allonger.
3. **Le soir même**, il **mourut**.
4. **Dès le lendemain**, d'autres cas **furent signalés** dans la région.

1. **À 8 heures précises**, M. Touret **était** chez lui. En regardant le journal télévisé il **dînait**, il **mangeait** une omelette aux morilles.
2. **Cinq minutes plus tard**, des crampes d'estomac l'**obligeaient** à s'allonger.
3. **Le soir même**, il **mourait**.
4. **Dès le lendemain**, d'autres cas **étaient** signalés dans la région.

Les brillantes montagnes

3. Des faits catastrophiques annoncés

1. **À 8 heures précises**, M. P. Touret mangea une omelette aux morilles. **Quelques minutes plut tôt** il avait mis la table et allumé la télévision pour voir le journal de 20 heures comme il en avait l'habitude.
2. **Cinq minutes plus tard**, des crampes d'estomac l'obligèrent à s'allonger. **La veille**, il avait ramassé des champignons, des morilles avec son vieil ami Jean.
3. **Le soir même**, il mourut. **Avant**, son ami lui avait téléphoné pour lui demander s'il avait goûté les champignons qu'ils avaient cueillis ensemble. Il lui avait parlé d'une voix affaiblie.
4. **Dès le lendemain**, d'autres cas furent signalés dans la région. **Quelques secondes avant** que le journal local n'en fasse écho, la direction du quotidien avait appris la mort subite, le matin même de M. Jean Delarue, ami de M. P. Touret.

1. **À 8 heures précises**, M. P. Touret mangeait une omelette aux morilles. **Quelques minutes plus tôt**, il avait mis la table et allumé la télévision pour voir le journal de 20 heures comme il en avait l'habitude.
2. **Cinq minutes plus tard**, des crampes d'estomac l'obligeaient à s'allonger. **La veille**, il avait ramassé des champignons, des morilles avec son vieil ami Jean.
3. **Le soir même**, il mourait. **Avant**, son ami lui avait téléphoné pour lui demander s'il avait goûté les champignons qu'ils avaient cueillis ensemble. Il lui avait parlé d'une voix affaiblie.
4. **Dès le lendemain**, d'autres cas étaient signalés dans la région. **Quelques secondes avant** que le journal local n'en fasse écho, la direction du quotidien avait appris la mort subite, le matin même de M. Jean Delarue, ami de M. P. Touret.

1 F - LE RETOUR DE LA MORALE ?

TEXTES	ACTIVITÉS		ENTRAÎNEMENT
	ORAL	ÉCRIT	
Micro-trottoir, p. 74 Transcriptions pp. 237-238	Discussion « plus d'armes, plus de guerre » ? Arguments pour/ou contre ce point de vue. Réactions à des textes : trouver l'expression qui les caractérise.		Exercices 1, 2, 3
Français, à quoi croyez-vous ? *Le Nouvel Observateur,* p. 77	Analyse orale ou écrite	Lecture et analyse des sondages. Enquête et rapport des résultats.	
Les valeurs des jeunes, *l'Étudiant,* p. 78	Discussion libre à propos des réponses données par les jeunes. Mini-enquête sur les jeunes de votre entourage.		
La régression française, Laurent Joffrin, p. 80	Étude du texte : repérages des idées-forces. Synthèse orale d'un des paragraphes du texte.	Rédaction d'un questionnaire/enquête/synthèse écrite des résultats.	
La morale, ce qu'en dit, un humoriste, Wolinski, p. 83	Prise de parole libre à propos des aphorismes de Wolinski.		
Antigone et Créon (extrait) Jean Anouilh, p. 84	Résumé oral des points de vue d'Antigone et de Créon. Débat.		

MICRO-TROTTOIR : LE RETOUR DE LA MORALE ?

Quelles sont les grandes idées qui vous touchent actuellement ?

Notes

Déclaration des Droits de l'Homme et du Citoyen : votée pendant la Révolution française (1789, 1793 puis 1795), cette déclaration, première en son genre, libère de la féodalité en affirmant la liberté et l'égalité de tous les hommes.

Déclaration Universelle des Droits de l'Homme : déclaration votée en 1948 par les Nations Unies qui affirme la liberté et l'égalité de tous les hommes.

Médecins du Monde : association créée en 1971 ayant une mission médicale et sociale, en France et dans les pays du Tiers Monde.

Médecins sans Frontières : association créée en 1971 ayant pour mission de venir en aide aux populations en cas de guerre ou catastrophe.

p. 76

Repérages

Repérage de l'expression employée par les interviewés pour exprimer les idées suivantes :

Idées	Paroles des interviewés
– Ne voir aucune solution à un problème	« on n'y peut rien, c'est comme ça ! »
– Attacher beaucoup d'importance à quelque chose	« il y a un truc qui me tient très à cœur »
– Avoir envie de pleurer	« j'ai les larmes aux yeux »
– Faire du mal à quelqu'un	« maltraiter quelqu'un »
– Fréquenter, rencontrer beaucoup de gens	« un monde où les gens s'aiment et se parlent »
– Supporter une conséquence injuste	« subir »
– Se mettre en colère	« je m'énerve, je m'emporte facilement »
– Être obligé de supporter quelque chose	« (des gens) qui ne peuvent pas s'exprimer »
– S'occuper avant tout de son entourage immédiat	« il faut cultiver son jardin »

p. 76

Analyse

- **Bernard**, technicien, est attaché surtout à l'amour du prochain, à la fraternité, à la générosité puisque, pour lui, seules comptent les idées humanitaires comme aider les pays sous-développés et lutter contre la misère.

  Marianne, la boulangère, est surtout attachée à la paix car, pour elle, c'est la plus belle chose qui pourrait arriver : faire que le monde soit en paix.

  Florence, la musicienne, est très attachée à l'amour du prochain car elle ne supporte pas de voir des enfants maltraités.

  Marcel, qui est ouvrier, est très attaché à la valeur de la justice sociale pour que le monde soit en paix.

  Françoise, mère de famille, pense que c'est l'égalité qui est la valeur la plus importante.

  Ali, lycéen, est surtout sensible à la tolérance : respecter les autres. Il est aussi très choqué par les reportages qui lui montrent des pays où le droit d'expression des citoyens n'est pas respecté.

  Jean-Pierre, coursier, est attaché surtout au pardon.

- Il serait possible de rajouter :
  - la liberté sous toutes ses formes (d'agir, de s'exprimer, de voyager, de travailler)
  - le respect de la nature
  - l'antiracisme
  - être contre les fanatismes de toutes sortes (religieux, culturel...)
  - le sens de la famille...

p. 76

Expression orale

Qu'en pensez-vous ?

Proposition :

Si vous votez pour le parti de « la vie naturelle » La vie naturelle : un remède à tous les maux de la société !

Ligue des droits de l'homme : Le respect des libertés

Si vous utilisez notre système anti-âge... : La jeunesse éternelle de la peau !

FRANÇAIS, À QUOI CROYEZ-VOUS ?

Le Nouvel Observateur

p. 77 *Expression écrite*

Proposition de texte : analyse des résultats des sondages

Les chiffres que donne cette enquête réalisée en juin 1992 sur un échantillon national de Français sont très intéressants à analyser car ils nous renseignent sur les changements de mentalité **d'une** génération **à** l'autre.

Ainsi, la tolérance, le respect des autres **obtient 46 % chez** les jeunes de 15 à 20 ans **contre** 33 % chez les plus âgés. **Cela est significatif d'**une société française multiraciale où la cohabitation dans les écoles entre les garçons et les filles de tous pays est fréquente. **Que le respect de** l'environnement et de la nature atteigne **32 % pour** cette même classe d'âge **et** seulement **19 % pour** les plus âgés n'est pas étonnant **car** les problèmes écologiques ont pris une grande ampleur depuis une vingtaine d'années. Les valeurs les plus en baisse chez les jeunes sont l'attachement à la patrie et le civisme. **Mais, remarquons que** ces deux valeurs ont un pourcentage également très faible **pour** les personnes de plus de 50 ans. **Cela s'explique par le fait que** l'Europe et une vision mondialiste des problèmes s'imposent aux esprits des Français, **par le biais de** l'histoire et **par la diffusion de** ces nouvelles valeurs dans les médias.

Les valeurs morales du courage et du sens du devoir s'estompent **car** les jeunes n'ont pas vécu la guerre **à la différence de** leurs aînés. **Enfin, il est normal que** la fidélité - cette valeur conjugale liée au mariage chrétien - baisse chez les jeunes, pour qui l'union libre n'apparaît plus **comme marginale, mais au contraire comme une étape** avant le mariage, **ou même** une vie de couple socialement reconnue.

p. 78 LES VALEURS DES JEUNES

D'après *l'Étudiant*

Note

L'Étudiant : magazine mensuel, créé en 1975. Il fournit des informations utiles aux étudiants (cursus, logement, etc.).

p. 79 *Analyse*

- **Classement des valeurs mentionnées par les jeunes**

Valeurs sociales	**morales**	**religieuses**
– l'altruisme (le 5e)	– le désir de tout connaître (le 1er)	– la croyance personnelle (le 2e)
– l'argent (le 6e)	– la fraternité (le 7e)	– la religion (le 3e)
– le retour à la nature (le 8e)		– la prière (le 4e)
– la consommation (le 9e)		– la Providence (le 10e)

- **Expressions linguistiques :**

la crainte	**l'espoir**	**le souhait**
– je redoute...	– mon espoir, c'est	– j'aimerais croire en quelque chose...
– l'atomique me fait peur...	– j'espère que...	– il faudrait
		– je préférerais
		– moi, je voudrais...

- Si vous faites une mini-enquête, il faudra préparer vos questions.
  Définissez ensemble en classe, les valeurs qui semblent pour votre pays les plus importantes, par exemple :
  Question 1 :
  Choisissez parmi ces valeurs, celle qui vous semble la plus important (notez-les de 1 à 10, 1 étant le chiffre le plus fort)
  Question 2 :
  Pouvez-vous expliquer pourquoi vous avez choisi cette valeur en premier (comme la plus importante) ? Donnez vos raisons.

p. 80

LA RÉGRESSION FRANÇAISE

Laurent Joffrin, extrait de *La régression française.*

Notes

Ancien Régime : régime monarchique français donnant pouvoir absolu au roi, renversé par la Révolution en 1789.
Chébrans : mot en verlan c'est-à-dire écrit et prononcé « à l'envers » Les ché-brans = les branchés, terme employé par les jeunes des années 90 pour dénommer ceux qui sont à la mode. Ce terme est emprunté à l'univers des musiciens rock qui « branchent » leur guitare électrique. On dit aussi : « ça me branche » = ça me plaît, ça me passionne.
Lumières (le siècle des) : désigne le XVIIIe siècle. Courant littéraire et philosophique qui est apparu comme une menace pour l'autorité du Roi et de l'Église : Lumière de la raison humaine au service de la liberté, contre l'absolutisme. Montesquieu, Voltaire, Diderot.
« **New Age** » **:** terme anglais signifiant « nouvel âge » mais aussi « nouvelle époque » ; « être new age » ou « être un new-ager » n'est pas « être baba-cool » ou « être de nouveaux babas » (baba-cool : nom donné aux hippies des années 70, et par extension à ceux qui aiment la musique planante de John Lennon, la musique indienne et la spiritualité hindoue). Ce sont des branchés, partis loin des Halles (quartier du centre de Paris où se retrouvent les jeunes branchés) chercher leur idéal dans la réincarnation, l'astrologie, la voyance et les tarots et déployer leurs énergies pour leur bien-être personnel et celui du cosmos » (définition donnée dans le *Dictionnaire du français branché* de Pierre Merle, édition Point Virgule).
Paradis Vanessa : jeune chanteuse française des années 90.
Rap : courant né à la fin des années 80, caractérisé par une manière de chanter, de danser, de parler, etc. Il traduit le malaise des jeunes qui vivent en banlieue.
Téléthon : association française contre les myopathies, pour la recherche génétique, fondée en 1987, qui fonctionne surtout par opérations télévisées.
Verts : confédération de partis écologistes, fondée en 1984.
Zapping : mot d'origine anglaise désignant la pratique du téléspectateur qui change fréquemment de chaîne avec la télécommande.
Zénith : le Zénith est une salle de concerts située Porte de Pantin à Paris et qui accueille les jeunes chanteurs pour un public « branché ».

p. 82

Repérages

- **Première partie du texte**
  - Traits de la modernité :
    « à côté de cette nation post-moderne qu'on décrit partout : celle des micro-ordinateurs, du jogging, du zapping, du body-building, de l'Airbus, du TGV, du saut à l'élastique, du rap, des chébrans, du parler vrai, de Patrick Bruel et de Vanessa Paradis ».
  - Phrase évoquant la conclusion de la 3e partie du texte :
    « aussi spectaculaires soient-ils, le développement des sciences et des techniques et la croissance de l'économie ne sont pas une assurance de progrès social et culturel ».
  - Retour de l'archaïsme :
    « on pense célébrer la dernière mode et on se fait refiler* des vieilleries mal repeintes aux couleurs du jour ».

* « **on se fait refiler** » **:** registre familier. Se faire refiler une vieille chose à la place d'une neuve signifie : « on s'est fait avoir », c'est-à-dire que le commerçant, par exemple, a été malhonnête, il nous a trompé sur la valeur de la marchandise.

« Il va bien falloir reconnaître que, dans la France d'aujourd'hui c'est le passé qui pourrait bien succéder au présent ».

Cette expression employée ici pour parler de la situation de la société française indique qu'il y a « tromperie, « malhonnêteté », « fausse modernité », quand on croit « être à la mode » ou « moderne ». Laurent Joffrin le démontre dans la suite du texte quand il explique comment la société française est en crise, à la suite de l'émergence de nouvelles classes sociales.

– Le retour de l'archaïsme se fait de manières détournées, cachées, comme le prouve le sens de l'expression « se faire refiler ». C'est un retour non-dit, malhonnête.

L'aspect positif est que « nous avons heureusement délaissé l'ancien modèle étatique et idéologique qui avait jusque-là prévalu... ».

- **Deuxième partie du texte**

– *Contradictions de la classe moyenne* :

La classe moyenne calme ses angoisses en fuyant les pauvres, en se protégeant de la délinquance, en installant des « digicodes » à la porte des immeubles, en pratiquant le culte antique du corps et des religions domestiques dans le style « New Age » ou avec l'astrologie. Elle exige de l'État privilèges et protections, et en même temps se rebelle contre l'impôt ! Elle se déculpabilise en donnant un chèque pour une cause humanitaire comme le Téléthon (qui sensibilise les téléspectateurs à une maladie, comme par exemple la myopathie et leur demande de l'argent pour cette recherche médicale) ; ou elle donne de l'argent à ses enfants pour aller à un concert organisé pour venir en aide aux enfants qui meurent de faim en Éthiopie.

– *L'inconscience de la classe « super-élite »* se manifeste par son aveuglement qui l'empêche de voir que le reste de la population la rejette peu à peu, car la peur du chômage et la crise urbaine lui font choisir des partis politiques comme le Front National (d'extrême droite), ou les Verts (qui ne constituent pas un parti politique représenté à l'Assemblée nationale), ou ce qui est pire encore pour la vie d'une démocratie, l'abstention, signe d'un désintérêt pour la vie politique au sens large.

– Oui, les nouvelles classes sont l'indice d'une régression sociale car là où, par l'effet de la croissance économique et des réformes sociales, il devrait y avoir un « rapprochement progressif » des classes (ce qui permettrait d'avoir une base solide pour une démocratie efficace et bonne pour tous), on assiste à des divisions de plus en plus marquées entre les classes.

Il y a :
- la classe de l'élite, riche, ayant le pouvoir,
- la classe moyenne, pleine de contradictions,
- les « classes dangereuses » : les survivants de la classe ouvrière qui supportent de plus en plus mal la cohabitation avec les travailleurs émigrés.

- **Troisième partie du texte**

– *Les raisons d'espérer* :

Beaucoup de citoyens pensent de mieux en mieux : les années 90 seront celles de la morale et de la politique retrouvée (débats d'intellectuels sur la philosophie et l'éthique, interrogations déontologiques de nombreuses professions).

– *Les professions où on s'interroge* :
- les médecins
- les hauts fonctionnaires pour un nouveau service public
- certains patrons
- des producteurs de télévision
- des journalistes face au discrédit de l'information

- Les réactions des élèves seront d'autant plus riches et intéressantes que le texte aura été bien compris et resitué dans cette France des années 90, à la fin de ce XXe siècle. Le professeur aura tout intérêt à bien préparer les implicites culturels et historiques comme les trois ordres de l'Ancien Régime (la Noblesse, le Clergé et le Tiers-État) pour aider ses élèves à bien saisir « ce moment historique des années 92 ».

p. 82
Pour fixer le vocabulaire

Mots ou expressions	Synonymes
Rater sa modernisation	– manquer
Le modèle lui avait prévalu	– être utilisé de préférence
Il n'est pas dit que	– il n'est pas sûr que
S'étourdir de raids financiers	– pratiquer avec excès
Dispenser quelque chose à quelqu'un	– donner
Vaquer à ses affaires	– s'occuper de
Se rebeller contre l'impôt.	– se révolter contre l'impôt
Les survivants épars.	– dispersés
Une interrogation déontologique	– morale
Les dérives du spectacle audiovisuel	– excès
Le pouvoir devra en rabattre	– réduire ses prétentions

p. 82
Expression orale

Exemple de prise de parole des élèves pour résumer oralement un des trois paragraphes :
Paragraphe 2

> *« Alors que la société française aurait pu évoluer vers un rapprochement progressif des différentes classes sociales, grâce à une bonne croissance économique, et grâce aussi aux réformes sociales, ce n'est pas cela qui se passe en France actuellement. Au contraire, Laurent Joffrin constate qu'on assiste au retour des trois ordres de l'Ancien Régime, même si leurs noms ont changé. Une classe dominante qu'il appelle « la super-élite », prospère et médiatisée, une classe moyenne mal à l'aise et pleine de contradictions dans ses désirs de sécurité et de partage, et une troisième classe, la plus défavorisée, qui rassemble les ouvriers qui ont du mal à accepter de vivre à côté des travailleurs émigrés. Cette dernière classe est jugée « dangereuse » et habite dans les périphéries des villes comme des exclus. »*

p. 83
LA MORALE, CE QU'EN DIT UN HUMORISTE

Wolinski, extrait de *La morale.*

Notes

Aphorisme : formule ou prescription résumant un point de science ou de morale (synonymes : maxime, pensée, adage).
Wolinski Georges : dessinateur de bandes dessinées pour adultes, à l'humour grinçant.

p. 84
ANTIGONE ET CRÉON

Jean Anouilh, extrait de *Antigone.*

Notes

Anouilh Jean (1910-1987) : auteur dramatique français. Il écrit *Antigone* en 1946, reprenant le thème de la tragédie de Sophocle. Antigone est une héroïne qui se bat pour le « devoir moral », contre la fausse justice et la raison d'État.

p. 85
Analyse

– Le point de vue d'Antigone :

Antigone dit non à la loi imposée par le pouvoir du Roi. Elle refuse parce qu'elle est, elle-même, son propre juge. Elle dit « je peux dire "non" encore à tout ce que je n'aime pas et je suis seul juge ». Elle aime son frère mort, et par amour pour lui, elle s'oppose à la toute puissance du Roi en sachant qu'elle risque sa vie. Elle symbolise la liberté de chaque être humain : cet unique pouvoir de dire « oui » ou « non » face à un pouvoir royal ou légal. L'amour est plus fort que la loi. Cela lui est possible car elle n'est responsable que d'elle-même, face à son destin tragique. Elle n'a de comptes à rendre à personne si ce n'est à elle et à son destin qui lui commande d'agir ainsi.

– **Le point de vue de Créon :**

  Créon est le roi de Thèbes. Il est le pouvoir, la loi. Il est le garant des lois, donc du bon fonctionnement de la ville de Thèbes. Il ne veut pas faire mourir Antigone mais il y est obligé.

  Malgré lui (« un matin, je me suis réveillé roi de Thèbes et Dieu sait si j'aimais autre chose dans la vie que d'être puissant… »), il est le roi et doit exercer son pouvoir pour gouverner le navire, pour gouverner contre les égoïsmes de chacun, pour le bien de tous.

  Il joue le rôle difficile de celui qui représente l'ordre, car s'il n'y a plus d'ordre, il n'y a plus de société.

Dans les questions posées, le personnage qui a dit « non » est bien sûr le général de Gaulle quand il organisa depuis Londres, la Résistance face à l'occupation allemande, s'opposant au gouvernement de Pétain qui avait capitulé et accepté l'armistice avec Hitler.

p. 86

ENTRAÎNEMENT

Micro-trottoir

1. Gros plan sur l'humanité

1. Militer contre l'injustice, **c'est ce qui** m'attire le plus.
2. **Ce qui** me passionne **c'est ce que** fait Mère Teresa à travers le monde.
   Elle crée des petites communautés qui s'occupent des exclus dans toutes les sociétés aussi bien en Occident qu'en Asie.
3. **Il y a** une personne **que j'admire** vraiment, **c'est** l'abbé Pierre parce qu'il ose dénoncer des choix politiques qui favorisent les nantis et **ce qui me plaît c'est que** dans sa vie ses paroles s'accordent avec ses actes, **ce qui** est rare de nos jours.
4. **Ce que** je déteste, **ce sont** les gens qui sont très forts pour parler des injustices et qui ne sont pas capables de bouger le petit doigt pour aider leur voisin.
5. **Ce qui** me révolte, **c'est** de voir les enfants souffrir à cause de la folie des hommes, que ce soit les guerres ou les injustices sociales.
6. **Ce qui** m'attire chez un homme politique, **c'est** sa capacité à savoir **s'opposer au** parti en place pour défendre des idées de justice ou dénoncer des corruptions.
7. **Ce qui** m'impressionne, **ce sont** les hommes et les femmes qui se battent contre un régime autoritaire au prix de leur vie ou de celle de leur famille. La lutte des Noirs en Afrique du Sud, par exemple m'impressionne beaucoup, comme celle des Blancs qui luttent avec eux.
8. **S'opposer** à la force par la non-violence, **c'est ce que** je trouve de plus beau.
9. **S'intéresser** à ceux qui sont près de chez nous, **c'est** souvent ce que nous ne savons pas faire.

Micro-trottoir

2. Je pense donc je suis

1. Je n'aimerais pas qu'on sache la vérité.
2. Je suis sûr que cela plaira à tout le monde.
3. Je serais heureux qu'elle dise toujours la vérité.
4. Je doute que vous gagniez une médaille d'or.

5. Il faudrait que vous fassiez des exercices.
6. Je pense que d'Aboville mérite son succès.
7. Je croyais que vous m'aimiez !
8. Je ne pense pas qu'on puisse remporter une médaille de bronze.
9. J'aurais voulu qu'il réussisse son exploit.
10. Il est regrettable qu'il ait raté son entraînement.

Micro-trottoir

3. On en parle encore...

1. Quand on ne fait pas attention **à** son alimentation, on grossit. Il faut **y** faire attention.
2. Je mange toute la journée, je ne peux pas m'**en** empêcher.
3. Je ne réussis pas toujours **à** rester mince, mais je m'**y** efforce.
4. Cela ne me sert **à** rien de faire un régime. Je n'arrive pas **à** maigrir.
5. Je ne peux pas m'empêcher **de** penser **à** cela, bien que j'essaye de ne pas **y** penser.
6. Chaque fois que je m'occupe **de** mon poids, j'ai des angoisses. Je ne m'**en** occuperai plus.

DOSSIER 2

LES FRANÇAIS ET L'ARGENT

2 A - DIS-MOI CE QUE TU CONSOMMES ET JE TE DIRAI QUI TU ES

TEXTES	ACTIVITÉS		ENTRAÎNEMENT
	ORAL	ÉCRIT	
Micro-trottoir, p. 88 (Transcription p. 238)	Mini-enquête sur la consommation courante. Discussion des résultats en classe. Liste préférentielle des produits les plus consommés.	Analyse écrite de ces résultats	Exercice 1
Les dilemmes d'une consommatrice type, Christiane Collange, p. 92	Discussion en petits groupes pour faire le portrait du consommateur-type de la classe. Débat contradictoire. Arguments pour ou contre.	Lettre à Christiane Collange pour proposer des moyens de lutter contre deux ennemis de son argent. Portrait d'un consommateur occidental.	Exercices 2, 3,
Avis au consommateur, Bernard Dubois, p. 95	Jeu de rôle à quatre ou cinq : Conseil d'administration d'une entreprise. Jeu de rôles à deux : dans un supermarché, un consommateur averti et un autre non averti.	Composer une publicité : image et texte.	Exercice 4
Jérôme et Sylvie ou l'obsession de l'argent, Georges Perec, *Les Choses*, p. 97	Jeu de rôles à deux personnages. Création d'un sketch à jouer devant la classe.	Description du comportement de quelqu'un qui a une obsession. Comparaison du texte de Perec avec celui de Christiane Collange.	Exercices 5, 6

MICRO-TROTTOIR : DIS-MOI CE QUE TU CONSOMMES, JE TE DIRAI QUI TU ES

Qu'est-ce qui vous fait le plus plaisir à acheter ?

Note

Puces : marché où l'on vend des objets d'occasion et déclassés, à des prix très compétitifs. À Paris, le plus célèbre marché aux puces est celui de la Porte de Clignancourt.

p. 90 *Repérages*

- – **Produits de consommation courante :**
  - les magazines, les quotidiens, les hebdos, les revues de cinéma
  - les fringues : les robes, les blousons, les chaussures de tennis, les maillots de bain
  - les boissons, les cigarettes
  - les livres, les disques.

– **Produits de luxe :**
  - des produits qui ont rapport avec la décoration et l'ameublement
  - des ceintures, des boucles de ceinture
  - le champagne, le caviar, le saumon fumé.
– **Produits liés à la culture et aux loisirs :**
  - les sorties, les restaurants, les voyages
  - le temps perdu qui n'est pas un produit mais qui est cependant « consommé » par Jean, cadre supérieur.

• **Attribution des idées proposées aux interlocuteurs :**
– Je perds le temps libre dont je dispose : I.6, Jean, cadre supérieur.
– Je consomme surtout des magazines et des vêtements : I.2, Marie, professeur.
– Je dépense beaucoup pour ma fille : I.5, Claudine, femme d'affaires.
– Je dépense beaucoup pour mon fils : I.4, Véronique, femme au foyer.
– Mes plus grosses dépenses sont d'ordre culturel : I.7, Yves, comptable.
– J'achète à peu près de tout en quantité modérée : I.8, Marie-Jo, médecin.
– J'achète surtout dans les marchés aux puces : I.4, Véronique.
– Je consomme des choses rares : livres et nourriture : I.8, Marie-Jo.

p. 90

Analyse

• Hypothèses sur les origines sociales des interviewés (à faire après l'écoute du micro-trottoir, sans avoir lu la transcription).

> *« Je pense que la deuxième personne interviewée aime lire les magazines et les revues de cinéma parce qu'elle a un métier qui lui demande d'être au courant des événements et de tout ce qui se passe. Elle est peut-être journaliste ou professeur ».*
>
> *« Par exemple, l'interviewé 6, je crois qu'il appartient à une classe sociale élevée puisqu'il a beaucoup de temps libre. C'est sûr. Ce n'est pas un ouvrier ou un employé de bureau ».*

Pour faire des hypothèses, les élèves emploieront des expressions comme celles-ci :
sans doute, peut-être, probablement
il/elle doit être..., je crois que..., je pense que...
et les expressions servant à justifier l'opinion :
parce que, puisque, car, comme.

Analyse linguistique

• Relevé des verbes ou expressions qui indiquent le point de vue du consommateur sur sa consommation.

Verbes et expressions :
– J'adore acheter...
– Je prends beaucoup de plaisir à lire...
– Je pense que...
– J'essaie de ne pas être dépendante de l'argent...
– J'aime bien acheter...
– Je fais une grosse consommation de temps perdu
– J'aime beaucoup faire plaisir aux autres
– Ce qui me fait le plus plaisir à acheter, c'est...
– Je n'ai pas l'impression d'avoir de consommation excessive...
– Je n'ai pas l'impression qu'il y ait...

• **Termes qui servent à quantifier :**

Quantifiant de verbes
– Verbe + beaucoup/beaucoup trop/
– aimer bien
– dépenser très peu en...

Quantifiants de noms
– beaucoup d'importance
– ne pas faire grand-chose de...
– assez peu de variétés
– une consommation excessive
– ne pas avoir de maximum de consommation
– une grosse consommation
– en disques, j'achète moins qu'en livres
– surtout des revues

p. 90 *Pour fixer le vocabulaire*

Mots ou expressions	Synonymes
C'est mon « dada »	– occupation favorite
« Les fripes »	– vêtements d'occasion
« Les fringues »	– vêtements
« Le look »	– l'apparence
Dénicher	– découvrir
J'y vais de ce pas	– immédiatement

p. 92 LES DILEMMES D'UNE CONSOMMATRICE TYPE

Christiane Collange, extrait de *Nos sous.*

Notes

Charente : département de la région Poitou-Charentes, réputée pour ses élevages de bovins, son vignoble et son eau de vie (Cognac).

Les prélèvements obligatoires sont :

	Taux
Sécurité sociale maladie	6,9 %
Contribution Sociale Généralisée	1,10 %
Retraite 1	6,55 %
Retraite 2	2,34 %

Ils varient d'une entreprise à une autre de 18 % à 25 % du salaire brut.

La C.S.G. (contribution sociale généralisée) a été créée par le gouvernement Rocard pour que les salariés « partagent » un peu de leur salaire avec les chômeurs. Cet argent aide l'État à payer les indemnités touchées par les chômeurs.

Les systèmes de retraites varient aussi selon les entreprises et la position du salarié dans l'entreprise (employé, cadre, cadre moyen, cadre supérieur, etc.).

p. 93 *Repérages*

Des sous plein la tête

- Les pensées de l'auteur sont liées aux difficultés de gérer son budget. Dépenser mais pas trop, économiser, savoir faire la part entre l'utile et l'inutile, le nécessaire et le superflu.

-

Expressions	Termes du texte
Des soucis plein la tête.	« des sous plein la tête »
Des espèces sonnantes et trébuchantes.	« des sous pas sonnants mais trébuchants »
Répartir son argent au mieux.	« répartir mes gains et mes avoirs au moins mal de mes charges et de mes désirs ».
Jeter son argent par la fenêtre. Serrer les cordons de la bourse.	« les jeter mentalement par la fenêtre et de les rattraper in extremis par les cordons de la bourse »

L'humour de Christiane Collange consiste à jouer avec les expressions figées en les prenant « au pied de la lettre », c'est-à-dire d'imaginer concrètement par exemple qu'elle jette par la fenêtre ses sous et que grâce aux cordons de la bourse, elle les rattrape avant qu'ils ne tombent.

Une consommatrice piégée

- La consommatrice est piégée par les tentations d'achats proposés dans les magazines, à la télévision ou même à la radio.
- En tant que consommatrice française et internationale, elle est tentée par :
  l'eau minérale, le beurre des Charentes (le meilleur), le bon Bordeaux et un chemisier bien coupé.
-

Expressions	Termes du texte
Faire du lèche-vitrines.	« lécher les vitrines »
Déployer un trésor d'énergie.	« dépenser des trésors d'énergie »
Tenir en équilibre sur ses jambes.	« tenir en équilibre sur mes finances »
Partir aux quatre coins du monde.	« rapprocher les quatre coins de la planète »

L'éternelle grogne monétaire

- Le principal sujet de mécontentement de Christiane Collange est que les soucis financiers croissent encore plus vite que le revenu personnel brut.
- Le sujet essentiel de grogne : ce sont les prélèvements obligatoires qui grèvent le salaire brut.
- On peut parler de grogne monétaire éternelle, parce que l'argent a toujours eu un rôle autre que purement économique depuis qu'existe la monnaie, inventée par les Phéniciens.

p. 94

Analyse

- *Premier paragraphe*
  La première difficulté économique est :
  – la gestion du budget familial.
  Deuxième paragraphe
  La deuxième difficulté est :
  – la publicité dispensatrice de tentations.
  Troisième paragraphe
  La troisième difficulté est :
  – les prélèvements obligatoires qui grèvent le salaire brut.
- Étude du champ lexical qui montre bien qu'il s'agit d'une lutte :
  – défendre ses sous contre…
  – attaquer
  – envahir
  – faire craquer quelqu'un
  – résister
  – se défendre de quelqu'un

Ces termes de lutte caractérisent l'attitude belliqueuse que la consommatrice doit mener contre la publicité et contre elle-même pour ne pas dépenser tout son argent.

Bataille inégale. Christiane Collange décrit, par ses métaphores, l'impuissance du consommateur face à un système quasi planétaire de l'économie de marché.

p. 94 Pour fixer le vocabulaire

Mots ou expressions	Équivalents
Je passe mon temps à répartir mes gains et mes avoirs	– distribuer équitablement
Je tente d'adapter mes sous à mes envies	– essayer de + infinitif
Dans un sursaut de raison	– une brusque réaction
Les impulsions d'achat m'envahissent	– occuper de force
Pour me « faire craquer »	– succomber, ne pas pouvoir résister
Ma vie de consommatrice s'envenime de jour en jour	– se détériorer, se dégrader
J'ai du mal à « joindre les deux bouts »	– avoir de la difficulté à
Les soucis financiers croissent encore plus vite	– augmenter
Les occasions de maugréer commencent	– manifester sa mauvaise humeur
Être rémunéré à sa juste valeur	– payé
Considérer avec morosité son salaire net	– tristesse
La grogne sourd dès les retenues à la base	– jaillit (jaillir)

p. 94 Expression écrite

Proposition de lettre adressée à Christine Collange

Chère Madame,

Je viens de lire votre article, extrait de votre livre *Nos Sous*, et il me semble que par humour, bien sûr, et pour capter l'attention de votre lecteur, vous avez exagéré les difficultés que rencontre tout consommateur, soucieux d'équilibrer son budget.

Tout d'abord, je dois vous dire que j'ai eu beaucoup de plaisir à vous lire. J'ai particulièrement apprécié cette aisance drôle et efficace que vous avez pour renouveler ces expressions de notre langue, comme « faire du lèche-vitrines » qui grâce à vous reprennent de leur jeunesse quand on imagine que vous léchez « pour de vrai » les vitrines telles de bonnes glaces à la vanille !

Mais, ne croyez-vous pas qu'il eût été judicieux (qu'il aurait été judicieux) de proposer à vos lecteurs quelques remèdes pour les aider à sortir de ce dilemme permanent que tout consommateur rencontre, à savoir : dépenser son argent sans grever son budget ?

Aussi, je vous propose un moyen très simple pour lutter contre ce piège organisé qu'est la publicité sous toutes ses formes. Il est très simple et efficace.

Voilà. Lorsque vous voyez sur les murs de votre ville, à la télévision ou dans les pages de votre magazine une publicité, regardez-la non pas en consommatrice mais en esthète. Admirez la beauté de la photographie, l'intelligence du texte, le rapport bien dosé entre l'image et le propos. Admirez et observez comment cette publicité a été conçue, réalisée, filmée. Et, dès que votre œil est touché par sa beauté ou irrité par sa laideur, alors vous ne voyez plus le produit qui est le prétexte de toute cette débauche de couleurs, de photos ou de texte. Vous avez crevé la toile, vous n'êtes plus piégée, vous avez pris le réflexe de voir avec « un autre regard ». En conséquence, la publicité n'est plus dangereuse pour votre portemonnaie, elle est simplement amusante, intelligente ou odieuse, c'est selon, mais elle ne sera plus jamais, pour vous, « un piège à sous ».

Voilà, chère Madame, mon conseil. Pratiquez-le et vous expérimenterez sa simplicité et son efficacité.

Soyez remerciée pour votre livre si amusant et intéressant et recevez, Madame, les salutations distinguées d'une fidèle lectrice.

Caroline.

p. 95

AVIS AU CONSOMMATEUR !

Bernard Dubois, extrait de *Comprendre le consommateur.*

Note :

Stevenson Robert-Louis (1850-1894) : poète essayiste et romancier écossais. Auteur de *Docteur Jekyll et Mister Hyde* (1885).

p. 96

Repérages

Idées	Phrases-clés du texte
– Nous sommes tous des consommateurs.	« Dès la plus tendre enfance, jusqu'à l'heure de notre mort, nous sommes impliqués dans l'acquisition et l'utilisation de multiples biens ».
– Le comportement du consommateur est une question de vie ou de mort pour les entreprises.	« De cet acte (celui de l'achat) dépendent le succès ou l'échec d'un produit, la construction ou l'abandon d'une usine, l'essor ou le déclin d'une entreprise ».
– Nous sommes aussi tous des vendeurs.	« Nous vivons tous... de la vente de quelque chose ».
– Il y a une condition essentielle pour que nos productions aient de la valeur.	« Toute production n'acquiert de la valeur qu'à condition d'être échangée, en réponse à des besoins ».
– Cette condition intéresse au plus haut point les responsables d'entreprises.	« Il n'est guère nécessaire de justifier à quelqu'un dont la prospérité dépend de relations d'échanges réussies, la nécessité d'étudier le consommateur ».
– Le désir des responsables d'agir sur le comportement des consommateurs.	« le responsable ne peut éviter d'émettre implicitement ou explicitement,... des idées relatives au comportement du marché auquel il s'adresse ».
– Un exemple de stratégie pour agir sur le marché.	« lorsqu'une entreprise réduit ses prix, elle en attend un accroissement de demande ».

p. 96

Analyse

- **Différents procédés rhétoriques du texte.**
  - *Des indications de temps et d'espace qui universalisent le consommateur :*

    Emploi du **présent** qui indique la pérennité de nos comportements.

    « Nous sommes... toujours en train de consommer quelque chose. »

    « Dès la plus tendre enfance... nous sommes impliqués dans l'acquisition et l'utilisation de multiples biens et services ».

    Indications d'espace

    « son ubiquité » : l'ubiquité de la consommation

    L'ubiquité est la faculté d'être présent dans plusieurs lieux à la fois.

    Cela signifie que la consommation a lieu partout et toujours, d'où son caractère universel.

    Remarque :

    Le « nous » du texte inclut l'auteur et le lecteur, et au-delà tous les consommateurs. Remarquons que « vous êtes en train d'accomplir un acte de consommation » (en lisant ces lignes) a une force rhétorique très grande car elle établit dès le début du texte un rapport direct entre le scripteur et le lecteur du texte.
  - *Des verbes qui indiquent une relation de cause/conséquence :*

    « résulter, dépendre. »

Paraphrases

L'acte de la ménagère qui prend un paquet de lessive **entraîne** tout un processus économique. De cet acte, **dépendent** le succès ou l'échec d'un produit ainsi que la construction ou la fermeture d'une usine.

Une relation de cause à effet existe entre le geste d'achat du consommateur et les conséquences commerciales, économiques de son choix.

– *Une tournure qui généralise et universalise le fait de vendre quelque chose :*

« Qu'il s'agisse d'un produit, d'un service, d'une idée, nous vivons tous... de la vente de quelque chose ».

– *Une formule soulignant la condition nécessaire et indispensable entre production et besoins :*

« Toute production n'acquiert de la valeur qu'à condition d'être échangée, en réponse à des besoins. »

– *Une formule qui introduit la conséquence logique touchant directement les responsables d'entreprise :*

« Qu'il travaille pour une entreprise, un organisme public ou simplement pour lui-même, le responsable ne peut éviter d'émettre implicitement ou explicitement, consciemment ou non, des idées relatives au comportement du marché auquel il s'adresse. »

• **Relevé des verbes et des noms de verbe signifiant « faire quelque chose » :**

accomplir	un accomplissement
consommer	la consommation
acquérir	une acquisition
utiliser	une utilisation
produire	un produit
construire	une construction
abandonner	l'abandon

p. 96 Pour fixer le vocabulaire

Mots ou expressions	Termes du texte
Vous avez le don d'être partout à la fois.	– le don d'ubiquité
Vous désirez vendre un nouveau produit ? Faites auparavant une étude de marché.	– préalablement
Tout le monde est engagé dans l'acte de consommer	– est impliqué
La première partie de cet ouvrage concerne la consommation	– a trait à la consommation
Ce produit ne peut gagner/obtenir de valeur que s'il y a une réelle demande !	– acquérir
Le marché européen va permettre le plein développement de certaines industries	– la prospérité
Au conseil d'administration, le responsable des ventes a exprimé des idées de restructuration qui ont été jugées révolutionnaires	– a émis (émettre)
Il s'agit désormais de diminuer les prix pour augmenter la demande	– réduire – accroître

p. 96 *Expression écrite*

Proposition :

Ingres, La grande Odalisque, Musée du Louvre, © Photo R.M.N.

Odaliss

Lisse, votre peau comme une odalisque
Ne soyez plus esclave du soleil.

Votre peau est menacée :
pollution
ultra-violets
stress,
Ne la laissez pas s'abîmer.

Pour les peaux sensibles ou fragilisées
Odaliss a été créée.
Constituée d'éléments d'origine végétale,
Biologique, marine, minérale,

Odaliss est un bain de nature idéal pour votre peau.
Apaisée, protégée, vivifiée, votre peau
Retrouve son harmonie.
Odaliss suffit.

Odaliss, crème de soins de jour, est en vente dans toutes les pharmacies.

Note :
Une odalisque était une femme de chambre esclave au service des femmes d'un harem.

p. 97

JÉROME ET SYLVIE OU L'ARGENT-OBSESSION

Georges Pérec, extrait de *Les choses.*

Notes

Champs-de-Mars : vaste terrain du VIIe arrondissement, entre la Tour Eiffel et l'École Militaire. C'est ici qu'eurent lieu les expositions universelles de 1867 et 1937.
Étoile : place du VIIIe arrondissement, appelée aussi « Charles-de-Gaulle-Étoile », au centre de laquelle s'élève l'Arc de Triomphe et d'où partent douze grandes avenues dont les Champs-Élysées.
Ile Saint-Louis : île de la Seine, en amont de l'île de la Cité, rattachée au IVe arrondissement. On peut y admirer de splendides constructions du XVIIe siècle, hôtels particuliers et églises dans lesquels ont souvent lieu des concerts de musique classique.
Madeleine : église achevée en 1840, suivant l'architecture d'un temple grec, dans laquelle ont régulièrement lieu des concerts de musique classique. C'est un quartier de luxe, entre l'Opéra et la place de la Concorde.
Marais : un des plus anciens quartiers de Paris (IIIe et IVe arrondissements). De splendides hôtels particuliers du XVIe au XVIIIe siècles, plusieurs abritent des musées (hôtels Carnavalet, de Sully...).
Luxembourg : grand jardin public du VIe arrondissement, lieu de promenade et de détente. Dans le palais du Luxembourg, construit par Marie de Médicis, siège actuellement le Sénat.
Montparnasse : gare ferroviaire pour les départs vers l'ouest de la France. Ce quartier du XIVe arrondissement, dominé par la Tour Montparnasse regroupe un centre commercial, des cinémas, des théâtres et de nombreux restaurants.
Opéra : théâtre construit au XIXe siècle, haut lieu traditionnel de l'art lyrique, aujourd'hui consacré à la danse. Ce quartier foisonne de boutiques de luxe.
Palais-Royal : bâtiments et jardins construits pour Richelieu en 1633. Ils abritent maintenant le Conseil d'État, le ministère de la culture et le théâtre de la Comédie Française. Quartier luxueux du 1er arrondissement où se trouve « le Louvre des Antiquaires ».
Parc Monceau : jardin public du VIIIe arrondissement.
Perec Georges (1936-1982) : il fut membre de l'Oulipo, groupe d'écrivains fondé par Raymond Queneau (*cf.* note Dossier 1, C p. 51). Il aimait beaucoup les recherches formelles : il écrivit en 1969 un roman sans la lettre « e ». *Les choses,* écrit en 1965, connut un grand succès car ce roman exprimait les désirs d'une génération. *La vie mode d'emploi,* écrit en 1978, critique les valeurs de consommation de la société contemporaine. L'écriture même accumule à plaisir des inventaires incongrus.
Saint-Germain des Prés : quartier du VIe arrondissement qui tient son nom de l'ancienne abbaye et de son église (XIe siècle). Au lendemain de la seconde guerre mondiale, il fut le lieu de rendez-vous, dans ses cafés littéraires, de la génération existentialiste.
Ternes : quartier du XVIIe arrondissement, boutiques de luxe.

p. 98

Repérages

Composition du texte

Première partie : « Ils auraient aimé être riches... à l'utopie ».
1er paragraphe : « Ils auraient... un art de vivre »
2e paragraphe : « Ces choses-là... l'utopie ».

Deuxième partie : « L'économie... concernés ».
1er paragraphe : « L'économique... réussites »
2e paragraphe : « Entre eux... sombrer ».
3e paragraphe : « Ils pouvaient... concernés ».

- **Repérages dans la première partie du texte :**
  - Phrase-clé du 1er paragraphe :
    « ils auraient aimé être riches »
  - Mouvements du 2e paragraphe :
    1er mouvement : « Ces choses-là... ils n'en avaient pas d'autre ».
    Description de la situation réelle du jeune couple : ils vivent dans un « espace rétréci », un logement exigu. Ni pauvres, ni riches, ils appartiennent à la classe moyenne.
    2e mouvement : « mais il existait... à jamais »
    À côté de la réalité médiocre de leur vie, il y a le luxe des beaux quartiers qui exerce sur le jeune couple une tentation perpétuelle.
    3e mouvement : « Mais l'horizon... l'utopie ».
    Ces tentations appartiennent à l'utopie. Ce sont des rêves irréalisables car ils sont économiquement trop éloignés de ce monde attirant du luxe.

- **Repérages dans la seconde partie du texte :**
  - Phrase-clé du 1er paragraphe :
    « L'économique, parfois, les dévorait tout entiers ».
    La métaphore du verbe « dévorer » a une force stylistique très grande. Le lion qui dévore sa proie, la mange en entier, jusqu'au bout.
    De même Jérôme et Sylvie sont dévorés par leur obsession de l'argent, totalement : corps et esprit. Ils dépendent absolument d'elle quand elle les étreint « parfois ».
  - Thème de l'enfermement (2e paragraphe)
    Relevé des termes qui expriment cette impression d'enfermement :
    - c'était un mur
    - une espèce de butoir qu'ils venaient heurter
    - la gêne, l'étroitesse, la minceur
    - le monde clos, leur vie close... sans autres ouvertures que
    - ils étouffaient

    Ce champ lexical de l'enfermement qui exprime par le jeu des métaphores ce monde de la prison, d'un monde clos, traduit parfaitement le psychisme de celui ou de celle qui est obsédé(e), ici, par le désir d'argent.
    Dans le dernier paragraphe, l'obsession du jeune couple se manifeste par un énervement qui exprime toute la tension qu'il y a entre eux : « le ton montait, la tension devenait plus grande », « ils s'énervaient » parce qu'ils « étaient trop concernés ».

p. 98

Analyse

Propositions de réponses :

- *« Il me semble que l'attitude de Jérôme et Sylvie est typique de notre époque car il exprime le même mal d'être dont Christiane Collange décrivait les ambiguïtés et les difficultés. Nos désir d'achats sont toujours plus forts que nos capacités financières ne nous le permettent.*
  Le système économique de nos pays nous y pousse. La consommation est la colonne vertébrale de la réussite de l'économie, comme le dit le texte de Bernard Dubois. »
- *« Le 2e paragraphe de la première partie pourrait concerner n'importe quel consommateur adulte appartenant à la classe moyenne, ni pauvre, ni riche. Il regarde et envie ce qu'il n'a pas au lieu de se contenter de ce qu'il a. Avoir un appartement même petit est mieux que de ne pas en avoir du tout. Ce qui est le cas des S.D.F. (les sans domicile fixe) de nos grandes villes. »*
- *« Personnellement, je me sens concerné(e) par la vie de Jérôme et de Sylvie. Nous leur ressemblons plus ou moins tous car même si nous ne sommes pas obsédés par l'argent comme eux le sont, il est vrai qu'il est terriblement présent dans notre vie quotidienne.*
  Je crois qu'il faut en avoir suffisamment pour que cela ne soit plus un problème. Et actuellement, la vie quotidienne oblige à en avoir plus qu'autrefois. Il suffit pour cela de penser aux machines qui nous entourent et qui nous semble absolument indispensables. J'avoue ne pas pouvoir imaginer une seconde ne plus avoir de machine à laver le linge ! ou même ne plus avoir de cuisinière électrique, ou encore ne plus avoir le téléphone ! »
- *« Oui, cette comparaison me semble tout à fait juste. Comme la drogue dérègle toute la vie de celui qui en prend, l'obsession de l'argent peut aussi complètement dérégler la vie de quelqu'un. Il est alors envahi nuit et jour par cette pensée obsédante et tous ses gestes et ses désirs existentiels sont « dévorés » par son désir. Sa relation aux autres et au monde est troublée, dévoyée par cette obsession. Personnellement, je trouve cette attitude très triste car pour moi, une personne qui vit ainsi est comme « morte ». Elle a, comme le disait Christiane Collange, des sous plein la tête : elle pense « sous », elle vit « sous », elle dort « sous ». Affreux, non ? »*
- *« Oui, je pense que l'auteur prend parti dans cette description. Il est résolument le maître d'œuvre de l'obsession de ce couple.*
  Tout son style le prouve :
  L'emploi du conditionnel passé qui exprime parfaitement le regret.
  L'emploi des métaphores de l'enfermement qui exprime merveilleusement le dérèglement psychique du couple sans que cela soit trop choquant pour le lecteur. Perec ne fait pas de ses personnages des monstres : il sait leur garder une dimension très humaine pour que nous puissions nous identifier à eux.

Les termes qui expriment le désir ardent du couple de vivre une vie de luxe : « ils brûlaient d'y succomber, avec ivresse tout de suite et à jamais ». Ce côté excessif est bien sûr voulu et choisi par l'auteur. La fiction romanesque permet ce grossissement des passions : elle n'en est que plus savoureuse à lire. »

p. 99 Pour fixer le vocabulaire

Mots et expressions	Synonymes
Ils auraient eu du tact.	– délicatesse
Ils auraient su ne pas étaler leur richesse.	– montrer
Ils auraient aimer flâner.	– se promener sans but précis
Un logement exigu.	– de petite dimension
Des vacances chétives.	– modestes/de faible qualité
Les offres fallacieuses.	– fausses/trompeuses
L'horizon était bouché.	– fermé/sans issue
L'économique les dévorait.	– consumait
Ils se sentaient sombrer.	– couler (comme un bateau)
Ils ressentaient tout ce qu'il y avait en eux d'inaccessible.	– qu'on ne peut pas atteindre
L'un ou l'autre faisait d'interminables réussites.	– jeu de cartes solitaire

p. 99 Expression écrite

• **Proposition : description de quelqu'un qui a une obsession.**

J'ai un ami Philippe, qui est passionné de montagne. C'est un excellent grimpeur. Il ne se sent bien dans sa peau que lorsqu'il a autour de la taille la corde d'assurance et qu'il gravit prise après prise des parois verticales dans les gorges du Verdon, les Calanques ou les voies « TD » (très difficiles) du massif du Mont-Blanc. Je me rappelle l'avoir vu complètement obsédé par un projet d'escalade : la face Nord des Drus qu'il devait entreprendre avec Bernard, un ami, superbe grimpeur comme lui.

C'était à Mégève, village de Haute-Savoie où nous passions nos vacances. Nous étions au châlet. Après le dîner, pendant lequel nous avions parlé de choses et d'autres, je sentais bien que leur esprit était ailleurs, qu'ils avaient la gentillesse de parler avec moi. Mais que seule, la face Nord des Drus les intéressait. Ce projet d'escalade les dévorait tout entiers. Ils ne cessaient d'y penser. Leur vie professionnelle et affective en dépendaient étroitement.

Moi qui ne faisais pas partie de l'équipe, je me sentais exclue et effectivement je l'étais !

Entre eux, existaient une tension, une excitation agréable et angoissée à la fois. Tout un jargon de termes techniques résonnait à mes oreilles telle une langue étrangère.

Ils étaient dans leur monde, ils faisaient la voie, ils discutaient d'un passage particulièrement connu « après le premier surplomb, tu dois prendre à main gauche et faire un redressement… », du matos (le matériel), des mousquetons (combien en fallait-il ?) des cordes de rappel (une ou deux ?), le ravitaillement, la tente de bivouac… C'était grand, dangereux, risqué, magnifique, sublime… cette face Nord des Drus ! Elle les prenait tout entiers : corps et esprit. Elle exigeait tout, elle les fascinait. Ils vivaient cette escalade comme une aventure avec un je ne sais quoi de passion amoureuse. À deux, encordés ils seraient l'un à l'autre totalement indispensables, l'un assurant l'autre alternativement.

En un instant, notre soirée avait basculée. De trois que nous étions autour de la table, tout à coup nous nous retrouvions quatre.

La quatrième, absente mais terriblement présente, la montagne, cette splendide voie des Drus, telle une belle étrangère s'était immiscée entre nous et en une seconde avait pris toute la place, tyrannique, exigeante, attirante, provocante. Ils parlaient et moi je n'existais plus ! Je ne pouvais qu'assister impuissante à la métamorphose de Philippe qui à mes yeux devenait odieux.

Prisonnier de son désir, esclave de sa passion, enivré des paroles échangées, il n'avait pas vu que je m'étais endormie.

p. 100

ENTRAÎNEMENT

Micro-trottoir

1. Production et consommation

Les réponses ne sont qu'indicatives. Chaque apprenant répond en fonction de son pays. L'exercice permet de vérifier des connaissances grammaticales - ici **l'article défini** qui donne une **vision générique**, et **le partitif**, **une vision quantitative** - mais aussi de profiter des échanges interculturels d'une classe pluri-ethnique.

1. Quelles sont les productions agricoles de votre pays ?
   Le blé, le vin, les céréales, les produits laitiers, la viande de bœuf...
2. Que produisent les industries de votre pays ?
   Elles produisent des machines agricoles, des ordinateurs...
3. Quels sont les principaux produits d'exportation de votre pays ?
   Le café, les voitures, les vêtements, les parfums, le vin, le champagne, le TGV...
4. Qu'importez-vous des autres pays ?
   Du pétrole, du gaz, des micro-ordinateurs, des chaînes HI FI, de la bière...
5. Quelles sont les principales dépenses de votre groupe d'âge ?
   Les « fringues », les disques, les livres, les loisirs (les sorties avec les copains) ...
6. Qu'achètent les touristes qui séjournent dans votre pays ?
   Ils achètent des produits artisanaux, de la soie, du café, des sacs en cuir, des parfums, des produits de luxe...

Les dilemnes d'une consommatrice type

2. À quoi sert l'argent ?

Paraphrases des cinq citations du texte de Christiane Collange.

1. L'argent sert à exprimer nos sentiments.
   Cela signifie que si on n'a pas d'argent on ne peut pas faire de cadeaux à ceux que l'on aime. Comme Jean, l'interviewé 6 qui aime beaucoup faire des cadeaux à ses amis. On peut donner comme exemple aussi une mère de famille qui achète à sa fille ou à son fils des vêtements de marque parce que sa fille ou son fils les aime. Par amour pour elle ou pour lui, elle dépense son argent pour leur faire plaisir.
2. L'argent sert à véhiculer les conflits des humains.
   Cette citation fait référence aux conflits sociaux entre les patrons et les employés ou les ouvriers. Ceux qui ne gagnent pas assez manifestent pour avoir plus d'argent, donc aussi plus de reconnaissance sociale.
3. L'argent sert à suggérer nos désirs.
   Cette citation est justifiée par le micro-trottoir. Toutes les personnes interrogées disent leur consommation préférée, c'est-à-dire ce qu'ils aiment le plus faire ou avoir avec leur argent.
   Les rêves de consommation, les voyages, par exemple expriment bien le désir d'échapper à la vie quotidienne routinière ou simplement fatigante.
4. L'argent sert à manifester notre pouvoir.
   Sans argent, on n'est rien (définition possible).
   Dans toute société, quelle qu'elle soit, la possession de l'argent est un signe de pouvoir. Celui qui n'en a pas est nécessairement marginalisé, exclu. Si petit que soit ce pouvoir, il confère à l'individu une place dans la société. Avoir beaucoup d'argent permet aussi d'exercer sur les autres un

pouvoir qui peut prendre des proportions néfastes comme la corruption, les impérialismes financiers qui « mangent » les entreprises plus petites…

5. L'argent sert à hiérarchiser nos relations.
   Dans toute société, les riches vivent avec les riches et les pauvres vivent avec les pauvres. Chaque ville a ses quartiers riches et ses quartiers pauvres. La voiture est un bon exemple. Avoir une voiture chère marque le statut social de son propriétaire. Dans une entreprise, le PDG ne veut pas avoir la même voiture que ses employés. De même pour l'habitation, les vêtements, la nourriture.

Les dilemmes d'une consommatrice type

3. L'éternelle grogne monétaire

Propositions

1. **Plus** je dépense, **plus j'ai du mal** à m'arrêter.
2. **Plus** j'économise, **moins je parviens à** joindre les deux bouts.
3. **Moins** j'ai d'argent, **plus je cède à la tentation** de m'acheter des « fringues ».
4. **Moins** j'ai de sous, **moins je résiste aux** plaisirs de m'offrir un petit parfum.
5. **Les** difficultés que je rencontre pour gérer mon budget **sont telles que j'ai tendance à** me décourager et à ne plus faire attention à rien.

Avis aux consommateurs !

4. Modèles syntaxiques

Propositions :

Thème 1 proposé : Des étudiants de première année en fac parlent.

1. **Le premier choc dans** la vie universitaire **est la prise de conscience de** la solitude et du besoin de savoir s'organiser.
2. **Dès** les premiers jours **jusqu'à** la fin de l'année, **nous sommes impliqués dans** un système d'évaluation qui demande la régularité du travail et une participation active aux cours.
3. **Le** succès ou l'échec **dépend de** notre assiduité et de notre capacité à nous organiser.
4. Souvent le choix des options **résulte des** notes obtenues au baccalauréat, ce qui n'est pas nécessairement un bon critère.
5. **Qu'il s'agisse** d'études de lettres **ou de** sciences, **nous sommes tous** dépendants d'un même système difficile à accepter au début quand nous arrivons du lycée où tout était planifié.
6. **Qu'ils** le souhaitent **ou qu'ils** ne le souhaitent pas, les étudiants **ne peuvent éviter de** perdre du temps les premières années.

Thème 2 : celui de la femme dans la société, ou la manière de consommer.

Qu'elle travaille **ou qu'elle** ne travaille pas, **la femme ne peut éviter de** s'occuper des tâches ménagères.

Qu'elle soit mère **ou qu'elle** soit célibataire, **la femme ne peut éviter de** s'occuper de sa maison.

Jérôme et Sylvie ou l'argent-obsession

5. Les grandes illusions

Propositions

1. a. Vos propres rêves ?
   J'aurais aimé être pilote d'avion.
   b. Pourquoi votre rêve ne s'est-il pas réalisé ?
   Parce que les études pour devenir pilote exigent un excellent niveau en mathématiques que malheureusement je n'avais pas !
2. Les rêves d'une amie :
   Marie aurait souhaité faire des études d'infirmière mais quand elle avait vingt ans, elle a eu une hépatite virale très grave. Les médecins lui ont dit que c'était trop dangereux pour elle d'être en contact avec les malades. Sa santé était trop fragile.
3. Les rêves de vos parents :
   Mes parents auraient voulu avoir une voiture pour nous emmener le week-end à la campagne, mais ils n'ont jamais eu assez d'argent pour s'en acheter une.

Jérôme et Sylvie ou l'argent-obsession

6. Les tentations de Paris

Dialogue entre Sylvie et Jérôme

1. Sylvie : « Regarde ce sac Sonia Rykiel, il est splendide ! **Si j'avais** ma carte bleue avec moi, **je me l'achèterais** »

   Jérôme : « Heureusement que tu ne l'as pas, tu as vu le prix : au moins 2 500 Frs. C'est de la folie ! »
2. Sylvie : « **Si tu avais accepté** de faire ce stage payé par ta banque, **je pourrais** me l'acheter. Mais tu as refusé cette proposition… »

   Jérôme : « Oui. J'ai refusé parce que je voulais prendre des vacances tranquilles avec toi. **Si j'avais accepté**, tu n'**aurais pas pu** te reposer à la Turbale*, chez les Piallet.
3. Sylvie : « Oui, tu as raison comme toujours mais **si j'avais** ce sac, **je serais** vraiment heureuse tu sais.

   Jérôme : « Tu sais bien que nous somme obligés de choisir. Nous n'avons pas assez d'argent pour tout ! **Si je gagnais** plus, **je pourrais** t'offrir tout ce que tu veux **mais** ce n'est pas avec ce que je gagne actuellement que c'est possible… »

* **La Turbale :** plage de sable fin à quelques kilomètres de La Baule en Bretagne.

2 B - LES CORDONS DE LA BOURSE

TEXTES	ACTIVITÉS		ENTRAÎNEMENT
	ORAL	ÉCRIT	
Micro-trottoir, p. 102 Transcriptions pp. 238, 239	Réponse orale ou écrite à la question du micro-trottoir : à votre avis est-ce qu'il faut un peu, assez, beaucoup d'argent pour vivre bien » ?		
Les nouveaux fauchés, *Nouvel Observateur*, p. 106	Trois jeux de rôles.	Lettre au courrier des lecteurs du *Nouvel Observateur.*	Exercices 1, 2
L'argent-roi, Alain Minc, p. 109	Résumés des trois parties du texte. Liens entre ces trois parties. Questions demandant la prise de parole des élèves. Texte écrit (en réutilisant certains des procédés d'écriture du texte de Minc) à des Français pour faire comprendre la situation de votre pays concernant le rôle de l'argent et ses conséquences économiques et sociales.		Exercice 3
L'argent dans la vie d'une romancière célèbre : Françoise Sagan, p. 113	Préparation en équipe d'une interview avec une personne « radine ».	Développement écrit à partir du dicton « l'argent est un très bon valet et un mauvais maître ».	
Le nœud de vipères, François Mauriac, p. 115	Réactions orales : commentaires du roman de François Mauriac.	Rédaction d'un texte où vous exprimez les sentiments que vous inspire *Le nœud de vipères.*	

MICRO-TROTTOIR : LES CORDONS DE LA BOURSE

À votre avis, est-ce qu'il faut un peu, assez, beaucoup d'argent pour vivre bien ?

Notes

SMIC : Salaire Minimum de Croissance, institué en 1970. La rémunération mensuelle minimale garantie, au 1er juillet 1992 était de 5 756,14 Frs (avant cotisations salariales). On appelle « smicard » une personne qui gagne le SMIC.
Thélème (Abbaye de) : communauté laïque imaginée par Rabelais (1494-1553), grand écrivain français humaniste. La règle de Thélème, « Fais ce que tu voudras », prend le contre-pied de l'institution monacale.

p. 104 *Repérages*

- **Idées données**
  – *Voyager en auto-stop, c'est difficile.*
  Interviewé 1 : Non

Patrick, grossiste, dit : « ce n'est pas l'argent qui est important. On peut voyager aussi en auto-stop » ! Ce n'est donc pas difficile, mais facile de voyager sans dépenser beaucoup d'argent.

– *On peut vivre dans une grande ville avec moins de 10 000 Francs par mois.*
  Interviewé 2 : Non
  Thérèse qui est fonctionnaire dit que pour vivre dans une grande ville, si elle avait 10 000 Francs net - entre 10 000 et 13 000 ce serait bien. Il faut au minimum 10 000 Frs par mois et non « moins de 10 000 Francs. »
– *Il faut beaucoup d'argent parce que ça permet de ne plus penser à l'argent.*
  Interviewé 4 : Oui
  Françoise, artiste peintre, dit : « je pense que si on a beaucoup d'argent, c'est plus facile parce qu'on peut choisir, on n'est plus obligé de regarder ce qu'on dépense »... donc elle n'a plus besoins d'y penser.
– *Avoir une grande maison remplie d'amis où on fait ce qu'on veut, c'est ça vivre bien.*
  Interviewé 5 : Oui
  Pierre, écrivain, dit qu'il aimerait disposer d'une grande maison pour pouvoir y inviter des amis.
– *L'intérêt d'avoir de l'argent, c'est de pouvoir se faire plaisir.*
  Interviewé 6 : Oui
  Chantal, visiteuse médicale, dit que pour elle, « vivre bien » c'est pouvoir avoir tout de suite quelque chose qui lui fait plaisir.
– *Un « smicard » a assez d'argent.*
  Interviewé 7 : Non
  Laurence qui est avocate remarque qu'un smicard ne peut pas avoir son train de vie.

• **Justifications** données par

– Les interviewés qui ont besoin de « beaucoup d'argent »	– Ceux qui ont besoin d'« assez d'argent »
Interviewés 4,5,6	Interviewés 1, 2, 3, 7.
- pour ne pas y penser - pour vivre bien - pour ne pas se frustrer	- l'argent ne fait pas le bonheur - avoir un salaire moyen est suffisant - il en faut assez pour vivre à Paris - pour satisfaire ses besoins modestes.

• **Différentes conceptions du « bien vivre » :**

Bien vivre c'est :

- dépenser sans avoir besoin de réfléchir ni de choisir
- être libre de son temps
- avoir une belle maison et y inviter des amis
- ne pas avoir de soucis financiers
- aider ceux qui en ont besoin
- s'offrir quelque chose dont on a envie sans attendre.

p. 104 Analyse

Proposition :

Classement des interviewés selon leur probable niveau de vie.

Du plus aisé au moins aisé :

– Interviewé 5
– Interviewé 7
– Interviewé 1
– Interviewé 6
– Interviewé 3
– Interviewé 4
– Interviewé 2

p. 104 *Pour fixer le vocabulaire*

Mots ou expressions	Synonymes
Comment ils font pour s'en sortir.	– se tirer d'affaire
De l'argent, il en faut pas mal.	– en assez grande quantité
« Ça prend la tête ».	– c'est fatigant
Sans avoir besoin de se frustrer.	– se priver
Un « smicard » (le SMIC).	– celui qui gagne le salaire minimum
Hormis les besoins pour mes loisirs.	– excepté
Aller « s'éclater » au Sénégal.	– s'amuser
« Le jeu n'en vaut pas la chandelle ».	– ça ne vaut pas la peine.

p. 104 *Expression écrite*

Proposition :

Si j'avais dû répondre à la question posée dans le micro-trottoir, j'aurais dit que, pour moi, vivre bien c'est avoir suffisamment d'argent pour ne pas être obligé(e) d'y penser tout le temps. Ce qui est indispensable, c'est d'avoir un toit, et c'est vrai qu'à Paris actuellement c'est très difficile de trouver un appartement à un prix correct qui ne dépasse pas le 1/3 du budget. J'aurais dit aussi que vivre bien, c'est avoir la possibilité d'avoir assez d'argent pour être généreux. Vivre pour soi c'est une chose. Mais avoir la possibilité d'en avoir un peu plus pour offrir de petites choses à ceux qu'on aime, je trouve ça très agréable aussi. Mais je n'aimerais pas être riche parce que j'aurais l'impression d'être « coupé(e) » des autres, de la grande majorité des gens…

p. 106 LES NOUVEAUX FAUCHÉS

Laurent Bigard et Odile Cuaz, extraits du *Nouvel Observateur.*

p. 107 *Repérages*

- « Les nouveaux fauchés »
  - Qui sont-ils ?
    Ce sont des cadres. Ils appartiennent à la classe moyenne.
  - Combien gagnent-ils
    Entre 12 000 et 30 000 francs par mois.
  - Qu'est-ce qui leur arrive ?
    Leur pouvoir d'achat et leur statut social baissent.
  - Pourquoi et à qui la faute ?
    Ils doivent payer plus d'impôts et les cotisations sociales ont beaucoup augmenté donc leur pouvoir d'achat diminue. C'est l'État qui leur prend cet argent en prélevant ces sommes sur leur salaire brut.

- Nom : Laurent
  Âge : 40 ans
  Situation de famille : célibataire
  Adresse : rue de Turenne (par exemple) 75003 Paris (le quartier du Marais)
  Profession : Responsable commercial Europe + Afrique

- Les 16 000 francs sont pris par :
  - 1/3 au fisc (les impôts sur les revenus)
  - les cotisations sociales (C.S.G., Solidarité) prélèvements obligatoires pris sur le salaire brut (*cf.* note allant avec le texte de Christiane Collange) *Les dilemmes d'une consommatrice type* p.000)
  - les impôts locaux (impôt annuel exigé par la municipalité de résidence, ici la ville de Paris)

  Ces trois retenues équivalent à 1/4 de son salaire, soit à peu près 7 500 francs. Donc 10 000 francs d'impôt par mois plus 7 500 francs ce qui fait à peu près 16 ou 17 000 francs.

  Il faut savoir que le système fiscal français avantage les familles avec enfants et désavantage les célibataires (calcul du nombre de parts : une famille avec 3 enfants aura un impôt calculé par rapport à 3 part et demie alors qu'un célibataire n'aura aucune part, donc paiera la somme maximum).

- Jeanne

  La vie est devenue difficile pour les cadres supérieurs : « On tire le diable par la queue ».

- « Il n'y a plus de juste rémunération » car les charges sociales et le fisc l'asphyxient, c'est-à-dire qu'elle a du mal à respirer comme si un gaz toxique l'en empêchait » ! C'est une métaphore pour dire qu'elle travaille mais qu'elle ne récolte pas suffisamment le fruit de son travail, donc elle trouve que c'est injuste et frustrant.

- Bernard

  La vie de Bernard a changé car il ne peut plus acheter tout ce qu'il veut au supermarché. Il doit regarder le prix et choisir, ce qu'il ne faisait pas avant, Bernard était un consommateur tel que l'interviewée 6 (Chantal) souhaiterait l'être.

- Les sacrifices de Laurent, Jeanne et Bernard sont :
  – s'habiller moins cher
  – réduire les dépenses concernant les vacances
  – ne plus acheter de plats tout préparés chez le traiteur
  – ne plus aller au restaurant aussi souvent qu'avant
  – ne plus sortir aussi souvent
  – ne plus acheter frénétiquement tout ce dont on a envie.

- Le reproche que Laurent fait au gouvernement français des années où la gauche était au pouvoir (c'est-à-dire de 1981 à 1993 avec une interruption de 2 ans de 1986 à 1988, où le gouvernement de Jacques Chirac était au pouvoir) est d'avoir favorisé les riches qui sont devenus encore plus riches et les pauvres qui ont reçu un peu plus qu'avant. Les cadres supérieurs, eux, ont perdu leur pouvoir d'achat.

  « On s'est fait plumer » : le gouvernement socialiste nous a pris notre argent par le biais du fisc et des cotisations sociales.

p. 107 Analyse

- **Proposition**

  « Il ne me semble pas que ces « nouveaux fauchés » soient à plaindre car même si leur situation est devenue plus précaire qu'avant, ils vivent bien. Ils doivent réduire leur train de vie, mais ce qu'ils suppriment ou ne se permettent plus, appartient au domaine des choses superflues. Ils ne peuvent plus aller au restaurant aussi souvent ou s'acheter tout ce qu'ils désirent sans compter, mais ils vivent bien par rapport à d'autres qui souhaiteraient avoir comme eux un salaire de 30 000 francs par mois. »

- **Proposition**

  « La conclusion de Laurent sur la politique économique française me semble subjective car il juge une politique uniquement par rapport à lui :
  – au début de l'article il dit « je suis obligé de me livrer à des acrobaties pour maintenir mon rang social »

– ensuite il avoue avoir un appartement de 88 m2 dans le Marais, un des quartiers les plus chers de la capitale
– il a une résidence secondaire
– il fait des voyages professionnels dans les pays du Tiers-Monde.
Il ne me semble pas être « à plaindre ». Il est excessif quand il dit « on s'est fait plumer », puisqu'il lui reste une résidence secondaire. Vivre dans un appartement de presque 90 m² quand on est célibataire, c'est un luxe qu'un certain nombre de familles nombreuses aimeraient avoir.
Même si le gouvernement socialiste a trop demandé aux cadres et pas assez aux riches, il n'en reste pas moins vrai que le partage entre les classes sociales est une des valeurs du socialisme. Personnellement, je lui reprocherais un socialisme peut-être trop conciliant avec l'économie de marché... »

p. 108 Pour fixer le vocabulaire

Mots ou expressions	Synonymes
Ils sont en pleine déprime	– démoralisé
Ils ont perdu de leur pouvoir d'achat sous la pression du fisc	– à cause de
Leur statut « en a pris un coup »	– se dégrader/se détériorer
Il lui reste les petites combines pour s'habiller moins cher	– des moyens pour se débrouiller
Depuis « belle lurette »,	– ça fait déjà longtemps,
il a rogné sur ses vacances	– couper/diminuer
« On tire le diable par la queue »	– avoir des problèmes d'argent
Les riches ont toujours « le gras »	– la meilleure part des choses
On s'est fait « plumer »	– voler/dépouiller
Les cadres devront apprendre à se restreindre	– se limiter/se priver

p. 109 L'ARGENT-ROI

Alain Minc, extrait de *L'argent fou.*

Notes

Aron Raymond (1905-1983) : écrivain politique français. Œuvre d'analyse dans les domaines sociologique, philosophique et d'économie politique.
Barrès Maurice (1862-1923) : écrivain français, membre de l'Académie Française, guide intellectuel du mouvement nationaliste, traditionaliste.
Blum Léon (1872-1950) : homme politique français, membre du PS, chef du gouvernement de 1936 à 1938 (gouvernement dit de « front populaire ») de 1946 à 1947.
Camus Albert (1913-1960) : écrivain français, né en Algérie, essayiste et dramaturge. Son œuvre évoque l'absurdité du destin humain. Prix Nobel en 1954.
Clemenceau Georges (1841-1929) : homme politique français. Chef de la gauche radicale, Président du Conseil, député et ministre de l'Intérieur, il joua un rôle important dans la Première guerre mondiale. Membre de l'Académie Française.
Jaurès Jean (1859-1914) : homme politique français, journaliste et député républicain, leader du socialisme français, assassiné à la veille de la Première guerre mondiale.
Lamennais (1782-1854) : écrivain et penseur français, prêtre, député de tendance humaniste, socialiste, démocratique. Il s'est battu pour un christianisme libéral, favorable à une séparation de l'Église et de l'État.

Maire Edmond : syndicaliste français, secrétaire général de la CFDT de 1971 à 1988.
Méritocratie : hiérarchie sociale fondée sur le mérite individuel.
OPA : Offre Publique d'Achat.
Péguy Charles (1873-1914) : écrivain catholique français, poète, dramaturge, polémiste, mystique, de tendance socialiste.
Tapie Bernard : industriel et homme politique français de tendance socialiste. Directeur de l'O.M. (Olympique de Marseille, équipe de football de 1re division).

p. 111 *Repérages*

• **Le dernier tabou**

– Idées	Références textuelles
1. Le mépris de l'argent. *Oui*	« Le catholicisme cloue l'argent au pilori.../ le marxisme le voue aux gémonies, et 'les valeurs laïques et républicaines'... enseignent son mépris »
2. Les contradictions de la société face à l'argent. *Non*	« Dans ce pays perclus de..., le mépris de l'argent est longtemps apparu comme une des rares passions politiques réellement consensuelles »
3. Le manque d'éthique concernant l'argent. *Oui*	« L'éthique protestante du capitalisme demeure un greffon bien isolé ».
4. Les différences fondamentales de comportement entre le monde ouvrier et la bourgeoisie. *Non*	« Étrange pays où la bourgeoisie accumulait en catimini, où la haine des droits de succession a suscité une alliance sacrée, depuis les ouvriers inquiets pour la dévolution... jusqu'aux grandes dynasties. »
5. L'absence de vertu. *Non*	«... de la France un pays à la fois hypocrite et vertueux... Vertueux car ... pécuniaires. »

– Raisons évoquées pour expliquer le tabou de l'argent :
  - le catholicisme qui « cloue l'argent au pilori »
  - « le marxisme le voue aux gémonies »
  - les « valeurs laïques et républicaines »
  - l'argent corrompt l'âme, la conscience des conflits de classe, la quête de l'intérêt général.

– L'énoncé « la révolution sexuelle accomplie » : le début des années 80.

• **De l'argent-tabou à l'argent-roi, quelle révolution !**

– Non, la révolution de l'argent n'a pas affecté toutes les couches de la société :
« Le raz de marée n'a certes pas emporté la société entière ».

– Raisons qui expliquent cette révolution :
« l'irrésistible ascension de l'individualisme »
« À société émiettée, individu anomique ; à individu anomique, argent triomphant ».

– Situation dans le temps de cette révolution :
les années 80, la fin des années 70, après 1968.

• **Les nouvelles stars**

– Professions qui ont perdu de leur prestige :
  - l'instituteur
  - l'intellectuel
  - les hommes politiques

  Professions qui surpassent les autres :
  - l'entrepreneur
  - les divas des médias

– Changements prévus pour le prochain siècle :

- « le totalitarisme du marché » c'est-à-dire l'omniprésence de l'économie sur la politique.

- « l'argent-parasite », c'est-à-dire que l'argent au lieu d'être une monnaie d'échange entre les pays va devenir une gêne, un parasite. Au lieu de faciliter le commerce ou d'être une valeur positive, l'argent va devenir un élément perturbateur (exemple : les problèmes de dévaluation d'une monnaie par rapport aux autres).

- « le retour des classes sociales » (cf. texte de Laurent Joffrin sur la régression française, p. 80-81 du manuel.)

• **Synthèse de l'évolution**

La France de jadis		La France de maintenant
Les idées sur l'argent	argent-tabou argent = péché	argent-roi culte de l'argent
Place de l'individu et du social	importance des critères intellectuels vertu du travail dévotion des salariés ou des patrons ou des fonctionnaires pour l'intérêt général ou la passion de l'entreprise pas d'avantages pécuniaires.	Individu-roi société émiettée deux France cohabitent : l'une = démon de l'argent l'autre = hostile à l'argent.
Les professions vedettes	instituteurs, intellectuels, hommes politiques	l'entrepreneur, les divas des médias.

p. 111 *Analyse linguistique*

• **Étude du style d'Alain Minc :**

– **Propositions participiales :** nom + participe passé.

« À société émiettée, **individu anomique** ; **à individu anomique**, argent triomphant ».
(ponctuation : le point virgule (;) qui unit les deux propositions. Le point virgule assure la continuation de la même idée à l'intérieur de la phrase. La virgule met en valeur la construction chiasmique :
A B // B' A'
Le chiasme permet de mettre en valeur les termes-mêmes des propositions, ici, **individu anomique**. Et donc de produire un effet stylistique qui souligne le propos de l'écrivain.
Le chiasme est une figure de style répertoriée : c'est un parallélisme croisé. Le parallélisme aurait été ici (AB // A'B'):
à société émiettée, individu anomique ; à argent triomphant, individu anomique.
A B A' B'
Relation de cause à conséquence

– **Propositions infinitives :** verbes à l'infinitif.

« **Occulter**, **ignorer**, **camoufler** : tels furent pendant des siècles, les principes cardinaux de la société française face à l'argent ».
Importance de la ponctuation :
Emploi de la virgule qui marque une énumération de verbes sémantiquement proches. Les deux-points (:) ont une valeur de mise en relief de ces infinitifs, soulignant « tels... », qui a une valeur consécutive.

– **Propositions nominales :** la base est un nom.

« Intérêt général pour les uns, passion de l'entreprise pour les autres »

« Le vieux **mythe** collectif contre **l'argent** ;
l'immense **monde** de la fonction publique contre **le marché** ;
le **public** contre **le privé** ;
l'imposante **armée** des secteurs protégés contre les nouvelles **classes** moyennes ;
des **rémunérations** stagnantes et bloquées contre des **salaires** dont les hausses vont de pair avec la productivité. »

« **Révolution**, aussi, dans les mythes. »

La phrase nominale permet dans le deuxième exemple une construction syntaxique répétitive à deux volets « A contre B » qui stylistiquement souligne le sens : la partition en deux de la France. Succession de phrases nominales construites de manière identique et reliées les unes aux autres par les points-virgules qui assurent la continuation de la même idée : la France coupée en deux.

– **Propositions adjectivales :** la base est un adjectif.

« **Hypocrite** parce qu'une économie de marché… »

« **Vertueux** car des centaines de hauts fonctionnaires… »

L'emploi de l'adjectif seul en tête de phrase met en valeur avec force le propos de l'auteur :

Hypocrite et **vertueux** suffisent à expliquer le comportement de la France face à l'argent. Chaque adjectif est développé par « parce que… » et par « car » qui permettent l'énonciation des causes explicatives.

• **Procédés répétitifs**

La répétition de « Étrange pays » (quatre fois), toujours à la même place en tête de phrase (figure de l'anaphore). Cette figure de rhétorique permet le développement de la même idée en insistant sur les mots mêmes « étrange pays ». Pourquoi ce pays est-il étrange ?

Alain Minc développe les raisons qui constituent cette étrangeté de la France face à l'argent :

« l'argent qui corrompt, l'argent qui avilit, l'argent qui tue. »

Répétition de « l'argent qui + verbe » (figure de l'anaphore). Chaque verbe caractérise les pouvoirs de l'argent : corrompre, avilir, tuer.

• **Formules expressives :**

« vouer aux gémonies »
« la religion du péché »
« l'individu-roi »
« l'argent-roi et ses sortilèges »
« l'argent-parasite »

Métaphores :

- un pays perclus de divisions…
- la richesse a servi de ballon d'oxygène à…
- ce n'est pas une mue…
- sa niche familiale ou affective
- société émiettée
- le raz de marée…
- le démon de l'argent
- les OPA… minent la guerre
- les mentalités explosent…
- les habitudes craquent…
- des phénomènes qui dessinent à grands traits…

L'argent est à la fois « roi » et « magicien » ou « démon », c'est ce que connote « ses sortilèges ». Il est personnalisé. Ces métaphores construisent l'allégorie de l'argent en « roi » ou en « démon ». Images créées par l'auteur pour impressionner le lecteur et le convaincre.

p. 112 Pour fixer le vocabulaire

Mots et expressions	Synonymes
« clouer au pilori »	– condamner
« Vouer aux gémonies »	– accabler de mépris
La dévolution	– la transmission aux héritiers
La quête	– la recherche
Le ressentiment	– la rancœur
Faire abstraction de	– ne pas tenir compte de
Des avantages pécuniaires	– financiers
Une mue	– une transformation
Exacerbé	– poussé au maximum
Se remettre de	– guérir
Des rémunérations stagnantes	– qui ne bougent pas
Aller de pair avec	– accompagner/aller avec
Relever de	– appartenir à
Se substituer à	– prendre la place de
Susciter	– faire naître quelque chose

p. 112 Expression écrite

- **Proposition de résumé :**

1re partie : L'argent-roi

Pendant très longtemps, la France a méprisé l'argent car le catholicisme, le marxisme et les valeurs républicaines l'ont dénoncé comme un ennemi : agent de corruption et d'avilissement. Dans cette société française pleine d'idéaux contradictoires, seul le dédain de l'argent faisait l'unanimité autour de lui. Pays étonnant où de la classe ouvrière à la classe dirigeante, les droits de succession et l'impôt étaient haïs, la richesse et l'épargne cachées telles le fruit du péché. Péché qui faisait de la France un pays à la fois hypocrite et vertueux car très attaché à l'esprit de sacrifice, au mérite et aux valeurs intellectuelles éloignées de tout mercantilisme.

2e partie : De l'argent-tabou à l'argent-roi

Brutalement, la France a changé de cap. De honni qu'il était, l'argent est devenu omniprésent dans une société où l'individu domine tellement que les anciens regroupements sociaux solidaires s'effondrent, ne laissant la place qu'à un corporatisme intéressé. Cependant, cette révolution des comportements ne concerne pas toute la société française : l'ancienne France tient bon. En fait, deux France coexistent : l'une dominée par son désir d'argent et l'autre opposée à un tel pouvoir.

3e partie : Les nouvelles stars

La figure symbolique dans laquelle se reconnaît le pays est l'entrepreneur et non plus l'instituteur ou l'intellectuel.

À lui, le respect et le poids du mythe. Il n'y a plus d'hommes politiques leaders, ni d'intellectuels pour juger de tout, ni de syndicalistes respectables, seuls dominent les hommes des médias et les chefs d'entreprise qui, tels des chevaliers modernes, mènent la guerre économique avec insolence. Et, par delà les mutations profondes des comportements sociaux entraînés par l'argent-sorcier, pointent de nouvelles lourdeurs fondatrices de la société future : un marché despotique, l'argent-handicap et le retour des classes sociales.

- Pour organiser ces trois résumés, les liens de cohérence textuelle peuvent être :

Tout d'abord… Puis… Enfin…

ou

Dans un premier temps… Dans un second… Et enfin…

ou

Autrefois… Mais… C'est pourquoi…

- Pour écrire un texte destiné à des Français expliquant l'évolution du rôle de l'argent dans leur pays, les élèves réemploieront certains des procédés d'écriture d'Alain Minc qui ont été étudiés lors de l'analyse linguistique, comme :
  - les propositions nominales/participiales/adjectivales/infinitives
  - ou la répétition voulue comme « étrange pays… »
  - les expressions lexicales très expressives comme : « l'argent-roi… »

  Si les élèves souhaitent se préparer à des épreuves d'écrit, comme souvent les universités le demandent, le travail sur le résumé est indispensable ainsi que le maniement du raisonnement et la mise en forme écrite de la réflexion et de la logique du discours. Ce texte d'Alain Minc s'y prête très adéquatement.

p. 113

L'ARGENT DANS LA VIE D'UNE ROMANCIÈRE CÉLÈBRE

Françoise Sagan, extrait de *Répliques.*

Notes

Diderot Denis (1713-1784) : écrivain et philosophe français, grande figure du « Siècle des Lumières ». Son œuvre est vaste et touche à des domaines variés. Il fut à l'origine de *L'Encyclopédie* qu'il anima pendant vingt ans.

p. 114

Repérages

- **Informations sur Françoise Sagan et l'argent :**

  À 18 ans Françoise Sagan a publié son premier roman, *Bonjour Tristesse*, qui a été un best-seller. Elle a donc été très riche à 19 ans. Elle a gagné de l'argent et elle l'a dépensé sans compter, toujours avec d'autres.

  Elle joue à des jeux d'argent mais jamais au poker.
- **Pensées personnelles de Françoise Sagan sur l'argent :**

  L'argent est « une chose nécessaire et commode pour être libre, pour pouvoir être seul », ce qui est la clé du bonheur.

  L'argent est « un très bon valet », mais « un très mauvais maître ».

  L'argent est « un moyen, pas un but ».
- **Un passage du texte qui prouve que l'argent était autrefois tabou et que maintenant il est roi :**

  « Lorsque j'étais petite, on ne pouvait pas parler à table ni de l'argent, ni des biens, ni de la santé, ni des mœurs. Je ne vois pas un dîner maintenant où l'on parle d'autre chose ».
- **Un passage qui donne à l'argent sa véritable fonction :**

  « Dans le jeu… l'argent retrouve sa fonction exacte : quelque chose qui circule, qui n'a plus ce caractère solennel, sacralisé qu'on lui prête ordinairement. »

p. 114

Analyse

Propositions de réponses :

- *« L'interviewer connaît assez bien Françoise Sagan car il lui demande si elle accepte cette réputation de dépensière que beaucoup lui prêtent.*

  Il lui suggère de parler des gens riches qu'elle n'aime guère… et enfin il sait aussi que la romancière aime le jeu. »
- *« Françoise Sagan critique les riches qui sont durs de cœur et qui en plus se plaignent de devoir payer trop d'impôts. Elle peut les critiquer dans la mesure où elle ne vit pas comme eux quoiqu'elle soit riche aussi. Elle dépense son argent avec des amis et semble trouver normal de payer beaucoup d'impôts puisque c'est une preuve de sa richesse. Très logiquement, elle remarque que les pauvres ne*

s'en plaignent pas parce qu'ils n'ont pas le temps de s'en plaindre : ils passent leur vie à travailler pour gagner de l'argent. »

- **Proposition :**

  « La promiscuité dont parle Françoise Sagan est juste. Quand on est obligé de prendre les transports en commun ou d'habiter dans des immeubles où l'espace est réduit pour chacun, il n'est pas facile de s'isoler. Car pour la romancière être seul est une des clés du bonheur. On pourrait discuter cette opinion : est-ce vrai que le fait d'être seul est une clé du bonheur ? Chaque culture a sa propre définition du bonheur... Et j'ai envie de dire que pour moi, Sagan est très occidentale et même très française car elle donne une définition de la solitude synonyme de liberté. Ce rapport aux autres fait de retrait, de mise à l'écart volontaire me semble très occidental. La tradition de l'isolement qui permet la réflexion était déjà célébrée par Montaigne, et encore plus près de nous par les poètes romantiques... Sagan s'inscrit dans cette tradition culturelle et littéraire. »

p. 114 Expression écrite

Propositions

Depuis les Phéniciens, comme le rappelait Christiane Collange dans son article, l'argent est devenu cette monnaie d'échange indispensable à toute société. Bien qu'il soit permis de regretter cette ère lointaine où chaque échange était un troc « je te donne du lait, tu me donnes du cuir ou des outils » : troc qui assurait une réciprocité quant à la valeur des produits échangés en soulignant leur indispensable nécessité. Aujourd'hui ce dicton populaire a la sagesse de rappeler que si l'argent est « un très bon valet », il est « un très mauvais maître ». La simplicité et la justesse de la formule provoquent la réflexion.

a. **De fait,** l'argent est un bon valet quand j'en suis le maître. Il doit être à mon service le plus fidèlement possible et me servir au mieux. De même que l'honnêteté et la courtoisie étaient des vertus recherchées chez les serviteurs d'autrefois, j'aimerais que l'argent se plie à ma volonté quand celle-ci est honnête et me demande de l'utiliser à bon escient : pour me loger, me nourrir, m'habiller, me distraire, m'instruire. Cette monnaie sonnante et trébuchante, fruit de mon travail m'est indispensable. Elle me donne ma place et tout ce qui fait mon statut social dans cette société où tout se paie, se vend, s'achète.

b. **Mais,** si l'argent devient le maître de ma vie tel un chef tyrannique qui me dicte mes comportements, mes désirs, mes envies au point d'envahir tous les domaines de mon existence, alors il faudra faire appel à la raison pour qu'elle remette en ordre les valeurs sous-jacentes à mes gestes, et qu'elle se saisisse des cordons de ma bourse pour les nouer... Enfin elle jettera dehors ce maître despotique qui avait su inféoder mon esprit et me réduire en esclave.

c. **C'est pourquoi,** ce dicton qui compare l'argent à un bon valet et à un mauvais maître référant à des rapports sociaux de l'Ancien Régime, me semble encore aujourd'hui très juste et actuel. Seuls les maîtres et les valets ont changé de nom mais la réalité demeure identique. Nous sommes tous le maître ou le valet de quelqu'un. La sagesse de comportement qu'il enseigne demeure vivifiante et tonique dans un monde où trop souvent l'argent et ses pouvoirs et ses privilèges tiennent le haut du pavé.

J'aimerais que cette morale qui demande que l'argent soit un moyen et non une fin s'inscrive en lettres d'or au panthéon des idées reçues.

p. 115

LE NŒUD DE VIPÈRES

François Mauriac, extrait de *Le nœud de vipères.*

Notes

Bordeaux : capitale de l'Aquitaine, riche région du sud-ouest de la France. La ville a donné son nom au vin rouge récolté dans la région.

Mauriac François (1885-1970) : écrivain et journaliste chrétien français. Ses romans sur la vie provinciale bordelaise évoquent les conflits de l'âme humaine, de la chair comme de la Foi, avec un art particulier de l'introspection. Membre de l'Académie Française.

p. 116

Repérages

- **Les deux temps forts d'une famille bourgeoise sont :**
  - le mariage
  - la mort du père
  - Le père de famille est tout puissant car c'est de son testament que dépend la répartition des biens à ses héritiers.

- **Deux clans :**

Louis « ma fortune est nettement séparée de la tienne » « si vous avez si peu de prise sur moi... » ...du débat... « je demeure le maître de la fortune »	*Sa femme Isa Fondaudège et ses enfants* « tu ne l'as jamais aimé à cause des enfants... tu m'assassinerais » « vous ne pouvez rien contre moi »
La mère de Louis « elle exigea le régime dotal le plus rigoureux »... « maman ne voulait pas entendre parler d'une rente... elle exigeait que... en espèces »	*Les parents d'Isa* « du moment que les Fondaudège ne rompaient pas devant ces exigences »

- **La famille de Louis est socialement moins importante que celle d'Isa** ; ces extraits du texte le prouvent :
  « mais nous, c'est une autre affaire » (c'est-à-dire qu'elle n'a pas les avantages que possédaient le baron Philipot, elle ne fait pas partie de la caste des nobles),
  « ils croyaient que je serais éblouie par leur alliance » (pour que la mère de Louis soit éblouie, il fallait bien que la famille Fondaudège soit plus fortunée qu'elle).

- **Raisons pour lesquelles Louis aime l'argent :**
  - il le rassure
  - il le défend contre sa propre famille
  - seul l'argent donne une existence à un vieillard
  - il le protège de l'anéantissement dû à la pauvreté, donc au rebut.

- **La menace de Louis est de déshériter ses propres enfants par haine.**
  Il se souvient avec obsession de journées où toute la famille, sa femme et ses enfants étaient assis tous en rond en train de l'épier. Il a peur que ses enfants dilapident son patrimoine et se battent comme des chiens pour avoir qui les terres, qui les titres boursiers.

- Louis imagine qu'à sa mort sa famille va se déchirer pour partager ses biens.

- Louis continue à tenir sa famille en respect en les menaçant de ne pas leur donner leur part d'héritage. Il dit « vous les aurez (les millions liquides) si j'y consens ». Seul, le testament écrit de Louis permettra à ses enfants d'hériter.

p. 116 *Pour fixer le vocabulaire*

Expressions	Phrases du texte
Vous ne pouvez rien contre moi.	« je demeure le maître de la fortune, vous ne pouvez rien contre moi »
Ma mère a défendu mes intérêts comme si j'avais été une fille.	« comme si j'eusse été une fille résolue à épouser un débauché »
Ma mère a demandé que tes parents paient ta dot en argent liquide.	«... que ta dot fût versée en espèces. »
S'ils ont marié leur fille à ce vieux riche, c'est qu'il n'a pas demandé de dot.	« qui a pris l'aînée sans un sou. »
Ils croyaient que je serais flattée par ton mariage avec leur fille.	«...ils croyaient que je serais éblouie par leur alliance ».

p. 117

ENTRAÎNEMENT

Les nouveaux fauchés

1. Analyse de cas

Proposition pour le premier cas (M. Auger) :

Puisque M. Auger est riche, il n'a aucun souci financier. Il a une belle maison à Paris, donc matériellement il n'a pas de problèmes. S'il est malheureux c'est que sa vie économiquement bonne ne le satisfait pas. Il a besoin de partager cette aisance avec quelqu'un qui puisse lui apporter une affection que son argent est incapable de lui donner. Je lui conseille de faire souvent de belles fêtes chez lui, d'inviter beaucoup d'amis qui n'ont peut-être pas le même standing que lui... et lors d'une de ces soirées cela serait bien étonnant qu'il ne rencontre pas une femme jolie et désireuse de l'épouser. Le seul danger que je présuppose c'est qu'il ne faudrait pas que cette belle fiancée soit plus attirée par les biens de M. Auger que par sa personne. À lui d'être vigilant, et pour qu'il puisse « tester » sa future compagne, je lui propose de voyager dans un pays où les imprévus sont fréquents. Car c'est lorsque les petites choses de la vie quotidienne vont mal qu'on peut vraiment juger du caractère de quelqu'un. Ainsi, il pourra avoir davantage confiance en celle qui partagera sa vie et ses biens.

Les nouveaux fauchés

2. Modèles syntaxiques

Propositions :

1. Martine a dû abandonner ses études commerciales **sous la pression de** ses parents qui voulaient qu'elle travaille à plein temps. Cela se passait en 1950. De nos jours, la plupart des parents auraient un autre comportement : ils l'encourageraient à les poursuivre.
2. **Les gens prennent cet homme pour** mon père, **si bien que**, lorsque nous dînons ensemble au restaurant cela nous amuse beaucoup. En fait, il est mon professeur de musique !
3. **J'ai l'impression** de vivre **beaucoup plus** librement que mes parents, **mais nettement moins bien** que mes propres enfants.
4. **Désormais**, nos enfants **devront apprendre** à économiser car la crise économique risque de durer un certain temps.
5. **Depuis qu'on** a libéralisé les loyers, **on** paie **encore plus qu'avant**.

L'argent-roi

3. Un style lapidaire

À société émiettée, individu anomique ; à individu anomique, argent triomphant.
À marché totalitaire, argent-roi ; à argent-roi, individu-roi.
À argent triomphant, individu solitaire ; à individu solitaire, égoïsme généralisé.
À bonne table, bonne chère ; à bonne chère, bien-être assuré.
À vie oisive, travail négligé ; à travail négligé, échec assuré.
À sommeil manquant, journée mal engagée ; à journée mal engagée, travail mal effectué.

2 C - LE BAS DE LAINE

TEXTES	ACTIVITÉS		ENTRAÎNEMENT
	ORAL	ÉCRIT	
Micro-trottoir, p. 118 (Transcription p. 239)	Jeux de rôles. Lisez la Fable de La Fontaine *La cigale et la fourmi.* Faites parler une « cigale » et « une fourmi » dans une situation à l'époque actuelle. Synthèse orale du contenu de l'enregistrement.		Exercices 1,2,3.
Nous avons tous mal à nos sous, Christiane Collange, p. 122	Établir un questionnaire à partir du texte. Interviewer vos camarades/classement en catégories/discussions.		
Comment les Français économisent-ils ? d'après *France-info* p. 124	En équipes, discussions sur les formes d'épargne de votre pays/Comparaisons avec les Français.	Rédaction d'un texte sur les façons d'économiser de vos concitoyens (réemploi des articulations logiques et discursives relevées dans le texte).	Exercice 4
Typologie de la clientèle du Crédit Agricole, Anne Pugnet, Jean-Claude Coutin, p. 126	Trois jeux de rôles au choix - cinq groupes - deux groupes - quatre groupes		
L'Avare de Molière, p. 128	Exercice de lecture à haute voix du monologue d'Harpagon respectant le ton et la gestuelle. Plusieurs équipes. Jeu devant la classe d'un moment choisi du monologue.		

MICRO-TROTTOIR : LE BAS DE LAINE

Est-ce que vous épargnez et pourquoi ? Comment faites-vous pour épargner ?

Notes

Action : titre représentant une fraction du capital social, dans certains types de société.
Arnaque : nom ou verbe du langage familier (arnaquer qqn). Tromperie, escroquerie.
Caisse d'Épargne : établissement financier qui reçoit dans la limite d'un plafond, des dépôts en numéraire dont il capitalise annuellement les intérêts.
CODEVI : compte pour le développement de l'industrie. Ce compte, plafonné à 20 000 francs, rapporte 4,5 % (en 1993). Les fonds sont destinés à des financements en faveur des PME et PMI, à des taux moindres que les prêts ordinaires.
La Fontaine Jean de (1621-1695) : poète français célèbre pour ses Contes et ses Fables dans lesquels il recourt souvent aux « animaux pour instruire les hommes ». Son œuvre propose une réflexion satirique sur la société.
Livret A : compte de dépôt plafonné à 100 000 francs, rémunéré à 4,5 % par an (en 1993) et exonéré d'impôts. Ces livrets peuvent être obtenus dans les Caisses d'Épargne ou à la Poste.
Plan Épargne Logement : système d'encouragement à l'épargne en vue de l'acquisition, de la construction ou de l'aménagement d'un logement. D'une durée minimale de quatre ans, le plan permet un prêt à un taux préférentiel et une bonification de l'État.
Tutti quanti : expression d'origine italienne. Cette locution adverbiale est souvent située à la fin d'une énumération, comme *etc.* pour signifier « toutes les choses, tous les gens de la même espèce ».

p. 120 *Repérages*

•

Attitudes	Personnes interviewées
– Ça ne m'intéresse pas du tout d'épargner – J'épargne un peu par nécessité – Je n'arrive pas à épargner – J'épargne parce que je ne suis pas sûr de l'avenir – J'épargne en investissant dans la pierre.	– Interviewé 1 – Interviewé 1 : « à cause de mon travail, je ne peux pas faire autrement. » – Interviewé 3 – Interviewé 2 – Interview 5 : « Je veux des murs »

	Fait des économies	Pour quelles raisons ?	Possède à la banque un compte d'épargne	Commentaires donnés sur l'épargne
Fabrice	Oui	Profession-nelles	Oui Livret A	N'aime pas du tout épargner, trouve cela stu-pide.
Nadine	Oui	Par anxiété	PEL (Plan Epargne Loge-ment)/CEP (Compte épargne logement)	Elle n'a pas le caractère à épar-gner.
Renaud	Oui	Espère ache-ter une mai-son	PEL	Prélèvement automatique car il épargne peu.
Bénédicte	Non	Dépense tout son argent		Aime vivre au jour le jour.
Guy	Non	Préfère ache-ter des murs		Il veut investir dans la pierre.
Charles	Non	Il n'a pas les possibilités de le faire		S'il pouvait épar-gner, il achèterait une maison de campagne, des tableaux ou des livres anciens.
Denis	Oui	À cause de démarcheurs en assurance-vie	Assurance-vie	Il n'aurait jamais pensé épargner s'il n'avait pas parlé avec le démarcheur.
Anne	Non	Trouve que c'est de l'arnaque	Livret A, Codevi	Elle ne sait pas épargner/n'y connaît rien.

p. 120 Analyse

- Selon la grille de repérage, il y a plus d'interviewés qui font des économies que d'interviewés qui n'en font pas.
- Celle qui peut convenir le mieux est celle de Fabrice qui épargne pour des raisons professionnelles, même s'il en a horreur.
  Celle qui peut paraître la plus étrange est celle de l'interviewé 7, Denis qui semble être totalement dépendant de la publicité faite par le démarcheur en assurance-vie. Il ne semble pas très convaincu ni d'accord avec son geste.
- Parmi ceux qui ne font pas d'économies, les raisons invoquées sont :
  – pour vivre au jour le jour, tout dépenser (Interviewé 3)
  – par manque de responsabilité (Interviewé 3)
  – par impossibilité financière (Interviewé 6)
  – préfère investir dans la pierre (Interviewé 5)
- **Proposition de synthèse orale :**

« En fait, sur les huit personnes interrogées, il y en a plus qui épargnent (5 sur 8) et moins qui n'épargnent pas (3 sur 8). Chez celles qui épargnent, il y a une grande diversité de raisons.

En effet, il n'y a aucune ressemblance entre Fabrice le commerçant qui déteste épargner et qui le fait quand même pour des raisons professionnelles et Nadine qui épargne pour calmer son angoisse de l'avenir. De même entre Renaud qui économise un tout petit peu pour s'acheter une maison un jour, et Denis qui verse régulièrement de l'argent pour son assurance-vie. Par contre, Guy n'épargne pas mais il achète des appartements pour les revendre. Il aime la pierre. Quant aux autres, s'ils n'épargnent pas, c'est soit qu'ils vivent au jour le jour comme Bénédicte, ou soit qu'ils n'en ont pas la possibilité comme Charles. Et encore Anne qui se méfie du système bancaire et boursier, mais qui en fin de compte a quand même un compte d'épargne et un Codevi. Finalement, même ceux qui épargnent ne semblent pas heureux de le faire. Épargner ne semble pas être un acte voulu mais plutôt lié à des nécessités extérieures. »

p. 120 Pour fixer le vocabulaire

Expressions	Synonymes
Le livret A de la Caisse d'épargne, c'est ce qui <u>rapporte</u> le moins.	– produire des bénéfices ou des intérêts
L'épargne, c'est de « <u>l'arnaque</u> ».	– tromperie/duperie
J'ai un <u>statut pas du tout stable</u>.	– un emploi précaire
J'ai un plaisir « <u>dingue</u> ».	– fou
Je n'ai pas une <u>paie</u> régulière.	– un salaire
C'est un <u>prélèvement automatique</u>.	– le fait de prendre régulièrement sur un compte une somme fixe.

p. 120 Expression orale

Fable de La Fontaine
Fables I, 1

LA CIGALE ET LA FOURMI

La cigale, ayant chanté
Tout l'été,
Se trouva fort* dépourvue — **très*
Quand la bise* fut venue — **le vent*
Pas un seul petit morceau
De mouche ou de vermisseau* — **petit ver*
Elle alla crier famine
Chez la fourmi sa voisine,
La priant de lui prêter

Quelque grain pour subsister
Jusqu'à la saison nouvelle
« Je vous paierai, lui dit-elle
Avant l'oût*, foi d'animal — **août*
Intérêt et principal. »
La fourmi n'est pas prêteuse
C'est là son moindre défaut.
« Que faisiez-vous au temps chaud ? »
Dit-elle à cette emprunteuse.
« Nuit et jour à tout venant
Je chantais, ne vous déplaise.
- Vous chantiez ? j'en suis fort aise* : — **j'en suis très heureuse*
Eh bien ! dansez maintenant. »

p. 122 NOUS AVONS TOUS MAL À NOS SOUS

Christiane Collange, extrait de *Nos sous*.

p. 123 Expression orale et écrite

- **Exemple de questionnaire :**

Quelles relations entretenez-vous avec l'argent ?
des relations de prodigalité ☐
d'avarice ☐

ou

Pensez-vous être plutôt prodigue (dépensier) oui non
ou avare oui non

Pensez-vous que vous êtes
envieux du bien d'autrui oui non
jamais envieux oui non

Accepteriez-vous de partager un héritage important avec un membre de votre famille
Oui Non Peut-être

Pensez-vous que vous achetez des biens qui sont
nécessaires ☐
superflus ☐
au-dessus de vos moyens ☐

Comment vous voyez-vous ?
comme un acheteur raisonnable ☐
comme un acheteur impulsif ☐
comme un acheteur indifférent ☐

Quand vous prêtez de l'argent à vos enfants
leur demandez-vous de vous rembourser
dans une semaine ☐
dans un mois ☐
dans 2 ans ☐

p. 124 COMMENT LES FRANÇAIS ÉCONOMISENT-ILS ?

D'après *France Info.*

Notes

France-Info : chaîne de Radio-France créée en 1987. Elle émet, en modulation de fréquence, des flashs d'information continus, 24 heures sur 24.
INSEE : Institut National de la Statistique et des Études Économiques, chargé de la publication d'enquêtes et d'études en matière de conjoncture économique et sociale.
PEA : Plan d'Épargne en Action. Système d'épargne plafonné, d'une durée de huit ans. En contrepartie de cette épargne à long terme, il n'y a pas d'imposition du revenu ni de la plus value en fin de plan.
PEP : Plan d'Épargne Populaire. Ce plan permet la constitution d'une épargne à long terme, dans un cadre souple, sous forme d'assurance vie ou de dépôt en numéraire. Les titulaires, non imposables, bénéficient d'une prime d'épargne versée par l'État.
SICAV : Société d'Investissement à Capital Variable. Son rôle est de gérer un portefeuille de valeurs dont chaque porteur de titre détient une fraction.

p. 125 *Repérages*

- L'origine des données analysées par le journaliste est la dernière enquête de l'INSEE sur le patrimoine des ménages.

	Les trois principaux placements des Français	Leur taux de pénétration dans les ménages	Pourquoi le journaliste estime-t-il que ce taux de pénétration pourrait encore augmenter ?
1er paragraphe	Livret d'épargne	77 % (1992)	avant 82 % (1980)
2e paragraphe	Le logement	61 %	pourrait atteindre 100 % de la population aisée (16 % ne sont pas propriétaires)
3e paragraphe	la retraite l'assurance-vie	39 %	ce poucentage va augmenter car il est un moyen d'exonération des droits de succession.

- Trois autres formes d'épargne :
  - l'épargne-logement : 1 ménage sur 3.
  - le PEP (Plan d'Épargne Populaire) : 14 % des ménages.
  - les PEA (Plan d'Épargne en Actions : obligations ou SICAV) : 24 % des ménages.

p. 125 *Analyse*

Étude de l'organisation du texte à travers ses articulations logiques et discursives :

- *1er paragraphe :* « C'est à **cette** question que… » (reprise de la question posée dans le titre de l'article). Introduction du sujet : l'épargne des Français.

  2e paragraphe : « L'autre placement **le plus répandu** c'est… » Annonce du deuxième placement avec mise en valeur par l'emploi du superlatif et reprise du mot « placement » précédé de « autre » qui assure la cohérence textuelle (au 1er paragraphe : le 1er placement : le livret d'épargne).

  3e paragraphe : « Derrière le livret et le logement, la troisième… » Suite logique après le 1er et le 2e : le 3e placement des Français, et la cohérence textuelle est assurée par la reprise des termes « livret » et « logement ».

4e paragraphe : « Autre vedette »... une métaphore légère pour annoncer le 4e placement. Il aurait été fastidieux de nommer simplement le 4e placement sans le mettre en valeur par l'emploi de la métaphore « vedette » qui indique en tête du paragraphe l'importance de ce qui suit.

5e paragraphe et 6e paragraphe : « **Un tel tour d'horizon** serait incomplet sans... » Là encore une légère métaphore pour reprendre en synthèse ce qui a été dit précédemment et ajouter un élément nouveau au catalogue.

-

Organisation du 1er paragraphe :	**Articulations du texte**
Le journaliste **introduit** la 1re forme d'épargne. Il **justifie** par des chiffres l'importance de cette épargne. Il **marque une restriction** par rapport aux chiffres de 1986. Il **introduit** un commentaire. Il **justifie** son commentaire.	– « on s'aperçoit que le livret d'épargne reste notre placement de base... » – « **puisque** 77 % des ménages... » – « nous étions **cependant** plus nombreux en 1986... » – « À vrai dire... » – «... le livret est **en effet** un outil fort utile... »

-

Organisation interne du 2e paragraphe :	**Articulations du texte**
Le journaliste **introduit** la seconde forme d'épargne. Il **justifie** par des chiffres la seconde place de cette épargne. Il **introduit** un commentaire sur ces chiffres. Il **justifie** son commentaire.	– « l'autre placement... c'est le logement... » – « **puisque** 61 % de Français... » – « il est même étonnant que... » – « **en effet**, il y a encore 16 % des... »

-

Organisation interne du 3e paragraphe :	**Articulations du texte**
Le journaliste **introduit** la 3e forme d'épargne des Français. Il **justifie** en donnant les chiffres. Il **introduit** un commentaire sur ce pourcentage. Il **justifie** son commentaire.	– « Derrière le livret et le logement, la troisième préoccupation des... est celle de... » – « 39 % des ménages... » – « Ce taux est destiné à augmenter... » – « C'est **en effet** un bel outil d'exonération des droits... »

-

Organisation interne du 4e paragraphe :	**Articulations du texte**
Le journaliste **introduit** le 4e placement d'épargne des Français. Il **justifie** par des chiffres pourquoi cette forme d'épargne est une vedette. Il **introduit** une autre forme d'épargne analogue à la précédente et il la justifie par des chiffres. Il **introduit** un commentaire sur une remarque constatée précédemment.	– « Autre vedette, l'épargne-logement... » – « qui touche un ménage sur trois » – « **de même que** le PEP qui a conquis 14 % des ménages » – « ce n'était pas son but, **mais** ce sont aussi... »

• **Organisation interne du 5e paragraphe et du 6e paragraphe :**	**Articulations du texte**
Le journaliste **introduit** les deux autres formes d'épargne pour compléter l'analyse faite par l'enquête de l'INSEE.	– « Un tel tour d'horizon ne serait… sans les SICAV… »
Il **justifie** ces formes d'épargne par des proportions et un pourcentage.	– « Il y a deux fois plus de porteurs de SICAV que de… » « un ménage sur dix »
Il **introduit** une explication en précisant le taux de 24 % des ménages.	– « Il faut simplement constater… 24 %. »
Il **introduit** son commentaire sur ce pourcentage.	– « Ce chiffre est **plutôt** encourageant… »
Il **justifie** son commentaire en faisant référence à un argument externe à l'enquête : ce qui donne du poids à son argumentation.	– « **D'ailleurs** les députés viennent d'en réduire la durée… »

p. 125 **Expression écrite**

Voici les articulations logiques et discursives que les élèves essaieront de réemployer pour rédiger leur texte sur les façons d'économiser de leurs concitoyens :

Titre : Comment… ?

1er paragraphe :

C'est à cette question que…
… puisque…
À vrai dire,…
… en effet…

2e paragraphe :

L'autre placement… c'est…
… puisque…
Il est même étonnant/surprenant/intéressant… que…
En effet…

3e paragraphe :

Derrière… et… le troisième placement…
Un pourcentage %…
C'est en effet…

4e paragraphe :

Autre vedette,…

Un tel tour d'horizon/une telle synthèse/une telle enquête/serait incomplet/incomplète sans…

…

5e paragraphe :

D'ailleurs…

p. 126

TYPOLOGIE DE LA CLIENTÈLE DU CRÉDIT AGRICOLE

Anne Pugnet, Jean-Claude Coutin, extrait de *Revue Française de marketing*.

Note

Crédit Agricole : établissement financier effectuant toutes les opérations d'une banque : dépôt, prêt, investissement en valeurs mobilières ou immobilières. Orienté, surtout à l'origine, sur le financement du monde agricole.

p. 127

Repérages

	Traits politiques	Traits sociaux ou psychologiques	Rapport à l'argent	Âge et catégorie socio-professionnelle
Les confiants	conservateurs	défenseurs des institutions, des traditions et de la famille/ peur du progrès technique	payent en liquide/ l'argent est sacré	gens âgés, modestes milieu rural.
Les dominateurs	conservateurs	respect des traditions et des valeurs morales/ répressifs/ ambitieux	souhaitent en avoir beaucoup pour le faire fructifier	gens aisés, d'âge mûr, habitant dans des petites villes gros agriculteurs
Les planificateurs	individualistes	sont centrés sur leur cellule familiale/ pas ambitieux/ fidèle à des principes et des habitudes/ salaire régulier	répressif pour ceux qui ne respectent pas l'argent/préfèrent les machines	gens jeunes aux revenus modestes et moyens
Les mal-aimés	idéalistes écologistes	très conviviaux idéalistes épicuriens	très dépensiers	cadres supérieurs et moyens plutôt jeunes, citadins
Les joueurs	opportunistes	très réalistes/ utilisent les lois à leur profit/ aiment les plaisirs de la vie	jouent avec le service bancaire aiment gagner de l'argent et en dépenser	catégories socio-professionnelles variées, jeunes, citadins des grandes villes.

p. 128

L'AVARE

Molière, *L'Avare* (Acte IV, scènes VI et VII).

p. 129

Repérages

- **Cléante est le fils d'Harpagon :**
  La Flèche dit à Cléante : « Le trésor de votre père, que j'ai attrapé. »
- **Différents moments du monologue d'Harpagon :**
  - Une violente émotion : « Au voleur... Ah ! c'est moi ! »
  - Un violent chagrin/un profond désespoir : « Mon esprit est troublé...... en m'apprenant qui me l'a pris ? »
  - Des soupçons et une volonté de punir le coupable : « Euh ! que dites-vous ?... au vol que l'on m'a fait. »
  - Un violent désir de vengeance : « Allons vite.... je me pendrai moi-même après. »

- **Scènes comiques de chaque moment :**
  - L'auto-arrestation d'Harpagon : « Qui est-ce ? Arrête. Rends-moi mon argent, coquin... *(il se prend lui même le bras)*. Ah ! c'est moi. »
  - Il croit qu'on lui parle : « Euh ? Que dites-vous ? Ce n'est personne. »
  - Un jeu scénique : il prend les spectateurs pour des voleurs : « Quel bruit fait-on là-haut ?... N'est-il point caché là parmi vous ?... Vous verrez qu'ils ont part, sans doute, au vol que l'on m'a fait. »
  - Son auto-exécution envisagée : « ... et si je ne retrouve mon argent, je me pendrai moi-même après. »

p. 129 **Analyse**

- **Relevé du comique de mots :**
  - « Où courir ? Où ne pas courir ? »
  - « C'en est fait, je n'en puis plus ; je me meurs, je suis mort, je suis enterré » (l'hyperbole souligne l'exagération voulue par Molière pour montrer l'état excessif d'Harpagon).

  «... et faire donner la question à toute ma maison : à servantes, à valets, à fils, à fille et à moi aussi » (l'énumération des gens de sa maison incluant sa propre personne défie la logique : cette chute finale provoque le rire puisqu'Harpagon dit vouloir se faire fouetter alors qu'il est la victime et non le coupable).

  «... je me pendrai moi-même après » : cette auto-exécution est aussi un comique de mots car il y a une chute illogique par rapport à l'énumération précédente. Il est sa propre victime.

Le comique de scène est marqué dans les moments suivants :

Harpagon se prend lui-même le bras. La gestuelle de l'acteur devrait être en adéquation avec les mots mêmes du texte.

Par exemple quand Harpagon dit « N'est-il point là ? N'est-il point ici ? » l'acteur pourrait regarder sous son propre manteau en bas puis derrière avec une mimique et des gestes très précis comme quelqu'un qui a perdu quelque chose de précieux.

Quand Harpagon croit que quelqu'un lui parle : il serait possible de marquer une pause avant de dire « euh ? que dites-vous ? ».

- Moment 1 : la voix est très forte, des cris, des hurlements
  Moment 2 : une voix plaintive, basse, triste, désespérée.
  Moment 3 : une voix plus forte qui devient menaçante, violente.
  Moment 4 : une voix autoritaire, pleine d'impatience.

- Chaque classe imaginera le type physique et le costume d'Harpagon. Louis de Funès au cinéma avait surtout insisté sur le côté bouffon, très comique du personnage. D'autres sociétaires de la Comédie Française ont insisté sur l'aspect plus tragique, de vieux solitaire aigri, quasi-misanthrope.

ENTRAÎNEMENT

p. 130

Micro-trottoir

1. Être ou ne pas Être, telle est la question

1. J'économise pour acheter un logement qui m'**appartienne**, qui **soit** à moi. (emploi du subjonctif, car c'est un désir, un souhait, ce n'est pas encore réalisé, c'est virtuel)
2. Je cherche une banque où je **puisse** faire un emprunt avantageux. (emploi du subjonctif car il y a recherche, le sujet n'a pas encore trouvé la banque qui offre un emprunt avantageux, donc mode du virtuel)
3. Une assurance-vie, ce serait un placement dont mes héritiers ou moi-même nous **profitions.** (subjonctif car c'est un souhait, donc emploi du mode du virtuel).
   On pourrait aussi dire « **dont nous profiterions** » (emploi du conditionnel car il y a l'idée d'une éventualité : malheureusement une assurance-vie, ce n'est pas toujours un placement...).
4. Je me demande s'il y a des actions qui **garantissent** un revenu stable. (emploi du subjonctif car il y a un doute « je me demande si/je ne suis pas sûr... »)
5. Ma banque offre des taux d'intérêts qui **font fuir** les emprunteurs. (indicatif car c'est une réalité : emploi du présent « offre »)
6. Vous ne connaissez personne qui **veuille/voudrait** m'expliquer le système de la Bourse ? (emploi du subjonctif ou du conditionnel car c'est une question, une demande, un souhait, ce n'est pas encore une réalité).

Micro-trottoir

2. L'enfer est pavé de bonnes intentions...

1. Une demande de prêt de 10 000 francs.

a. Un ami de faculté demande 10 000 francs.
« Tu n'aurais pas 10 000 francs à me prêter car je viens d'avoir un accident de voiture. J'ai dû dépenser une somme folle et avant que l'assurance me rembourse - il faut au moins 3 mois-, je n'ai pas assez d'argent pour payer mon loyer. »

b. *« J'aimerais pouvoir te dépanner mais malheureusement moi aussi ce mois-ci je suis « fauché ». Si je n'avais pas ce crédit pour l'achat de mon studio, je t'assure, je t'aiderais mais ce n'est vraiment pas possible. Demande à Pierre, je crois qu'il a fait un héritage le mois dernier... »*

2. Proposition de voyage organisé au Népal.

a. *« Je pars en octobre prochain faire un trekking au Népal avec Terre Sans Frontières, tu veux venir avec moi. Le voyage dure un mois. J'ai vu des diapos à la réunion de préparation, samedi dernier, c'était superbe. On part le 4 octobre et on rentre le 30, juste avant la reprise des cours. »*

b. *« Tu es sympa de m'inviter mais... si je n'avais pas mes exams à repasser en septembre je viendrais, mais là ce n'est pas possible et en plus je n'aime pas trop voyager en groupe, le côté « mouton » ne me plaît pas trop... »*

3. L'ouverture d'un plan épargne-logement sur cinq ans.

a. *« Monsieur, vous devriez ouvrir un plan épargne-logement. Vous avez un Codevi depuis 3 ans qui ne vous rapporte pas beaucoup avec un PEL vous pourriez mettre plus d'argent de côté et les taux sont beaucoup plus intéressants... »*

b. *« Vous êtes très aimable mais la somme minimum à verser chaque mois est trop importante pour mon budget. Si je n'avais pas mes enfants à élever, j'y penserais mais actuellement je ne dispose pas d'une somme suffisante. Je vous remercie quand même de votre proposition. »*

4. L'achat d'un appartement en location.

a. *« Nous vous proposons d'acheter votre appartement par un système de traites mensuelles sur quinze ans. »*

b. *« Non, si je pouvais connaître ma vie professionnelle dans dix ans je le ferais, mais malheureusement, j'ai un emploi précaire, aussi je ne veux pas m'engager maintenant dans un système de traites trop contraignant. »*

5. **Une participation financière pour association caritative.**
   a. *« Bonjour madame, nous vous proposons d'aider les Restos du Cœur fondés par Coluche. Votre don est déductible des impôts… »*
   b. *« Oui, oui, j'ai entendu parler de ces Restos à la télé… mais je ne donnerais à cette œuvre que si j'étais sûre que l'argent sert vraiment à nourrir ceux qui ont faim, et non les profiteurs… »*
6. **L'achat d'actions bancaires dont vous n'êtes pas très sûr(e).**
   a. *« Voulez-vous acheter des actions XX ? »*
   b. *« Si j'avais assez de réserve pour acheter des actions, je n'achèterais certainement pas ces actions XX qui ne sont pas bien cotées en bourse actuellement, je préférerais acheter des Sicav monétaires… »*

Micro-trottoir

3. L'heure de vérité

1. Marqueur de l'organisation discursive

1er interviewé : « **Effectivement** », confirmation, « oui » plus appuyé.

2e interviewé : « **En effet** » est employé pour expliquer que « oui », cette personne essaie d'économiser mais elle n'y arrive pas. « D'ailleurs » nuance ce qu'elle vient de dire en justifiant son propos précédent ; elle n'a pas mis un sou de côté depuis trois mois !

3e interviewé : « **En fait** » signifie *en réalité* ; il précise le propos de l'interviewé.
« **de toute façon** » souligne l'opinion du locuteur qui « dans tous les cas » trouve que l'épargne ne sert à rien.
« **au bout du compte** » signifie « finalement »
« **et ainsi de suite** » indique la répétition d'une action et souligne le propos du locuteur dans la mesure où pour lui dans la vie il ne faut pas épargner : cela ne sert à rien.

4e interviewé : « **en fait** » : *en réalité*
« **d'ailleurs** » introduit un autre argument qui vient soutenir ce qui a été dit précédemment.
«… **et encore** » introduit une idée de restriction : *à peine*

L'interviewer : « **Effectivement** » souligne la confirmation de ce qui vient d'être dit.
« **d'ailleurs** » introduit une autre idée, celle de la discrétion des Français quant à leur manière d'épargner.

2. Dialogue à faire faire par deux.

Chaque élève réagit à sa manière en réemployant les marqueurs discursifs étudiés.

Comment les Français économisent-ils ?

4. Modèles syntaxiques

Proposition :

Thème : Les Français vont de moins en moins au cinéma.

1. **On s'aperçoit que** les Français vont de moins en moins au cinéma, **puisque** tous les foyers ou presque possèdent une télévision. **À vrai dire**, **on ne voit pas pourquoi** ils iraient au cinéma. **En effet** les chaînes publiques comme les chaînes privées diffusent de plus en plus de films aux heures de forts taux d'écoute.
2. **Il faut constater que** le prix d'une place de cinéma est trop élevée, **étant entendu qu'**il faut souvent payer au minimum 45 francs. **Il est étonnant que** ce prix ne baisse pas quand on sait que ce sont surtout les jeunes qui y vont. **D'ailleurs**, le ministère de la Culture a proposé une journée « Cinéma » une fois par an où le prix est très bas et valable pour toute la journée. On peut voir trois ou quatre films dans la même journée pour moins de 100 francs !
3. Concernant cette désaffection des salles de cinéma, **il faut aussi tenir compte des** cassettes vidéo qui permettent une commercialisation des films. Avec le magnétoscope, le cinéma est chez vous. **Ceci est plutôt encourageant** pour l'avenir du cinéma **si on pense que** la diffusion des films touche un public encore plus important et souvent « amoureux » du cinéma. **Cependant, il est possible que** cette facilité que procurent les cassettes vidéo dénature la véritable dimension du cinéma qui demande un grand écran et une sonorisation appropriée (Dolby stéréo). **D'ailleurs**, les films qui se vendent le plus en cassettes sont souvent des chefs d'œuvre du cinéma d'autrefois comme Charlie Chaplin ou les Marx Brothers ou les films en noir et blanc…

2 D - LE CŒUR SUR LA MAIN

TEXTES	ACTIVITÉS		ENTRAÎNEMENT
	ORAL	ÉCRIT	
Micro-trottoir, p. 132 (Transcription p. 240)	Prise de paroles : opinions et réactions à propos du contenu du micro-trottoir. Discussion en commun.		
Lettre d'un coordinateur de Médecins du monde, p. 136		Rédaction d'une lettre pour persuader et convaincre.	
Saint Coluche, Franck Terraille, p. 138	Jeu de rôles pour persuader et convaincre.	Chronique : raconter l'évolution d'une cause humanitaire.	Exercice 1
La soft-idéologie, analyse sociologique Fr. B. Huyghe et Pierre Barbès p. 141	Résumé oral du texte. Discussion par groupe à propos du contenu du texte/analyse d'un fait de société/Court exposé devant la classe.	Texte exprimant votre réflexion sur la « soft-idéologie ».	Exercice 2
Le voleur, André Kédros, p. 144	Adaptation pour le théâtre et mise en scène de cette nouvelle.		Exercice 3

MICRO-TROTTOIR : LE CŒUR SUR LA MAIN

Si vous aviez de l'argent à donner, à quelle cause humanitaire aimeriez-vous donner cet argent et pourquoi ?

Notes

Croix-Rouge : organisation internationale à vocation humanitaire, fondée en 1863.
Villejuif : hôpital de la banlieue sud de Paris, spécialisé en psychiatrie et en traitement des cancers.

p. 134 *Repérages*

Personne interviewées	Donne ou donnerait du temps	Donne ou donnerait de l'argent	A une cause humanitaire laquelle ?	Point de vue sur les causes humanitaires	Point de vue sur le rôle de l'Etat	Action personnelle ? envers qui ?
1. Christophe	Non	Non	aucune	fausses/pourries/ profiteurs	l'Etat devrait donner	des gens rencontrés
2. Catherine	Non	Oui	recherche médicale enfants		le budget national trop faible pour recherche médicale	à un ami très proche
3. Lynn	Non	Oui	Restos du Cœur			les mendiants dans le métro
4. Béatrice	Non	Oui	La recherche pour le cancer	Trop de sollicitations		
5. Alain	Oui	Oui	Le Sida/la recherche médicale/ Les enfants du Tiers-Monde Une école au Togo	Deux causes prioritaires : le Sida et le Tiers-Monde		
6. Jean	Non	Non	La Croix Rouge	toutes inintéressantes		ses proches
7.Thierry	Oui	Non	Médecins du Monde	ne pas donner de l'argent mais aller sur place/travailler		
8. Carole	Oui	Non	Médecins du Monde Médecins sans Frontières	gaspillent l'argent très médiatisé dénoncent les problèmes humanitaires		à ceux qui lui en demandent
9. Armand	Non	Non	Restos du cœur	trop médiatisées profiteurs	oui, l'Etat devrait agir « un ministère du malheur mondial ».	

p. 134
Analyse

- **Le reproche le plus souvent formulé** contre les organismes qui s'occupent de cause humanitaires est qu'ils sont trop médiatisés, « il y a trop de courrier ». Leur trop grand nombre et les sollicitations incessantes auprès du public agacent même ceux qui voudraient donner un peu d'argent.
  L'autre reproche souvent cité est le gaspillage de l'argent qui leur est confié (« profiteurs », « ça doit être un bon business ! »).
- **Caractéristiques proposées pour chaque interviewé selon sa personnalité :**
  – Désabusé et pragmatique : 7 (Thierry)
  – Très méfiant : 4 (Béatrice)
  – Méfiant, mais hésitant : 8 (Carole)
  – Méfiant mais capable de générosité : 6 (Jean)
  – Actif et réaliste : 1 (Christophe)
  – Réaliste et égoïste : 9 (Armand)
  – Dévoué et pédagogue : 5 (Alain)
  – Sensible, capable de pitié : 3, 2 (Lynn, Catherine)
- **Synthèse écrite des interviews du micro-trottoir (Proposition) :**
  Bien que le point de vue sur les causes humanitaires exprimé par les neuf interviewés soit en majorité négatif, il n'en reste pas moins vrai que quatre d'entre eux donnent de l'argent pour la recherche médicale ou pour les enfants. Trois personnes seulement accepteraient de donner de leur temps pour aider une cause humanitaire si elles en avaient la possibilité. Mais, il faut noter que cinq d'entre eux donnent plus volontiers à ceux qu'ils côtoient ou dont ils sont proches. Ce qui prouve que dans l'ensemble, ils sont capables de générosité mais qu'ils préfèrent l'exercer plus pour des causes individuelles que pour des causes humanitaires trop éloignées de leur vie quotidienne.

p. 134
Pour fixer le vocabulaire

Expressions	**Paraphrases et synonymes**
La cause, elle est « pourrie ».	– qui a perdu son état initial/dégradé
Des débrouillards.	– personne habile à se tirer d'affaire
On n'arrête pas de faire des quêtes.	– demande d'argent dans un but charitable
Ils viennent mendier dans le métro.	– demander la charité
Il n'y en a pas une qui me touche.	– sensibiliser/atteindre
C'est tellement minable ce que je donne.	– médiocre, peu important
À défaut d'avoir trouvé des solutions.	– faute de
L'État nous « pompe » assez d'argent.	– prélever/prendre
Ces organisations qui soi-disant aident	– prétendre (faire quelque chose) les malheureux.

p. 136
LETTRE DE MÉDECINS DU MONDE

p. 137
Expression écrite

Proposition de lettre sollicitant l'aide financière de jeunes francophones :

Lettre de Calcutta - Bengale - Inde

Association indienne « Samiti » (comité) à but caritatif qui vient en aide aux enfants du bidonville du sud de Calcutta (population rurale venue à Calcutta dans l'espoir d'y trouver du travail).

Samiti
Comité en France
Siège à Paris
23, rue de l'Estrapade
75005 Paris
Coordinateur : Philippe Dumaistre

Calcutta, le 3 août 1993

Madame, Monsieur,
Le timbre que vous venez de voir sur l'enveloppe vous aura informé de la provenance de cette lettre. Oui, elle vient de Calcutta, du Bengale. Cette région de l'Inde du Nord que malheureusement vous ne connaissez souvent que par ses inondations spectaculaires et ravageuses qui un moment - le temps d'un reportage ou de quelques flashs télévisés - pénètrent dans votre maison...
Encore une lettre allez-vous dire... Oui, encore une et pourtant celle-ci voudrait être un message de paix et d'amitié. Si je me suis permis de vous l'adresser, c'est que notre siège de Paris m'a communiqué votre nom et votre adresse. Sans doute parce que vous avez déjà eu la bonté de faire quelque don l'année dernière après la parution dans le journal « La Joie » d'un article merveilleusement écrit et illustré sur notre action auprès des enfants hindous, musulmans et chrétiens de Pilkana.
C'est pourquoi, j'aimerais vous donner des nouvelles de ces enfants et de leurs besoins.
Depuis trois mois, je vis avec eux à Kaliampur, un village situé à 40 km de Calcutta. Là, notre Samiti a construit très modestement une grande maison en briques au sol de terre battue.
Avec les éducateurs indiens, nous vivons avec quarante enfants de 5 à 10 ans.
Si vous pouviez voir comme ils sont heureux d'apprendre, de jouer et les petites filles de danser. La danse, en Inde, fait partie intégrante de l'éducation. Le soir à la lumière de la bougie et au son de l'harmonium à soufflets, elles dansent accompagnées par les garçons qui chantent les chansons de Tagore. Car, tous, hindous, musulmans et chrétiens, sont bengalis.
Les enfants ont l'eau au puits dans la cour mais il n'y pas d'électricité. Or, un groupe électrogène coûte 20 000 roupies (une roupie : 80 centimes).
Vous comprendrez que - si petit soit-il - votre don nous permettrait d'acheter ce groupe électrogène qui faciliterait notre vie quotidienne : installer des douches, faire travailler les enfants le soir. Vous connaissez le sérieux de notre association. Tous les ans nous envoyons à nos généreux donateurs un relevé précis des comptes annuels.
Votre soutien et votre amitié nous sont très précieux.
D'avance, merci de tout cœur.
Namasté ! (au revoir en bengali)
Heureux de vous compter parmi nos amis.

Philippe Dumaistre

CCP 547600012
Siège Samiti : 23, rue de l'Estrapade, 75005 Paris

Notes
Pilkana : nom du bidonville situé au sud de Calcutta.
Kaliampur : village de la périphérie de Calcutta.
Tagore Rabindranath (1861-1941) : poète et romancier bengali. Son œuvre a influence la littérature moderne de l'Inde. Il a reçu le prix Nobel de littérature en 1913.
Samiti : mot bengali qui signifie : comité.

p. 138

SAINT COLUCHE

Franck Terraille, extrait de *Le roman de Coluche.*

Notes

Armée du Salut : association religieuse d'origine méthodiste, fondée en Angleterre en 1865 et qui propose des actions sociales et charitables.
Canal + : chaîne de télévision à péage, mise en service en 1984. Elle programme et diffuse, de manière répétée, des films de cinéma assez récents.
Chaban-Delmas Jacques : homme politique français, gaulliste. Maire de Bordeaux, depuis 1947, il a été Premier Ministre et Président de l'Assemblée Nationale.
Europe 1 : station de radio privée lancée en 1955. Elle émet sur la France, la Grande-Bretagne, la Belgique, la Suisse et le littoral d'Afrique du Nord.
François d'Assise (1182-1226) : saint italien fondateur de l'ordre franciscain, basé sur un idéal de pureté, de pauvreté et de joie évangélique. Son « cantique des créatures » est un hymne d'action de grâce pour la nature que Dieu a créée.
Matignon : hôtel du VIIe arrondissement de Paris qui abrite les services du Premier Ministre.
Prévert Jacques (1900-1977) : poète français, réputé non conformiste. Sa poésie célèbre les thèmes de la liberté, la justice et du bonheur. Il a écrit les scénarios de plusieurs films de Marcel Carmé.
Sup de Co : écoles supérieures de commerce et d'Administration des Entreprises (ESCAE). En 1993, les ESCAE comptent 16 écoles.
TF1 : héritière de la première chaîne de télévision française. Elle a été privatisée en 1987.
Top : langage familier. Le maximum, le sommet « être au top ».
Tour Montparnasse : tour de 200 mètres de haut, au cœur du XIVe arrondissement de Paris, qui a renouvelé l'urbanisme du quartier. C'est un centre commercial, et administratif.

p. 140

Repérages

Note

Coluche a commencé à être connu après 1968 avec les comédiens du Café de la Gare animé par Romain Bouteille. Dans la même équipe que lui, il y avait celle qui deviendra Miou-Miou, actrice connue et célèbre en France et Patrick Dewaere qui jouera avec Depardieu dans un film-phare des années 80, « Les Valseuses » et dans un grand nombre de films. Coluche s'est tué en moto lors d'un accident survenu en juin 1986.

- **Réponses aux questions**
  - L'action humanitaire de Coluche commence à l'automne 1985 au moment où il est au « top », c'est-à-dire au sommet, au faîte de sa gloire.
    Il peut se permettre de faire quelque chose pour les pauvres car il a beaucoup d'argent puisqu'il est au sommet de sa carrière.
  - Le prédécesseur de Coluche : l'abbé Pierre.
    Coluche pense avoir plus de succès que lui « car l'abbé Pierre n'a que Dieu pour l'aider » alors que lui, il a les médias avec lui.
  - L'action humanitaire de Coluche s'organise vite et bien grâce à l'aide du fils de son imprésario Alexandre Lederman qui est étudiant à Sup de Co (l'école supérieure de Commerce de Paris, une des plus prestigieuses écoles de commerce en France). La logistique de l'opération ne peut que réussir.
  - Exemple précis du succès de l'organisation :
    - une chaîne de « fast-food » offre 25 000 repas d'un coup
    - un syndicat d'agriculteurs bretons offre des wagons d'œufs
    - une compagnie aérienne leur offre 5000 plateaux-repas
    - une grande entreprise d'informatique propose de coordonner les démarches...
  - Le logo de l'association est un cœur avec une fourchette.
  - Les critiques contre le « projet Coluche » viennent des syndicalistes traditionnels qui jugent que ce n'est pas suffisant de donner à manger aux chômeurs car c'est d'un emploi qu'ils ont besoin et de ceux qui voient en cette opération une publicité supplémentaire pour Coluche.
  - Coluche mobilise les foules en parlant à travers les médias (« ses tribunes médiatiques »).
  - La première réaction de l'État a été de ne rien faire (« car il y a un décalage flagrant entre la foule des petites gens qui veulent faire quelque chose et les institutions... »)
  - Le gouvernement va se rallier à la cause de Coluche car c'est la période des élections législatives et les ministres en place pensent, eux, que c'est certainement une bonne publicité pour leur action politique.

– Le grand coup médiatique a eu lieu l'après-midi du 26 janvier sur le plateau de TF1 : un show de quatre heures en faveur des Restaurants du Cœur, à cinquante jours des élections. Ce fut un succès.

– *Libération*, quotidien de gauche applaudit cette action du « Saint Coluche », soulignant que celui-ci a pris la place dévolue aux intellectuels qui étaient autrefois « des consciences morales » gérant au mieux « les angoisses de l'humanité ».

– Les résultats concrets immédiats furent :

- Collecte de 2 milliards de centimes pour donner à manger aux pauvres pendant tout l'hiver.
- 60 000 repas quotidiens distribués dans plus de 500 lieux dans toute la France que Coluche visitera.
- Projet d'une loi exonérant d'impôts le contribuable généreux.

• **Résumé du texte (proposition) :**

Pendant l'automne 85, Coluche au faîte de sa gloire décide de partager sa fortune avec ceux qui n'ont rien. Grâce aux médias et à l'aide des étudiants de Sup de Co dont le fils de son impresario fait partie, il organise une chaîne de restaurants gratuits. Très rapidement une association au logo portant un cœur et une fourchette, est créée. Malgré les critiques venant des syndicalistes traditionnels, et de ceux qui voient en cette opération une publicité supplémentaire, Coluche oblige le monde politique à réagir, profitant de la période pré-électorale des élections législatives. Le ministre de l'Agriculture est le premier à se rallier à sa cause, suivi du ministre des Transports et de la responsable des Affaires sociales. Le 26 janvier, un show de quatre heures sur TF1 donné en faveur des Restaurants du Cœur a lieu. Le journal *Libération* applaudit ce Saint Coluche qui a gagné son pari. Durant trois mois, 60 000 repas seront distribués dans plus de 500 lieux en France. Mais comprenant l'importance de la législation, Coluche veut faire voter une loi exonérant d'une part de ses impôts tout contribuable généreux. Des hommes politiques s'engagent à la faire voter rapidement...

À la fin de l'hiver, les Restos du Cœur ferment et comme il reste de l'argent dans les caisses, Coluche discrètement va remettre un chèque de 150 millions de centimes à l'abbé Pierre qui révélera ce geste lors de l'homélie qu'il prononcera à l'enterrement de Coluche, le 24 juin 1986.

p. 140 ## *Analyse*

•

– Termes familiers ou argotiques	Équivalents en français « standard »
« Y en a marre »	– assez, ça suffit
« marre de cette bouffe jetée »	– assez de cette nourriture jetée
« des types »	– des hommes
« font les poubelles »	– cherchent dans les poubelles
« ça me fout les glandes »	– ça m'énerve
« mon fric »	– mon argent
« il se crève au boulot »	– il se fatigue au travail
« je ne suis pas près de leur lâcher la chemise »	– je ne suis pas près de les laisser tranquilles.

• **Plusieurs réponses possibles, par exemple :**

« Je ne pense pas que les médias ont joué un rôle déterminant car les étudiants de Sup de Co avaient des qualités d'organisation certainement très efficaces. Les médias ont aidé à diffuser le projet mais pour moi, ce ne sont pas les médias qui sont les principaux responsables du succès de l'opération des Restos du cœur. »

ou

« Je pense absolument le contraire. Sans les médias, une telle action est impossible aussi vite et aussi bien. Je trouve justement très intelligent de la part de Coluche d'avoir su se servir au mieux des médias pour une cause juste...

Les participations aux Restos du Cœur ne sont pas désintéressées. Chacun pense à la publicité que cela fait indirectement pour son entreprise, que ce soit les Bretons syndicalistes ou l'entreprise d'informatique. Même un geste gratuit dans un tel contexte « rapporte » à celui qui le fait, les hommes politiques y compris. »

- **Là encore plusieurs réponses possibles, par exemple :**
  « Libé est un journal qui aime les titres forts et provocateurs. Celui-ci va bien en la circonstance. Le mot « saint » accolé à celui de Coluche provoque, et en même temps est juste. Il y avait une générosité grave dans cette action de Coluche... J'aime bien ce titre... »

p. 140

Pour fixer le vocabulaire

Expressions	Synonymes
Il va soumettre son idée à Paul Lederman.	– proposer à l'examen
Les jeunes étudiants mettent en place la logistique	– organiser
	de l'opération.
La France est à la traîne des autres pays.	– rester en arrière
Le premier qui se rallie à Coluche est Henri Nallet.	– suivre quelqu'un dans son projet
Ils sont d'accord, s'ils ont le feu vert du ministre.	– avec l'autorisation
À la une de *Libération*, un article intitulé :	– la première page d'un jour-
nal	« Saint Coluche ».
Il se fera un devoir d'aller visiter ses Restos du Cœur.	– s'obliger à

Voici deux documents complémentaires que le professeur pourra donner à lire à ses élèves s'il le souhaite avant le micro-trottoir du dossier 2 D.

LA SURVEILLANCE DU « CHARITY BUSINESS »

Et s'il y avait moins de misère qu'on le dit ? Sylvie Brunel, spécialiste de l'aide alimentaire au tiers-monde, aujourd'hui directrice de l'AICF (Action internationale contre la faim) démythifiait les statistiques des experts internationaux dans son ouvrage *Une tragédie humaine - La faim dans le monde*, publié en 1991 (1). Des marchands de catastrophisme n'hésitent pas à noircir le tableau pour ramasser plus d'argent.

Manipulation du message d'appel, détournement de l'aide à l'arrivée : le généreux donateur n'y retrouve parfois plus ses petits. Conscients des dangers, d'un bout à l'autre de la chaîne, des organisations du secteur humanitaire ont adopté en 1989 une Charte de déontologie puis se sont dotées d'un comité de surveillance ad hoc (*le Monde* du 26 janvier 1990).

Les contrôleurs du comité épluchent soigneusement les comptabilités des signataires (2). La source et l'emploi des dons sont passés au crible. La règle de transparence fonde cette autosurveillance de la profession. De plus, la Cour des comptes exerce un contrôle financier sur les associations, comme l'y autorise un arrêt du Conseil constitutionnel de juillet 1991.

Cette surveillance est d'autant plus bienvenue que les moyens financiers s'amplifient et que les techniques deviennent sophistiquées. L'Armée du salut britannique a vécu une triste expérience, en début d'année (*le Monde* du 14 avril). Elle a fait involontairement le bonheur d'escrocs en col blanc qui lui avaient proposé des placements mirifiques. Du vent ! Le scandale a éclaté à la suite des contrôles effectués par les *charity commissioners* désignés par l'État et indépendant du secteur humanitaire.

D.R.

(1) Éditons Pluriel, 1991,321 pages, 69 francs. Diffusion Hachette.

(2) Sont membres du Comité de la Charte de déontologie (21 rue du Faubourg Saint-Antoine ; 75011 Paris, tél. 49-28-54-25) : Action internationale contre la faim ; Aide et action ; Association pour le développement de l'Institut Pasteur ; Association française contre les myopathies ; Association des paralysés de France ; Association Valentin Haüy pour le bien des aveugles ; Comité français de l'UNICEF ; Delta 7 ; Fondation de France ; Fondation pour la recherche médicale ; Jeunesse au plein air ; Ligue nationale française contre le cancer ; Médecins du monde ; Œuvres hospitalières françaises de l'ordre de Malte ; Petits frères des pauvres ; Restaurants du cœur ; Secours catholique ; Secours populaire français ; Union nationale interfédérale des organismes privés sanitaires et sociaux (UNIOPSS) ; Villages d'enfants SOS de France ; Villages d'enfants SOS dans le monde.

Le Monde du 7 août 1993.

AIDEZ LES ORPHELINS EN MANGEANT DES BISCOTTES

Après celles de « la forme » et de « l'équilibre », est venue l'heure de « la charité » pour faire vendre. Des experts du marketing appellent cela « Charity Promotion ». Une part du prix affiché est reversée aux organisations caritatives ou humanitaires.

Ainsi, Benetton « roule » pour Caritas, Wrangler pour les Restos du cœur, Novotel et Kréma pour l'association internationale de protection de la nature WWF, Agfa pour l'UNICEF, Kellogs pour MSF, Neutrogena pour Pharmaciens sans frontières, etc. Aidez les orphelins, en mangeant des biscottes Heudebert. Au moment de Noël, le chocolat Poulain fait un tabac : ses boîtes « offrent » alors une carte de vœux UNICEF au consommateur qui la paie en emportant le tout. Ces « produits-partage », ainsi dénommés, connaissent assurément une vogue. La pub-spectacle fait mauvais effet. Moralisation ou culpabilisation ?

Dans le même temps, la philantropie d'hier ayant pris un coup de vieux avec son air paternaliste fait place au mécénat. Ce « sponsoring humanitaire », selon le jargon en vogue, concurrence le secteur artistique de ce marché. Plusieurs organisations ont commencé à établir un partenariat à long terme avec de grandes sociétés industrielles, commerciales et financières.

Il y a soixante-dix ans, Henry Ford écrivait, dans *Ma vie, mon œuvre* : « Nous nous élevons au-dessus de ce culte que l'on a longtemps professé pour une possession matérielle de la richesse. Ce n'est plus une distinction d'être riche, en fait, on ne souhaite plus communément le devenir (...) Ce que l'on ambitionne aujourd'hui, outre une vie décente, c'est un emploi utile dans la société, l'occasion de rendre de grands services, seules distinctions réellement honorables pur un individu. » L'humaniste Henry Ford courait loin devant le progrès. Mais sur une autre route que la voie royale des « produits-partage »...

D.R.
Le Monde, 7 août 1993

p. 141

LA SOFT-IDÉOLOGIE

François-Bernard Huyghe et Pierre Barbès, extrait de *La soft-Idéologie.*

Notes

BCBG : « Bon chic bon genre ». Employé comme nom ou adjectif, se dit d'une personne très classique, d'un milieu aisé, souvent caractérisé de certains quartiers (XVIe arrondissement de Paris).
Devaquet Alain : homme politique français (RPR) et universitaire. Il a proposé, en tant que ministre de l'Éducation nationale, une réforme de l'université qui, sous la pression des manifestations étudiantes en décembre 1986, a été retirée.
Levy Bernard-Henri : écrivain français, essayiste polémique. Personnage médiatique.
Lustiger Jean-Marie : cardinal, archevêque de Paris.
Réac : abréviation familière de « réactionnaire ». Personne dont les opinions sont en réaction contre la politique, la mode ou le style de son époque.
Sapes : habits, vêtements (langage populaire).
UNICEF : fonds des Nations Unies pour l'Enfance. Organisme de l'ONU à but humanitaire, institué en 1946, spécialement pour les pays du tiers-monde.
« **Soft** » **en anglais :** doux. S'applique d'abord à l'érotisme (par opposition à ce qui est « hard » « dur » c'est-à-dire présumé très vulgaire). Par extension « soft » tend à désigner tout ce qui est dans n'importe quel domaine que ce soit, assez léger et relativement gentillet. (Pierre Merle, *Dictionnaire du français branché*).

p. 142

Repérages

- Ce texte peut se diviser du point de vue du contenu en trois parties :
  – *Première partie :* Définition du concept de « soft-idéologie » et son explication (« L'idéologie est à la baisse... et de s'indigner. »).
  – *Deuxième partie :* Manifestation de la morale « soft » dans différents domaines et les comportements qu'elle suscite. (« La gauche proclame... il n'y a plus de raison n'est-ce pas de s'affronter. »).

- *Troisième partie :* L'analyse de la morale « soft » comportant un exemple et se terminant par une synthèse. (« En réalité,... indifférence, goût de la réussite, un nouveau pragmatisme désabusé ».

- L'explication de cette nouvelle morale « repose essentiellement sur la peur ». Elle dénonce et s'indigne et « sa seule ambition est de faire obstacle au Malin » (c'est-à-dire le Mal incarné dans la personne de Satan, du diable que l'on appelle aussi le Malin). Ici, le Mal à combattre est tout ce qui se nomme « barbarie, totalitarisme, communisme, fascisme, etc. ».

- Domaines où s'observe cette morale et les comportements qu'elle suscite.
  - Les partis politiques : de gauche comme de droite. « Exigence morale » à gauche et « humanisme et antiracisme » à droite.
  - Les débats publics : sur le terrorisme et ses effets et sur les manipulations génétiques, problèmes moraux.
  - Les médias : les bulletins d'information.
  - Les manifestations caritatives.
  - La presse qui donne la parole aux autorités spirituelles comme le Pape ou les évêques.

- Phrase résumant l'analyse de l'auteur sur cette morale « soft » : « Il y a bien retour de la morale mais non retour à la morale ».

- Car cette morale est « sans sanction ni obligation, sans contrainte ni ascétisme, une morale spectacle... ».
  Elle diffère d'une morale traditionnelle car elle n'engage pas la personne qui énonce cette morale dans des actes. C'est une morale de mots, une morale superficielle faite pour être entendue ou vue à la télévision, à la différence d'une morale traditionnelle qui n'a pas besoin de mots pour se faire voir ou comprendre, mais qui se déduit des actes et des gestes posés.

- Du point de vue politique, cette morale entraîne la disparition des conflits traditionnels gauche/droite : elle réconcilie les anciens adversaires « réacs » et « progressistes ». Il n'y a plus d'affrontements, la société est devenue « consensuelle » en réduisant les antagonismes d'antan.

- La phrase d'Isabelle Thomas qui résume cette nouvelle morale du point de vue du comportement :
  « Bien vivre mais pas pendant qu'à côté de toi ça va mal, il faut... de la dignité ».

- Dans la synthèse qui constitue le dernier paragraphe, les termes suivants résument cette nouvelle morale :
  « La morale soft, c'est le management avec du cœur : on a le droit d'être riche et le devoir d'aider les pauvres ».

p. 143

Analyse

- **Emploi des parenthèses**
  La parenthèse employée dans un texte argumentatif apporte toujours un supplément d'informations. Il est intéressant de relever dans ce texte-ci les valeurs successives de son emploi et d'en noter l'importance quant à la rhétorique du texte du point de vue sémantique.

Relevé	Analyse
– « Faute de comprendre le monde (qui parle encore de le transformer ?). »	– Commentaire de l'auteur, digression critique. Rappel implicite des idéalismes politiques comme le marxisme qui pensait transformer la société...
– « ... au Malin (qui se nomme barbarie, totalitarisme, communisme, fascisme, etc.). »	– développement, valeur explicative.
– « ...les grands principes (devoir d'informer ou de faire progresser la science). »	– valeur explicative.
– « des manifestations caritatives (gala pour l'UNICEF, Restaurants du Cœur... retour sur scène de l'abbé Pierre, Madonna contre le sida, etc.). »	– valeur explicative avec citations d'exemples.
– « ... des manifs « contre » (contre la répression, le fascisme, le nucléaire). »	– même valeur que la parenthèse précédente, exemples de manifestations *contre.*
– « ... sur le terrorisme (ils sont contre)/ ... et la force de frappe (ils sont pour) »	– commentaire de l'auteur qui donne un surcroît d'information.
– « ...dans les moeurs (satisfaction à gauche)/... régnant chez les jeunes (applaudissements à droite). »	– valeur d'incise qui souligne la similarité d'attitudes de la gauche et de la droite.
– « ... et le cynisme social (qui s'accommode sans trop de mal de la nouvelle pauvreté). »	– commentaire de l'auteur, digression critique.

- **Rapprochements de mots synonymiques**
  - l'idéologie/l'éthique
  - retour/retournements
  - dénoncer/s'indigner
  - humanisme/antiracisme
  - les bons sentiments/le moralisme bonasse
  - soulever à tout moment « des problèmes de société »/se poser à tous propos des questions morales
  - la charité/la bienfaisance
  - une morale sans sanction ni obligation/sans contrainte ni ascétisme
  - (satisfaction à gauche)/(applaudissements à droite)
  - l'apologie/l'admiration

Mots antithétiques
- à la baisse/à la hausse
- une politique socialiste/une politique libérale
- un bulletin d'informations/un bulletin paroissial
- manifestations caritatives/manifestations *contre*
- l'avis des autorités est d'autant plus sollicité, lorsqu'il touche à la vie publique, que leur influence est nulle sur les mœurs
- adversaires « réacs » et progressistes
- exigence morale et affairisme pratique
- discours des droits de l'homme et cynisme social
- le droit d'être riche et le devoir d'aider les pauvres.

Le rapprochement de **mots antithétiques** souligne les contradictions inhérentes de cette morale « soft » qui tente de concilier des contraires (gauche/droite, égoïsme et altruisme, richesse et pauvreté, droits de l'homme et cynisme social).
L'analyse de l'emploi des parenthèses a montré la présence et le parti pris par l'auteur tout au long du texte : attitude critique, sceptique. Le lexique dépréciatif comme « les bons sentiments/le moralisme bonasse qui inspirent les débats publics », exprime l'opinion de l'auteur qui critique cette idéologie nouvelle.
L'emploi du parallélisme antithétique du dernier paragraphe de synthèse exprime l'opinion de l'auteur qui a tenu à souligner les contradictions internes d'une telle

idéologie qui, a force de vouloir concilier ce qui est inconciliable et gommer les différences, devient « soft », douce, molle créant une fausse morale où seules les paroles comptent et non les actes.

p. 143 Pour fixer le vocabulaire

Expressions	Synonymes
Un retournement.	– changement brusque
Dénoncer.	– porter à la connaissance de tous une situation qu'on critique
Le langage d'antan.	– de jadis/d'autrefois
Faire assaut de.	– manifester (un sentiment) avec insistance
Un moralisme bonasse.	– plutôt faible que bon
Une genre « branché ».	– à la mode
Pactiser avec (le diable).	– s'entendre avec
La force de frappe.	– la puissance militaire d'un état
Étaler sa réprobation et sa sollicitude.	– lutter pour surpasser
Les adversaires « réacs ».	– réactionnaire
Rouler sur l'or.	– être très riche
Les belles « sapes ».	– les beaux vêtements
Le souci de l'autre.	– la préoccupation envers quelqu'un
S'accommoder d'une situation.	– supporter/ne pas être dérangé par

p. 143 Expression orale

Proposition de « résumé oral » du texte :

« Dans un monde en perte d'idéologie, la morale reprend de l'importance. La morale « soft », qui se fonde sur la peur, dénonce, s'indigne et s'oppose à tout ce qui pour elle représente Le Mal comme le fascisme, le totalitarisme ou le communisme.

Elle touche les domaines de la vie politique (la gauche comme la droite), les débats publics concernant le terrorisme ou les manipulations génétiques. Les prises de position conflictuelles disparaissent et laissent la place à tout ce qui touche à la charité : les manifestations caritatives de tous styles remplacent les manifestations engagées d'avant. Le Pape et les évêques deviennent des vedettes médiatiques.

En fait, ce moralisme à tout va, marque le retour de la morale, mais non pas le retour à la morale, car cette morale que propose cette soft-idéologie reste « des mots » (il n'y a pas de pratique). C'est une morale « spectacle ». Car la société des années 80 est tellement consensuelle que les notions de droite et de gauche n'ont plus de sens. Il n'y a plus d'affrontements. La soft-idéologie tente de réconcilier ce qui est traditionnellement inconciliable, comme la réussite sociale et le souci de l'autre, les riches et les pauvres. C'est le pragmatisme indifférent qui domine les comportements. »

p. 143 Expression écrite

• **Proposition de texte « critique » sur une attitude contemporaine « post-moderne » concernant la culture.**

La pensée est **à la baisse**, la culture est **à la hausse**.

« Toutes les cultures sont également légitimes et tout est culturel », affirment à l'unisson les enfants gâtés de la société d'abondance. Dans ces temps de post-modernisme, l'acteur social applique dans sa vie des principes auxquels les peintres de même nom se réfèrent dans leur travail : refusant l'alternative entre **académisme** et **innovation**, il mélange les styles ; au lieu d'être **classique** ou d'**avant-garde**, **bourgeois** ou **bohème**, il marie les passions les plus disparates, les inspirations les plus contradictoires. Léger, mobile, refusant tout système et tout credo, il aime pouvoir passer d'un **restaurant chinois** à un **club antillais**, du couscous au cassoulet, du jogging à la religion, ou de la littérature ou deltaplane.

« **S'éclater** » est le mot d'ordre de ce nouvel hédonisme qui rejette aussi bien la nostalgie que l'auto-accusation.

Comme les adeptes de la « soft-idéologie », celui qui se dit « post-moderne » consomme tout et n'importe comment. Profondément consommateur et non-conservateur des traditions, ce client-roi voudrait pouvoir manger le monde en trois soirées, écouter toutes les musiques, voir tous les paysages, saisir l'extrême chaud ou l'extrême froid, tout est pour lui consommable : il suffit de trouver la bonne boutique la mieux achalandée !

Car, ce qui intéresse cet acteur post-moderne, ce n'est pas les cultures en tant que telles, mais leur version édulcorée. Comme une bouteille de Coca Cola est bonne à déboucher et à boire et puis ensuite jetée car le package l'a prévu ainsi, ce consommateur multi-musiques, multi-chaînes de télévision, multi-cuisines agit de même. Vite bu, vite vu, vite pris, vite jeté. Car **la quantité** importe plus que **la qualité**.

Autrefois, la rareté des produits de consommation comme des produits culturels rendait le choix inexistant ou du moins facile.

Depuis une trentaine d'années, le marché offre une telle diversité de choix que l'appétit boulimique semble être devenu l'attitude généralisée. Seul le pouvoir d'achat marquera les différences. **Aux uns** le voilier, **aux autres** la télé-couleurs ou les jeux électroniques mais l'attitude fondamentale reste la même.

Alain Finkielkraut, dans son livre *La défaite de la pensée**, écrit : « Dans la pensée post-moderne, l'admiration est égale pour le Roi Lear et pour Charles Jourdan. A condition qu'elle porte la signature d'un grand styliste, une paire de bottes vaut Shakespeare. Et tout à l'avenant : une bande dessinée vaut un roman de Nabokov... un slogan publicitaire efficace vaut un poème d'Apollinaire ; un rythme de rock vaut une mélodie de Duke Ellington ; un beau match de football vaut un ballet de Pina Bausch. Un clip, un jingle ou un spot vaut largement Verdi ou Wagner. Le footballeur et le chorégraphe, le musicien et le rocker, l'écrivain et le concepteur, le peintre et le couturier sont, au même titre des créateurs ».

En réalité, ce refus de hiérarchiser, de tout accepter comme équivalent provient d'une peur de l'élitisme. Sous prétexte de ne pas vouloir comprendre vraiment ou juger, le sujet post-moderne croyant exercer son indépendance de pensée ou affirmer sa liberté s'enferme dans un monde artificiel où domine omnipotent le « sentiment », « le feeling ». « J'aime » ou « je n'aime pas ». Cela suffit. Les « pourquoi » et les « comment » semblent d'un autre âge.

On croirait que ce contemporain est resté un adolescent...

*Alain Finkielkraut, *La défaite de la pensée*, Essais Gallimard. (1987) traite du « malaise » dans la culture. « Car la culture c'est la vie avec la pensée. Et on constate aujourd'hui qu'il est courant de baptiser culturelles des activités où la pensée n'a aucune part. »

p. 144 LE VOLEUR

André Kédros

Notes

Bardot Brigitte : actrice française populaire qui, dans les années 60, a incarné la femme sensuelle, libre et joyeuse. Elle est aussi célèbre pour son engagement pour la protection des animaux.

RER : Réseau Express Régional. Trains qui desservent la banlieue parisienne en traversant Paris.

ENTRAÎNEMENT

p.146

Saint Coluche

Saint Coluche à la une !

1. Devant le problème de la faim et de la pauvreté en France, Coluche cherche une solution. À l'automne 1985, il **n'en finit pas de** tourner le problème en tout sens. Enfin il propose une solution.
2. Pour organiser ses Restaurants du Cœur, Coluche **fait appel à** tout le monde. Notamment, son organisation va **se mettre en relation avec** de grandes chaînes de restauration.
3. La plupart des chefs d'entreprise contactés **approuvent** l'action de Coluche et ils **mettent à sa disposition** des produits alimentaires.
4. Une grande entreprise d'informatique **s'est proposée pour** coordonner toutes les démarches.
5. Depuis 1985, tous les Français **sont invités à** participer en envoyant une somme d'argent aux Restaurants du Cœur. De très nombreux Français **se font un devoir d'**aider les plus malheureux du pays.

La soft idéologie

2. Modèles syntaxiques

Proposition de thème : les problèmes de la circulation routière

1. **Faute d'**une signalisation suffisante, certaines routes de campagne sont dangereuses la nuit.
2. La sécurité routière **repose essentiellement sur** la gendarmerie qui déploie des effectifs importants au moment des grands départs.
3. **Pour** dissuader les chauffards, **on se contente de** leur donner des contraventions qui, il est vrai peuvent aller jusqu'au retrait du permis de conduire si l'infraction au code est très grave.
4. **Certains proclament que** la signalisation routière est mal faite et que les panneaux apposés le long des routes ne **permettent** pas **de distinguer** suffisamment tôt **les** virages, **des** virages très dangereux.
5. **Comment respecter** le code de la route **sans** faire attention aux piétons qui traversent ou sans refuser un deuxième verre d'alcool, si vous savez que vous allez prendre la route.
6. **L'avis des** conducteurs concernant le permis à points **est d'autant plus** important **qu'**il conditionne la vie de milliers de personnes.
7. **En réalité**, les actions du gouvernement et de la police quant aux problèmes de sécurité routière **ne sont nullement exclusives**, elles concernent la vie de tous les citoyens.
8. Le respect de la vie des piétons **est parfaitement conciliable avec** une conduite sportive.
9. **On a le droit de** circuler où l'on veut et comme on veut **et le devoir de** respecter le code de la route, gage d'une vie conviviale équilibrée.

Le voleur

3. Modèles syntaxiques

1. **Non seulement** il n'avait plus de travail depuis des mois, **mais voilà qu'**il n'avait rien mangé depuis la veille.
2. Les clients **étaient** pressés, **pas au point de** courir **mais au point de** marcher suffisamment vite **quand même** pour ne pas voir cet homme assis, un béret posé devant lui avec un écriteau disant « J'ai faim ».
3. **Il** était affamé **au point qu'**il pouvait manger de la nourriture pour chiens.
4. **De quel droit les uns** mangent à leur faim **et les autres pas** ?
5. **Les uns** s'arrêtent pour donner quelques pièces de monnaie, **d'autres** passent vite sans rien donner, **quelques-uns** parlent et semblent vouloir aider ceux qui mendient dans la rue ou dans le métro.

DOSSIER 3

LE TRIOMPHE DE L'INDIVIDU

3 A - LA VIE EN SOLO

TEXTES	ACTIVITÉS		ENTRAÎNEMENT
	ORAL	ÉCRIT	
Table ronde p. 148 (Transcription p. 241)		En équipe, faire un rapport de la table ronde.	
La vie en solo, *Le Nouvel Observateur,* p. 151	Comparaison entre les célibataires de votre pays et les Français. Discussion : la vie en solo est-elle nécessairement synonyme de solitude ?		Exercice 1
Le grand club des célibataires sympas, p. 153	Jeux de rôles (2 au choix) - téléphone.	Rédaction de la publicité d'un club privé.	
La rencontre, *Le Nouvel Observateur,* p. 154	Interviews/rapport oral de mini-enquête.	La société est-elle réellement responsable de « nos impossibilités amoureuses » ? Justification de votre réponse par des exemples.	Exercice 2
Le point de vue d'un historien, André Burguière, p. 158	Débat en classe entre les partisans du célibat et ceux qui trouvent que c'est une situation marginale.		Exercice 3 Exercices 4, 5
Le point de vue des sociologues a. André Gorz, p. 160 b. Gilles Lipovetsky, p. 161	Discussion-débat.		
Les charmes infinis de l'individualisme, Alain Minc, p. 163	Comparaisons interculturelles à partir du texte d'Alain Minc.	Commentaire composé.	
Avoir une nuit entière devant soi, Françoise Sagan, p. 167 **Les uns contre les autres,** chanson de Michel Berger, p. 167 **À une heure du matin,** Charles Baudelaire, p. 168 **Le solitaire,** Ionesco, pp. 169-170	Activités de compréhension proposées p. 168 après lecture des trois textes (Sagan, Chanson, Baudelaire).		

TABLE RONDE : LA VIE EN SOLO

Avantages et inconvénients du célibat. Vie matérielle et sociale des célibataires.

p. 150 *Repérages*

Les repérages des tables rondes ne nécessitent pas de correction. (dossier 3 A, B, C et dossier complémentaire).

Les questions proposées dans le livre de l'élève sont suffisamment détaillées pour aider le professeur à bien guider l'écoute et la prise de parole des élèves en classe.

Ce que nous pouvons suggérer pour la pratique de classe est de mettre, avant l'écoute de l'enregistrement, les élèves par groupe de trois ou quatre car cela facilite le partage de la compréhension entre les élèves avant d'en rendre compte en grand groupe.

D'autre part, l'enregistrement en deux parties distinctes avec deux thèmes : avantages et inconvénients du célibat et vie matérielle et sociale des célibataires permet une gestion souple de l'activité d'écoute, soit en deux temps soit en un seul, à juger en fonction du temps de classe et de l'objectif choisi par le professeur.

Nous donnons une proposition d'expression écrite pour faire le rapport de la table ronde. Cela permettra au professeur de mieux entrevoir ce qui est attendu comme production écrite de la part des élèves.

p. 150 *Manières de dire*

- **Traces de l'oralité :**

– La fonction des « euh », ils marquent soit :

- un temps de pause pour rechercher le mot ou l'expression justes (ex. : Laurence 1re réponse)
- une pause avant d'énoncer son opinion (ex. Pierre 1re réponse, Laurence 2e réponse)
- une certaine timidité ou une gêne (ex. : « quand on est euh célibataire » Laurence 3e réponse et Pierre 2e réponse).

– Répétitions de mots :

- Répétition du mot « choix » ex. : Marie-Jo « Ce n'est pas un choix c'est une contrainte ». Ce mot est important car il reprend la question de l'animatrice et permet d'approfondir la vie des célibataires. Choisit-on de vivre en célibataire ? Telle est la question. Ce mot touche les personnes interviewées et c'est pourquoi il est repris par Laurence et par Marie-Jo.
- Répétitions de verbes d'opinion comme « je pense que... » répété 3 fois par Laurence ou « j'ai envie » (3 fois également). Dans le cas de Laurence cette répétition a une fonction psychologique : elle répond à l'animatrice qui l'a volontairement provoquée en parlant de l'image caricaturale de la vieille fille. Elle répète « je pense que » 3 fois pour s'exprimer en insistant mais peut-être aussi pour se persuader elle-même. Elle n'est peut-être pas si sûre d'elle-même même si elle veut le paraître.

De même la répétition du « je le pense » repris deux fois par Marie-Jo marque l'insistance, une certitude : Marie-Jo pense qu'être célibataire est une position d'attente et elle trouve que Laurence qui vient de parler en est la démonstration même.

– La chute des voyelles :

Chute du [e] dit muet :
- « J' voulais d'mander »
- « J' pense »
- « J' me dis »
- « Je l' pense aussi
- «...beaucoup d' temps/à c'moment - là/les coups d' folie »
- « ya » pour « il y a »
- « J'pense qu'y a pas... »
- « J'pense qu'y a un phénomène... »

– **Syntaxe négative propre à l'oral :**
Chute du « ne », :
« c'est pas un choix »
« on dépense pas plus… »
« j'pense pas… »
« Vous avez pas peur de tomber… »
« Je tomberai pas dedans… j'suis pas pressée »

• **Transcription de l'interview de David :**
L'animatrice : David, vous, à l'inverse de Laurence, vous vivez avec quelqu'un. C'est plus facile de vivre avec quelqu'un que d'être seul, dans votre cas ?
David : Ben… moi j'trouve que de vivre avec quelqu'un c'est déjà bien. Bon, effectivement, on fait des sacrifices… c'est sûr… mais bon on a un certain plaisir de… de partager certaines choses… de faire des choses très agréables… de… j'pense qu'on est beaucoup moins stressé d'être à deux que toute seule… moi personnellement j'connais une personne qui vit toute seule… elle est très très mal dans sa peau à certains moments… effectivement elle a misé beaucoup sur sa carrière euh… pour le travail et tout ça… Mais euh il suffit qu'elle arrive au week-end et hop elle se retrouve toute seule et puis… euh vraiment là c'est le cafard.
Marques de l'oralité :
- Emploi des « euh »
- chute fréquente du [e] exemple j'trouve/j'pense
- « i suffit » : « il » est prononcé *i* chute du *l*.
- « toute seule » ; on entend le *t* qui est la marque du féminin (tout seul ≠ toute seule, erreur de prononciation de David).
- « de vivre avec quelqu'un » est difficilement compréhensible. On ne devine plus ce qu'a dit David car sa prononciation n'est pas très claire.

p. 150 Expression écrite

Proposition de rapport écrit de la table ronde :

Dans la première partie de la table ronde, **le thème abordé concerne** la vie du célibataire sous ses aspects positifs et négatifs.

Des trois célibataires qui prennent la parole, Laurence est celle qui semble être la plus heureuse de vivre seule car elle aime sa liberté qui lui permet d'être totalement disponible et donc de pouvoir être égoïste, sans contraintes. Alors que Pierre n'est pas de cet avis car il dit rechercher d'autant plus le contact des autres qu'il vit seul. Quant à Marie-Jo, être célibataire n'est pas un choix mais une contrainte.

Dans la deuxième partie de la table ronde, **le thème de la discussion porte sur** la vie matérielle et sociale des célibataires. **À la question de** l'animatrice qui pense qu'un célibataire dépense plus qu'un couple, **Delphine répond que**, pour elle, il n'y a pas de différence entre les dépenses d'un célibataire et celles d'un couple parce que les choses matérielles n'ont pas d'importance. **Pierre pense qu**'une famille dépense plus qu'un homme seul mais il ajoute que « les coups de folie » (pour compenser peut-être le fait d'être seul) sont surtout le fait des célibataires. **Ce avec quoi**, Delphine et Marie-Jo ne sont pas d'accord. Elles pensent qu'il est tout à fait possible d'avoir des coups de folie à deux. **Et à propos de l'aspect social, l'animatrice provoque** les réactions de Laurence en lui demandant si elle n'a pas peur de devenir « une veille fille », avec toutes les connotations péjoratives attachées à cette appellation. Laurence pense qu'elle ne tombera pas dans cette caricature ni dans celle de la « femme d'affaires » car elle souhaite avoir des enfants et vivre autrement, même si cela doit être plus tard. **À quoi**, Marie-Jo **ajoute**, en réponse à une question de l'animatrice, que de toutes façons être célibataire c'est vivre en attente d'une autre vie.

p. 151 LA VIE EN SOLO. COMMENT ILS VIVENT

D'après *Le Nouvel Observateur.*

p. 152 *Repérages*

Faits	**Citations du texte**
– Le nombre de personnes seules varie avec l'importance de la ville.	– *Vrai :* « Plus la ville est grande, plus il y a de personnes seules. »
– L'utilisation du Minitel pour rencontrer l'âme sœur a tendance à diminuer.	– *Vrai :* «… mais les utilisateurs du Minitel sont de moins en moins nombreux. »
– Lors de la première rencontre, il vaut mieux refuser une invitation à dîner.	– *Vrai* (avec une nuance) « Pour le premier rendez-vous, **n'acceptez jamais** une invitation à dîner ». Le conseil donné est plus catégorique que le fait énoncé : « il vaut mieux » indique un conseil non catégorique, on pourrait dire « il est préférable », mais le texte dit de façon beaucoup plus autoritaire : « n'acceptez jamais » ce qui est un conseil absolu.
– La communication par téléphone tend à remplacer la communication directe parce qu'elle est plus intense que celle-ci.	– *Vrai et faux :* «… nous ne communiquons pratiquement plus que par téléphone ». Les deux phrases sont équivalentes au début mais ensuite, le sens est différent : « nos relations me semblent tout **aussi** intenses ». « Aussi » marque une égalité entre les deux types de relation et non un « **plus** » comme le proposait la phrase donnée dans la colonne de gauche.
– On peut se faire une idée d'une personne à travers le message qu'elle a laissé sur son répondeur.	– *Vrai :* « les messages laissés sur les répondeurs signent une personnalité… »
– Le célibataire s'entoure de gadgets pour compenser l'absence de famille.	– *Vrai :* « À défaut de s'entourer des siens, le célibataire **se barricade** souvent derrière un arsenal de gadgets dernier cri » *Se barricader* signifie que le célibataire se protège de la solitude comme s'il s'agissait d'une bataille entre lui et sa solitude. La métaphore ajoute une nuance qualitative, comparé au verbe « s'entourer »
– Les télécommandes du salon facilitent beaucoup se vie.	– *Faux :* « Dans le salon, il se bat avec une armée de télécommandes » (métaphore de la guerre, donc la lutte, le contraire de la facilité)
– Lorsqu'il s'endort, il est parfois irrité par le trop grand nombre de gadgets qui l'entourent.	– *Faux :* « Dépité, il se couche en se demandant s'il ne va pas s'acheter le petit fax de voyage… » (il est « dépité » c'est-à-dire déçu de voir qu'il a pris 500 grammes mais il n'est pas irrité par ses gadgets puisqu'il pense à s'en acheter un nouveau : le fax de voyage).

p. 152 *Analyse*

- Oui. La classe sociale des célibataires décrits dans ce texte est la classe moyenne des cadres moyens ou supérieurs.
  La moyenne d'âge est de 30 à 45 ans et il y a autant de femmes que d'hommes.

-

Citations	Registres de langue	Hypothèses sur l'âge et la profession
« Bonjour vous êtes bien à tel numéro, vous pouvez laisser un message. Je vous rappellerai dès mon retour ».	standard	Homme ou femme de 30 ou plus. Tout type de profession.
« Salut les filles ! Racontez-moi tout » « Quel dommage… numéro ».	familier	Homme de 30 à 35. Dragueur ou bon copain avec ses « amies ». Il travaille peut-être dans la publicité comme photographe. Il connaît beaucoup de « filles » à cause de son métier…
« Vous êtes en communication avec un répondeur. C'est à vous de parler »	standard/professionnel	Homme ou femme de n'importe quel âge. Ne souhaite pas la communication. Comme le texte le dit « distant », peut-être haut-fonctionnaire ou secrétaire ayant beaucoup de responsabilités. Chez eux, ils souhaitent le calme : ne pas être dérangés.

- Relevé des noms des différents gadgets :
  – un congélateur minuscule combiné avec un réfrigérateur
  – un four à micro-ondes
  – un magnétoscope
  – un téléviseur
  – un baladeur-laser à convertisseur
  – un téléphone sans fil avec son bipeur
  – une cafetière électrique programmable
  – un pèse-personnes vocal
  – un petit fax portatif de voyage (à acheter)

À la deuxième question, les élèves répondent en fonction de leur choix.

p. 153 LE GRAND CLUB DES CÉLIBATAIRES SYMPAS

p. 153 *Repérages*

- Phrase qui s'adresse directement au lecteur :
  « Pourquoi pas vous ? »
- Slogans les plus frappants :
  « Les célibataires des années 90 sont formidables… ils recherchent un nouvel art de vivre… sans contrainte, dans une ambiance saine d'amitié et de fêtes… »
  « Le bonheur célibataire, c'est élargir sa vie ! »
  « C'est sympa d'être célibataire ! »
- **Activités**

sportives	**communicatives**	**culturelles**
– faire une balade à vélo	– sortir pour dîner	– assister à un concert, à une conférence
– partir en randonnée	– pour danser	– visiter le parc de la Villette
– jouer au golf, au tennis	– faire une partie de cartes	– perfectionner son anglais
– patiner sur la glace	– prendre un week-end de détente	– voyager avec des amis intéressants
– passer une semaine aux sports d'hiver	– accepter une soirée en tête à tête.	

p. 153 *Analyse*

Les élèves répondent personnellement aux questions proposées.

p. 153 *Expression écrite*

Proposition :

Publicité pour un club privé pour célibataires.

UNI-INTER

Sur la planète Uni-Inter
il y a des hommes et des femmes
heureux de se rencontrer
Pour eux, Uni crée une ambiance
Tel un bel été

Vous aimez
voyager
bronzer
discuter
nager
jouer
vous reposer

Bref vous êtes comme tous ceux qui recherchent
un compagnon ou une compagne pour
partager
rêver
s'amuser
écouter
En un mot aimer

Notre agence Uni-Inter, 33, avenue Mozart 75008 Paris, est ouverte du lundi au samedi de 9 heures à 20 heures. Nos hôtesses vous accueilleront. Si vous préférez nous appeler : 45 66 66 88, ou par Minitel : 3615 Uni-Inter ou encore par fax : 45 64 81 83.

À bientôt !

p. 154 LA RENCONTRE

Nicole Leibowitz, enquête Caroline Babert, *Le Nouvel Observateur.*

Notes

Beurette : féminin du terme familier « beurre ». Déformation, en verlan, du mot arabe « reben » pour évoquer un jeune d'origine maghrébine né en France, de parents immigrés.
Black : terme familier pour évoquer les personnes de race noire.
IFOP : Institut Français d'Opinion Publique. Institut de sondage, créé en 1938.
Mimi et Rodolphe : héros de l'opéra de Puccini *La Bohème* (1896).

p. 156 Repérages

•

Faits	Citations du texte
– À force de vivre ensemble, hommes et femmes se rencontrent facilement	*Faux :* « **Plus** les hommes et les femmes se côtoient, **moins** ils se rencontrent vraiment ».
– Un jour, Gabriel sera sûrement aussi amoureux que le Chérubin des *Noces de Figaro.*	*Faux :* « éprouvera-t-il un beau jour, malgré tout, cette illumination qui soudain, tel Chérubin des *Noces de Figaro* lui mettra... ». La question marque un doute. Ce n'est pas certain que Gabriel fasse la même expérience que Chérubin. Note : Chérubin est un petit page de 13 à 14 ans, charmant et précoce qui est épris en secret de sa marraine la Comtesse dans la pièce de Beaumarchais (1732-1799) *Le mariage de Figaro.*
– Fabienne craint les rencontres parce qu'elle a peur d'être déçue.	*Vrai :* « J'ai peur de me laisser aller : l'échec fait mal à l'amour-propre. » et « on croit souvent que l'on peut trouver mieux ».
– La vie dans les grandes villes et les nouvelles technologies favorisent la vraie communication.	*Faux :* « **Plus** la ville développe de possibilités de rencontres, **moins** on se rencontre. »
– Bien que le téléphone soit plus pratique, on s'écrit toujours des lettres d'amour.	*Faux :* « Les lettres d'amour ? On n'attend plus le courrier parfumé, on n'a plus ce battement de cœur... » On écrit des lettres, mais pas des lettres d'amour.
– Le sondage IFOP montre qu'une forte majorité de personnes recherchent le grand amour.	*Vrai :* « 77 % d'entre elles avouent leur ardent désir de rencontrer celui ou celle qui... dira... Ah ! oui, oui je t'aime ».
– Pour un grand nombre de sondés, la société actuelle ne favorise pas les relations humaines profondes.	*Vrai :* « Dans la ville, hommes et femmes au travail... de nos impossibilités amoureuses ? »
– Autrefois, les familles se connaissaient bien et encourageaient rencontres et mariages entre leurs enfants.	*Vrai :* « Autrefois, les liens amoureux se créaient au contact des familles. »
– Actuellement, on ne rencontre que des inconnus et cela fait peur.	*Vrai :* « 35 % des hommes et des femmes interrogés... redoutent les rencontres de hasard. »
– Pourtant beaucoup de gens croient qu'ils peuvent rencontrer dans les clubs et les discothèques, quelqu'un avec qui vivre.	*Vrai :* « 76 % des interviewés estiment que c'est en ces endroits (boîtes et discothèques) qu'ils ont le plus de chances de rencontrer celui ou celle avec qui ils fonderont un foyer. »

- **Analyse** et **résumé** de chaque paragraphe du texte :

  Paragraphe 1 : « Gabriel a 28 ans... on brûle tout, tout de suite. »

  Fonction :

  Introduction du thème de l'article : la solitude des célibataires par la présentation de deux cas semblables (un homme de 28 ans, Gabriel et une femme de 29 ans, Fabienne).

  Résumé

  Gabriel et Fabienne sont comme ces 16 millions d'hommes et de femmes qui vivent seuls en France, principalement dans les villes, où paradoxalement les nombreuses possibilités de rencontres ne favorisent pas les contacts, et où la sophistication des technologies, au lieu d'aider la communication, la nie.

  Paragraphe 2 : « Selon un sondage... lancent eux aussi des SOS. »

  Fonction :

  Justification de ce qui a été décrit précédemment par les chiffres du sondage de l'IFOP.

  Résumé

  Le sondage effectué par l'IFOP pour Uni-Inter auprès de 1000 personnes révèle que 77 % d'entre elles recherchent le grand amour même si 42 % estiment que la société actuelle ne favorise pas les relations humaines profondes.

  Paragraphe 3 : « Cela signifie-t-il que... de nos impossibilités amoureuses ? »

  Fonction :

  Commentaire du journaliste. Questions rhétoriques qui permettent d'approfondir l'analyse de la situation.

  Résumé

  Faut-il en déduire que nous sommes responsables de cette absence de vraie communication où la société qui, depuis l'école, encourage la mixité ?

  Paragraphe 4 : « Autrefois... la solitude. »

  Fonction :

  Rappel des traditions d'autrefois et comparaison avec le présent. Approfondissement de l'analyse et meilleure compréhension de l'ambivalence du comportement des célibataires d'aujourd'hui.

  Résumé

  Si, autrefois les familles et le village permettaient les rencontres en vue du mariage, aujourd'hui les célibataires ne les intéressent plus. C'est pourquoi ceux-ci ne peuvent rencontrer que des inconnus dans les lieux publics ou lors d'activités de loisirs, ce qui provoque la peur et la solitude.

  Paragraphe 5 et 6 : « Dans une implacable logique... la fin de l'article ».

  Fonction :

  Conclusion

  Résumé

  Même si 76 % des personnes interrogées disent fréquenter les discothèques ou les clubs dans l'espoir d'y rencontrer l'âme-sœur, elles sont 37 % à craindre les rencontres de hasard, par peur soit du Sida, soit des mésententes par manque de repères suffisants.

- **Résumé du texte**

  Proposition

  Gabriel et Fabienne sont comme ces 16 millions d'hommes et de femmes qui vivent seuls en France, principalement dans les villes où paradoxalement les nombreuses possibilités de rencontres ne favorisent pas les contacts. **De plus**, la sophistication des technologies de pointe, au lieu d'aider la communication entre les individus, la nie. **Ainsi**, le sondage effectué par l'IFOP pour Uni-Inter auprès de 1 000 personnes révèle que 77 % d'entre elles recherchent le grand amour même si 42 % estiment que la société actuelle rend les relations humaines superficielles. **Cependant**, faut-il en déduire que nous sommes responsables de cette absence de vraie communication où la société, qui depuis l'enfance, encourage la mixité ? **Car, si**, autrefois les familles et le village permettaient des rencontres facilitant les mariages, aujourd'hui les célibataires ne les intéressent plus. **C'est pourquoi**, ceux-ci ne peuvent que rencontrer des inconnus dans les lieux publics ou lors d'activités de loisirs, ce qui leur fait peur et engendre la solitude. **Et**, même si 76 % des personnes interrogées disent fréquenter les discothèques ou les clubs dans l'espoir d'y rencontrer l'âme-sœur, elles sont 37 % à craindre les rencontres de hasard par peur soit du Sida soit des mésententes par manque de repères suffisants.

p. 157 Analyse

- Classement des raisons qui expliquent ce phénomène de société : seize millions de célibataires

Raisons matérielles	**Raisons psychologiques**	**Raisons sociales**
– l'anonymat des villes	– repli sur soi	– éclatement de la famille
– les technologies nouvelles : télex, fax, vidéophone...	– peur de l'inconnu	– absence de réseaux relationnels
– le Sida	– peur de l'échec	
	– désespoir	

- a. **Autres propositions pour rencontrer les autres :**
  - faire partie d'une association caritative
  - s'inscrire à un parti politique
  - animer des ateliers (théâtre, dessin, lecture, marionnettes) pour les enfants de son quartier ou pour les adultes
  - écrire à des correspondants à l'étranger
  - organiser des sorties avec des collègues à but culturel, sportif ou culinaire...
  - participer à des actions ponctuelles organisées par la mairie (visite des personnes âgées, aide aux femmes enceintes...).

  b. **Autres raisons** qui peuvent expliquer le grand nombre de célibataires :
  - l'émancipation des femmes
  - le rééquilibrage entre les rôles dévolus aux hommes et aux femmes
  - la libération de la loi du divorce, l'union-libre acceptée au même titre que le mariage (du moins dans les grandes villes en France)
  - la recherche d'un équilibre personnel possible car le développement de la société ne demande plus de mariages nécessaires sur le plan économique (comme dans les sociétés rurales), etc.

p. 157 Pour fixer le vocabulaire

Expressions	**Synonymes**
Abolie, la barrière des sexes ?	– supprimer
Une désespérance le tourmente.	– découragement
Éprouvera-t-il un beau jour cette illumination ?	– ressentir
Regarder sereinement.	– avec calme
L'échec fait mal à l'amour-propre.	– sentiment que l'on a de soi-même
Dans les villes, les coups de cœur sont improbables.	– amour subit et irrésistible
Une blessure invisible qu'abritent les façades des grandes villes.	– cacher
Les sociologues insistent sur le drame qu'a engendré	– créer
l'intrusion du télex.	– l'arrivée inattendue
Des correspondants anonymes.	– inconnu
On constate depuis longtemps le déclin progressif des rencontres de voisinage.	– diminution/réduction
Celui ou celle avec qui ils fonderont un foyer.	– se marier
C'est le meilleur enseignement que nous livre ce sondage.	– donner/apporter

p. 158 LE POINT DE VUE D'UN HISTORIEN : ANDRÉ BURGUIÈRE

Le Nouvel Observateur.

Notes

Balzac Honoré de (1799-1850) : écrivain français, auteur de quelques essais, pièces de théâtre, et surtout d'une centaine de romans. Son œuvre brosse un tableau sans merci de la société française de l'époque, avec un grand art de l'observation et des détails.
Duc : titre de noblesse, indique une certaine hiérarchie (empereur, roi, prince, duc, marquis, comte, vicomte et baron)..
Malthus (1766-1834) : économiste anglais, partisan d'une politique libérale. Sa doctrine est fondée sur l'idée que la population croit plus vite que les subsistances, provoquant ainsi un déséquilibre qui conduit l'humanité à la famine.
Saint-Sulpice : grande église baroque du VIe arrondissement de Paris. Paroisse d'un milieu privilégié.

p. 159 *Repérages*

Faits	Citations du texte
– Les deux types familiaux extrêmes des sociétés développées	« La famille matricentrée de type afro-américaine... et la solitude pure et simple »
– Les pays concernés en priorité par le phénomène du célibat.	« Les pays occidentaux avec une diffusion progressive du Nord au Sud : les pays scandinaves ont été les pionniers du changement, les pays méditerranéens (...) rattrapent le peloton à marche forcée. »
– Les indicateurs de ce phénomène.	(la publicité) « Il y a quelques années, une superbe créature... Ce soir, j'ai rendez-vous avec moi. »
– Les raisons du célibat au XVIe et XVIIe siècles.	«... des contraintes professionnelles (pour les domestiques) ou à des stratégies de préservation des patrimoines... »
– Les conséquences sociologiques du célibat.	« le célibat a été un puissant facteur de régulation démographique. »
– Comment les célibataires sont considérés au XVIIIe et XIXe siècles.	« Sous la Révolution, le célibataire est l'ennemi que l'on matraque d'impôts supplémentaires. Au XIXe siècle, l'homme célibataire, souvent rentier, artiste ou homme de lettres est un monstre... turpitude... Quant à la vieille fille... compassion et mépris. »
– La raison pour laquelle le célibat est possible dans nos sociétés.	«... le célibat a pu exister... parce que nos sociétés avaient déjà atteint un niveau d'organisation et de prise en charge publique qui donnait à l'individu les moyens de ne pas dépendre intégralement de la protection familiale »

p. 159 *Analyse*

- **Relevé des noms et adjectifs à connotation négative** concernant le célibat ou le célibataire :
  - le célibataire « est l'ennemi »
    « est un monstre »
    « égoïste »
    « plein de turpitude »
  - la vieille fille « est cupide et accapareuse »
    « elle est méprisée »
    « la honte »

Relevé des termes à connotation positive ou neutre :
– le célibataire a été un puissant facteur de régulation qui a permis à l'Europe occidentale d'épargner ses ressources et d'accueillir le capitalisme...
– le célibataire est artiste, rentier, homme de lettres
– le célibat : un statut admis ou désirable
: la marginalité
– la vieille fille est appelée « mademoiselle » avec compassion.

• **Vrai ou faux**

– L'esprit du temps engendre le narcissisme.	*Vrai :* « cette solitude voulue est-elle fille du temps qui encourage les tendances les plus narcissiques de l'individu »
– Le célibat est dû à l'influence de l'Église	*Faux :* « l'importance du célibat ne peut s'expliquer directement par l'influence de l'Église... encore moins par l'impact du célibat ecclésiastique »
– L'Église protestante encourage le célibat	*Faux :* «... une partie de l'Europe occidentale, devenu protestante, supprimait le célibat ecclésiastique »)
– Au XVIIe et au XVIIIe siècles, les célibataires étaient plus nombreux chez les aristocrates que dans le peuple	*Faux :* « le nouveau célibat... touchait aussi bien les sommets que les couches inférieures de la société »
– Le célibat a eu une influence régulatrice sur la démographie.	*Vrai :* «... le célibat a été un puissant facteur de régulation démographique... »
– Au XIXe siècle on se méfie des célibataires.	*Vrai :* « au XIXe siècle, l'homme célibataire... est un monstre souvent suspecté d'égoïsme et de turpitude... »
– Le célibat est lié au développement économique du pays.	*Vrai :* « la solitude est un luxe de pays développé »

p. 160 LE POINT DE VUE DES SOCIOLOGUES :

a. André Gorz, entretien (extraits) *Le Monde.*
b. Gilles Lipovetsky, extrait de *L'ère du vide*, essai sur l'individualisme contemporain.

Notes

Narcisse : jeune homme de la mythologie grecque, d'une grande beauté. Épris de son image reflétée dans une fontaine, il languit de désespoir. À l'endroit de sa mort fleurit la fleur qui porte son nom.
Tocqueville (1805-1859) : écrivain historique et homme politique français. Sensible aux progrès constant de l'égalité, il s'est penché sur l'étude des régimes politiques. Membre de l'Académie Française.

a. André Gorz

p. 162 ## Repérages

Idées	Citations du texte
– L'individu a perdu ses repères sociaux traditionnels.	*Vrai :* « personne n'est plus assuré de sa place dans la société, les communautés d'appartenance se sont défaites... »
– De nouvelles communautés d'appartenance doivent êtres créées.	*Vrai :* « les individus... ont à former eux-mêmes, électivement, les communautés auxquelles ils puissent se sentir appartenir »
– Au quotidien l'individu se comporte comme s'il avait perdu tout intérêt dans l'action.	*Vrai :* « Ils vivent les emplois qu'ils occupent comme provisoires... »
– Il lui semble que l'idéal auquel il aspire est impossible.	*Vrai :* «... et (ils) tiennent pour inaccessible ce qu'ils déclarent néanmoins être leur idéal... »
– L'individu se sent prisonnier du système social qui fonctionne mal.	*Vrai :* « cette société... apparaît comme un ensemble de risques subis et de contraintes externes,... »
– L'État ne fait qu'aggraver la condition de l'individu.	*Vrai :* «... et que l'État cherche à faire mieux fonctionner en ajoutant à leurs contraintes celles qu'il édicte lui-même ».
– L'individu moderne veut être responsable de lui-même, agir et s'assumer pleinement. Il ne peut plus compter sur une autorité supérieure.	*Vrai :* «... la modernité réside... dans le surgissement de l'individu-sujet revendiquant le droit de définir lui-même le but de ses entreprises, de s'appartenir et de se produire lui-même ».

- **Résumé** du texte d'André Gorz. Proposition :

Comme les individus ont perdu leurs repères sociaux traditionnels, ils doivent se construire eux-mêmes en recherchant ce qui est juste pour créer de nouvelles communautés d'appartenance électives. Ils vivent leur emploi comme contingent et même s'ils le trouvent intéressant, il leur semble impossible d'atteindre cet idéal que serait un travail créatif, utile et épanouissant.

La société n'offrant ni sécurité, ni intégration, ni solidarité, est ressentie comme un carcan auquel l'État ajoute ses propres contraintes. L'individu moderne veut être responsable de lui-même, agir et s'assumer pleinement sans compter sur aucune autorité supérieure pour conférer un sens à sa vie.

p. 162 ## Analyse

Présentation de l'individu selon deux visions :

Connotations négatives
- Pas de croyance dans le progrès.
- L'histoire n'a plus de sens.
- La raison n'est plus « une » et universelle.
- Absence d'autorité supérieure ou d'ordre « naturel » qui donnerait un sens à la vie de l'homme.

Connotations positives
- L'individu définit ses propres buts, autonomie de décision.
- Il est pour lui-même son propre juge (« il s'appartient »).
- Il crée lui-même ses propres valeurs : il est responsable de ses actes, du sens de sa vie et de sa morale.
- Il définit lui-même sa propre place dans le monde, (indépendance de jugement).

b. Gilles Lipovetsky

p. 162 *Repérages*

•

Idées	Équivalents dans le texte
– L'intérêt général pour la chose publique.	«... un investissement de masse de la chose publique... »
– Le désintérêt général manifesté pour les rapports sociaux.	« la désaffection généralisée qui ostensiblement se déploie dans le social »
– Le repli sur soi	« le reflux des intérêts sur des préoccupations purement personnelles... »
– On ne se mobilise presque plus pour une cause sociale.	« la dépolitisation et la désyndicalisation... »
– L'engagement de l'individu pour la défense d'un idéal a disparu, emporté par la nouvelle idéologie qui banalise tout.	« toutes les « hauteurs » s'effondrent peu à peu, entraînées qu'elles sont dans la vaste opération de neutralisation et banalisation sociales. »
– Ce courant (qui pousse à l'inaction) fait triompher l'individu et son entourage immédiat.	« Seule la sphère privée semble sortit victorieuse de ce raz de marée apathique... »
– Isolé dans sa sphère, l'individu compte de plus en plus sur l'État.	«... ils ne cessent d'en appeler à l'État pour qu'il assure une protection plus vigilante, plus constante de leur existence »
– L'individualisme crée des conditions de vie qui augmentent nécessairement le rôle de l'État.	«... à mesure que les hommes se retirent dans leur sphère privée... ils ne cessent d'en appeler à l'État... »
– La vulnérabilité de l'individu isolé exige une force de sécurité plus importante.	«... celui-ci... crée par son isolement, son absence de bellicosité, sa peur de la violence, les conditions constantes de l'accroissement de la force publique ».

• **Résumé du texte de Gilles Lipovetsky : Proposition**

L'intérêt général pour la chose publique manifesté par l'agitation politique et culturelle des années 60 a fait place à un désintérêt généralisé pour les rapports sociaux, ce qui va de paire avec un repli de l'individu sur lui-même. Indifférent aux grandes questions idéologiques ou sociales, isolé dans sa sphère privée, l'individu compte de plus en plus sur l'État pour assurer sa protection, ce qui entraîne un renforcement constant de la force publique.

p. 162 *Analyse*

- Les traits qui opposent les années 60 à l'époque actuelle : absence d'agitation politique, sociale ou culturelle car il y a « une désaffection généralisée » pour ce qui est social et ce sont les préoccupations purement personnelles qui intéressent les individus indépendamment de la crise économique.
- À la deuxième question, chaque étudiant répond en fonction de son opinion, par groupe ou en grand groupe.

p. 163

LES CHARMES INFINIS DE L'INDIVIDUALISME ?

Alain Minc, extrait de *La machine égalitaire.*

Notes

Kant Emmanuel (1724-1804) : philosophe allemand qui a construit tout un système de pensée, plaçant la raison au cœur du monde.
Malraux André (1901-1976) : écrivain engagé et homme politique français. Son œuvre romanesque et autobiographique dénonce le totalitarisme nazi et le fascisme espagnol. Il a été ministre des Affaires Culturelles de 1959 à 1969.
Mai 1968 : vaste mouvement de contestation politique, sociale et culturelle. Né dans le milieu étudiant, la crise gagna le milieu ouvrier, révélant un malaise profond de la société.
Marx Karl (1818-1883) : philosophe et économiste allemand, théoricien du socialisme. Il est avec Engels, l'auteur du *Manifeste du Parti Communiste* en 1848.

p. 165

Compréhension

- *1re partie du texte*

Idées	**Phrases du texte**
– Les aspirations à l'égalité sont incompatibles avec l'individualisme.	« un individualisme sans limite est par nature antinomique avec les aspirations à l'égalité »
– Le culte des droits de l'homme renforce le désir d'être assisté.	« le culte des droits de l'homme a toutes les vertus mais il réhabilite l'assistance par rapport… »
– L'égalité est un principe pour lequel on ne se bat plus.	« l'égotisme triomphe… et n'a que faire des préoccupations égalitaires »

- *2e et 3e parties*

	Métaphores du texte
– L'individualisme est partout. Les systèmes politiques précédents le condamnaient.	«… le marxisme avait fait litière de l'individu… »
– Un changement fondamental s'est produit depuis cent cinquante ans.	« depuis un siècle, le vent souffla en sens contraire »
– Dans les cinquante dernières années les idées collectivistes étaient à la mode.	« le collectif avait le vent en poupe… »
– De nos jours, la morale individualiste a remplacé l'idée égalitaire.	« Kant rentre quand Marx sort »
– On avait oublié la morale et la responsabilité individuelle.	«… l'éthique, le libre choix, toutes idées qui s'étaient perdues dans la nuit des temps »
– Les nouvelles idées ont été analysées pour la première fois par Gilles Lipovetsky.	« Gilles Lipovetsky avait été le premier avec son *Ère du vide* à mettre en concepts… ce nouvel air du temps. »

- *4e partie*
  - Phrase qui pourrait résumer ce paragraphe :
    « Le moi a gagné sur les autres valeurs. »
  - Les partis et les pays qui ont essayé de combattre la liberté totale de l'individu :
    - les États-Unis,
    - la Grande-Bretagne (le parti de Margaret Thatcher),
    - la France (la droite française).

• *5e partie*

– Non. Le retour du moralisme « visera à ne pas utiliser les libertés individuelles plutôt qu'à les supprimer. »

– Les phénomènes responsables du changement actuel :
- une « adolescence précoce »
- la « contraception généralisée »
- la « multiplication des unions non maritales. »

– Ce sont les changements dans les mœurs qui transforment le plus une société (*cf.* « le pouvoir a perdu, non face à la longueur des cortèges, mais par son incapacité à se mettre au diapason de cette atmosphère. »)

– La métaphore employée par Alain Minc pour exprimer son pronostic sur la société future :
« la société en baskets et en jeans redeviendra difficilement celle du moralisme… »
La société est caractérisée par les vêtements « cool » que portent les jeunes, acteurs de cette société future.

• *6e partie*

– Les luttes actuelles sont à caractère moral (*cf.* «… pour plus ou moins de prévention, plus ou moins de répression, plus ou moins de tolérance »)

– Les Français sont divisés sur des problèmes moraux :
Conception de l'individu et ses relations avec la société.

– Métaphore de la division :
« ces nouveaux conflits… **cristallisent** une **coupure** de la France en deux… »

– André Malraux prédisait :
- la résurrection des nationalismes,
- la réapparition du religieux.

– Métaphore qui illustre la manière de prévoir le changement : « Malraux **se drapait** dans le prophétisme… »
tel un mage, ou un grand prêtre revêtu de l'habitat de drap comme la toge que revêtaient les Romains. Effet de cérémonial, mise en valeur du rôle respectable joué par Malraux aux yeux de Alain Minc.

• *7e partie*

– Activités nouvelles :
- le bricolage,
- le « do it yourself » (« faîtes le vous-même »)
- le kit ou la micro-informatique.

– Les deux dangers de l'excès d'individualisme sont :
- la disparition de l'autre
- l'exacerbation du moi.

– Métaphore :
« l'individualisme **suinte** partout… ». Image de l'eau qui sort goutte à goutte, qui s'écoule lentement. L'individualisme apparaît en douceur partout, « goutte à goutte », à dose homéopathique.

p. 165 Recherche de titres

Paragraphe 1 : Vive la différence !

Paragraphe 2 : Le raz de marée de l'individualisme.

Paragraphe 3 : On brûle aujourd'hui ce qu'on avait adoré hier.

Paragraphe 4 : À bas les interdits !

Paragraphe 5 : Une société qui choisit ses valeurs.

Paragraphe 6 : Le XXIe siècle sera moral ou ne sera pas.

Paragraphe 7 : Les limites de l'individualisme.

p. 165 Résumé oral

Propositions pour chaque paragraphe :

1. L'individualisme ne va pas avec les désirs égalitaires. Les nouvelles valeurs qui dominent sont celles qui mettent le moi au premier plan. Tout ce qui est novateur dans la société se moque de l'égalité car la différence est recherchée : il faut être différent.

2. Partout, c'est l'individualisme qui domine. En un siècle, tout a changé. Avec le marxisme ou la social-démocratie, c'était la solidarité qui prévalait sur l'individu. Maintenant c'est l'individu qui incarne tout.

3. Aujourd'hui, c'est la mode qui est remise à l'honneur.

4. Dans les comportements, l'individu a pris le dessus sur tout : il refuse les contraintes, affirme ses désirs, se libère de tout ce qui pourrait gêner son autonomie.

5. Dans la société future, le moralisme n'utilisera pas les libertés individuelles mais ne les supprimera pas non plus. Car la société a changé très profondément ; elle ne peut plus être gouvernée comme avant. Les mœurs ont changé, en particulier ceux qui touchent à la vie privée (union non-maritale, contraception...).

6. Ce qui divise la France en deux, ce ne sont pas les problèmes économiques mais les problèmes moraux qui concernent la place de l'individu dans la société. André Malraux avait prédit le retour du religieux et non celui de la morale.

7. Même dans leur passe-temps, les Français affichent un goût prononcé d'individualisme : on ne joue plus avec les copains à la belote au bistrot mais tout seul devant son ordinateur. Mais attention, l'individualisme comporte deux grands dangers : celui de rendre aveugle au point de ne plus voir ceux qui vivent à nos côtés et de favoriser de manière exagérée le culte du moi.

p. 166 Lexique et syntaxe

- **Constructions des verbes**

– Réhabiliter :

réhabiliter quelqu'un de ses droits : innocenter

Exemple : Le juge a réhabilité la victime innocente en faisant rouvrir le dossier.

réhabiliter la mémoire de quelqu'un

Exemple : Le fils a voulu réhabiliter la mémoire de son père en écrivant ce livre sur sa vie.

– Ignorer :

ignorer quelque chose ou quelqu'un = ne pas savoir, ne pas connaître

Exemples : Nul n'est censé ignorer la loi.

Mes voisins m'ignorent, ils font comme s'ils ne me connaissaient pas... je ne sais pas pourquoi ?

ignorer que + S + V = ne pas savoir

Exemple : J'ignorais que tu avais été reçu à ton concours, c'est formidable !

s'ignorer = ne pas connaître sa nature.

Exemple : Toute femme est une mère qui s'ignore.

ignorer quelque chose = ne pas avoir l'expérience de quelque chose

Exemple : Ma mère ignorait tout de la méchanceté, elle était la douceur même.

– Triompher :

triompher = vaincre avec éclat

Exemple : l'équipe gagnante triomphe.

triompher de quelque chose ou de quelqu'un = l'emporter sur

Exemples : Elle a triomphé de l'équipe adverse avec brio.

La justice finira par triompher de l'injustice.

– Mesurer :

mesurer quelque chose = évaluer la mesure de quelque chose

Exemple : Avant de couper, mesure bien la hauteur exacte des rideaux !

mesurer quelqu'un = prendre la taille de quelqu'un

Exemple : As-tu mesuré ton fils récemment ? Il me semble qu'il a grandi.

se mesurer à quelqu'un = se comparer à quelqu'un par une épreuve

Exemple : Pierre Gilles, champion de France des poids légers va se mesurer à John Smith, champion d'Europe de boxe. Le combat promet d'être splendide !

– **Prévaloir :**

avoir le dessus, l'avantage, se montrer supérieur

Exemple : Dans cette maison, c'est encore l'autorité du père qui prévaut sur les autres et c'est tant mieux !

se prévaloir de quelque chose = tirer avantage de...

Exemple : Je trouve Madame De La Roche modeste, elle ne se prévaut jamais de ses origines nobles, elle a su rester simple.

– **Viser :**

viser quelque chose ou quelqu'un = diriger avec attention son regard vers le but ou un cible à atteindre.

Exemple : Il vise la cible et la manque. Il avait mal épauler son fusil.

viser au sens figuré :

Exemple : En acceptant cette responsabilité dans l'entreprise, Jean-Charles vise le poste de direction.

viser à + nom

Exemple : Le gangster a visé le policier à la jambe.

Viser quelque chose avec quelque chose = regarder attentivement pour atteindre un projectile.

Exemple : À la pétanque, il faut viser le cochonnet avec la boule.

– **Se déterminer :**

se déterminer à faire quelque chose = se décider à faire quelque chose

Exemples : Enfin, Gilles s'est déterminé à finir ses études de médecine, j'en suis fort heureux.

Son accident l'a déterminé à abandonner la pratique du cheval.

déterminer = indiquer, délimiter avec précision.

Exemples : Déterminer le sujet de votre thèse est le plus important : évaluer, mesurer, calculer.

Il faut déterminer les dates de passation des tests.

– **Ne rien devoir à**

devoir quelque chose à quelqu'un = avoir à payer une somme d'argent à quelqu'un

Exemple : Je dois 100 francs à ton frère mais à toi je ne te dois rien.

au sens figuré :

Exemple : Je dois beaucoup à mes parents, ils m'ont toujours aidé quand j'en avais besoin, c'est très appréciable.

devoir + infinitif = être dans l'obligation de faire quelque chose.

Exemple : Je dois partir à 17 heures, j'ai un rendez-vous très important.

– **Suinter :** sortir goutte à goutte, s'écouler très lentement

Exemples : L'eau suinte le long des murs...

La plaie du soldat continuait de suinter, c'était mauvais signe.

– **Se laisser prendre à quelque chose**

être trompé par quelque chose

Exemple : Fais attention à ce garçon, ne te laisse pas prendre à son charme, c'est un séducteur né...

– **Tourner à + nom** = changer de direction/se modifier.

Exemples : Tournez à gauche derrière la maison, c'est là...

Notre discussion a tourné à la querelle, nos points de vue politiques sont par trop divergents...

Tourner quelque chose :

Exemples : Tournez la tête, les yeux, le dos

La Terre tourne autour du soleil = graviter

Se tourner vers quelqu'un :

Exemple : Tourne-toi vers moi que je te vois... comme tu as grandi, mon garçon !

- **Paraphrases**
  – *1re partie :*
  - faire prime : être en premier, avoir le plus d'importance
  - n'avoir que faire de = se moquer de, juger que quelqu'un ou quelque chose n'a aucune importance

  – *2e partie :*
  - faire litière de : littéralement, se servir de quelqu'un ou de quelque chose comme d'une litière, un lit, métaphoriquement cela signifie assujettir, écraser. L'individu n'existait pas pour le marxisme. Il n'avait aucune existence propre, c'était la masse qui comptait.
  - sauf à = excepté/à moins de...
  - avoir le vent en poupe : avoir du succès.

  – *3e partie :*
  - non que = (cause négative) ce n'est pas parce que...

  – *5e partie :*
  - à en croire (les sondages) = si on en croit les sondages...
  - se mettre au diapason = se mettre au même niveau que, comprendre.

  – *7e partie :*
  - n'en avoir que davantage de (prix) = être d'autant plus belle que...,
  La victoire n'en a que plus de prix puisqu'elle est impalpable et secrète.
  La victoire a d'autant plus de prix qu'elle est impalpable et secrète.

p. 167 LA SOLITUDE, ÇA N'EXISTE PAS...

Avoir une nuit entière devant soi..., extrait de *Répliques* de Françoise Sagan.
Les uns contre les autres, extrait d'une chanson de Michel Berger.
À une heure du matin, extrait des *Petits poèmes en prose* de Charles Baudelaire.
Le solitaire, extrait de *Le solitaire,* Eugène Ionesco.

Notes
Bécaud Gilbert : chanteur français né en 1927, surnommé « Monsieur 100 000 volts ».
Ionesco Eugène : auteur dramatique français, d'origine roumaine, né en 1912. Son œuvre dénonce l'absurdité de l'existence et des rapports sociaux à travers un univers parodique et symbolique, obsédé par l'ennui, l'enlisement et la mort.

p. 168 *Activité*

Les questions proposées dans le livre de l'élève sont données pour aider les élèves à avoir une lecture active.

Le repérage (regroupement des différents types de solitude décrits dans les trois textes) est une piste de lecture et permet aux élèves de discuter entre eux - par groupe - à propos de leur compréhension des textes.

Par exemple, pour Françoise Sagan comme pour Baudelaire la solitude est recherchée alors que ce n'est pas le cas de la solitude dont parle la chanson de Michel Berger.

Le professeur laissera les élèves réagir le plus personnellement pour favoriser leur prise de paroles et éveiller leur sensibilité.

De même le développement proposé à partir de la phrase de Françoise Sagan peut donner lieu à un travail personnel d'écrit où chaque élève aura d'autant plus envie de s'exprimer que le thème aura été agréablement débattu et approfondi en classe.

p. 171

ENTRAÎNEMENT À L'ORGANISATION TEXTUELLE

1. La logique du système

1. Moyens linguistiques qui permettent la mise en relation de différents éléments :

– Une relation de simultanéité entre des actions.
b. Du plus… au plus…, du plus… au plus…, tous les célibataires pianotent sur le Minitel.

– Une relation d'intensité progressive.
e. … de plus en plus…

– Une relation d'intensité dégressive.
e. … de moins en moins…

– Une relation de cause à conséquence.
a. Plus… plus… alors…

– Une relation rapprochant des extrêmes.
c. Certains… d'autres…

– Une relation marquant l'alternative
d. L'une… pendant que l'autre… alors que la troisième…

2. Texte sur le monde du travail

a. **Plus** la technologie industrielle se développe, **plus** le personnel des entreprises se spécialise, **alors** les employés doivent obligatoirement suivre des formations et se recycler.
b. **Des** plus jeunes **aux** plus vieux, **des** plus forts **aux** plus faibles, **tous** les employés auront à réapprendre un métier au cours de leur carrière.
c. **Certains** éviteront le spectre du chômage, **d'autres** y seront inévitablement confrontés.
d. Dans les entreprises, **les uns** suivent une formation en informatique, pendant que **d'autres** apprennent la gestion, **alors que d'autres** s'initient à la programmation. Tout le monde s'efforce ainsi d'augmenter ses compétences.
e. Car les places sont **de plus en plus** difficiles à garder et les employés sont **de moins en moins** garantis que leur formation initiale suffira, face à la rapide évolution des technologies.

3. Texte libre écrit par chaque élève sur un thème choisi par lui où il réemploie les moyens linguistiques repérés dans cet exercice pour mettre en relation les différents éléments du texte.

2. Une éternelle question

Chapeau du texte

1. Procédés rhétoriques propres à la controverse

a. L'auteur est sceptique :
« Vaincu la solitude ? Abolie, la barrière des sexes ? »
Relation d'intensité oppositive :
b. Plus les gens se côtoient, moins ils se rencontrent.
c. Pourquoi ? question qui permet d'introduire le développement.

2. Thème de l'inégalité sociale

a. **Vaincue** la pauvreté ? **Abolis**, les privilèges de classe ?
b. **Plus** le pays se développe économiquement, **moins** cela profite aux pauvres.
c. **Pourquoi ?**

Les trois premiers paragraphes du texte

1. Moyens linguistiques pour passer de l'exemple particulier au général.
Marques de la comparaison :
b. Tout comme Gabriel, Fabienne… mais elle…
c. Gabriel et Fabienne sont comme ces millions de…

Marque de l'opposition :
a. Gabriel... pourtant...
Forme de la question rhétorique :
Cela signifie-t-il que... ?

2. **Paragraphe**
Gabriel travaille 8 heures par jour depuis vingt ans **et pourtant** il ne peut s'acheter de logement. Il vit avec sa femme et ses trois enfants dans 25 m². **Tout comme** Gabriel, Fabienne travaille 40 heures par semaine et elle doit encore à 32 ans habiter chez ses parents. Gabriel et Fabienne sont comme ces millions de travailleurs auxquels le développement économique a très peu apporté. Cela signifie-t-il que les riches seuls tirent profit de l'extraordinaire croissance économique ?

Les trois derniers paragraphes du texte

1. **Organisation textuelle**
Marques de l'opposition temporelle :
a. Autrefois,... Mais on constate **depuis longtemps**...
Donner une conclusion en s'appuyant sur des données sociologiques :
b. Une chose **est sûre**, les sondages **confirment que**... % de personne redoutent...

2. **Réorganisation des notes données :**
Dans les années 60, le Parti communiste et la classe ouvrière exigeaient des salaires suffisants sinon ils menaçaient de faire grève ! **Mais** on constate **depuis les années 80** que les salaires ne suivent pas la croissance économique et les travailleurs sont dans la gêne. Une chose est sûre, **les sondages confirment que** 43 % des personnes sondées craignent une intensification des inégalités sociales.

3. Les sans-familles de l'Histoire

1. **Première partie du texte**

- **Moyens linguistiques** propres à situer le **problème dans le temps :**
Aujourd'hui... se situe entre... et...
Il y a quelques années...
- **Manière** de présenter les limites d'un problème :
Question rhétorique : cette solitude est-elle fille de l'esprit du temps... individu ?
- **Différentes façons de reprendre l'idée de solitude :**
a. La solitude pure et simple
b. (reprise) **Cette** solitude est-elle... ?
c. Le **style direct** de la publicité : « Ce soir, j'ai rendez-vous avec moi. »
d. (reprise du thème) Le phénomène = la solitude.
... **il** touche... : le pronom « il » anaphorique reprend « le phénomène » et assure la cohérence textuelle.
e. ... les pays méditerranéens **s'y** mettent... « y » pronom anaphorique renvoie à « phénomène » c'est-à-dire à vivre la solitude.
- Terme de comparaison qui permet de généraliser le problème de la France à l'Europe :
« Le phénomène n'est pas propre à la France. **Comme**... il touche presque tous les pays occidentaux avec une diffusion progressive... »

La généralisation est précisée par l'emploi tout d'abord d'une phrase négative qui indique que la France n'est pas le seul pays à connaître ce phénomène de la solitude puis la généralisation s'amplifie par l'emploi de la comparaison qui étend ce phénomène à d'autres marques de nouvelles façons de vivre pour enfin donner le champ d'action géographique du phénomène : presque tous les pays occidentaux.

2. **Thème du multilinguisme**

Aujourd'hui, l'horizon linguistique se situe entre le bilinguisme et le multilinguisme. Est-ce parce que notre époque favorise les voyages et les déplacements d'un grand nombre d'Européens ? Il y a quelques années, pour encourager le multilinguisme, des publicitaires avaient écrit dans le métro « Je t'aime » dans toutes les langues. **Ce** phénomène n'est pas propre à la France. Il se répand dans toute l'Europe. Il touche presque tous les pays occidentaux de l'Est à l'Ouest : les Hongrois parlent jusqu'à sept langues ; les Anglais et les Américains font de gros efforts pour rattraper leur retard.

4. Une révolte contre l'autorité

2. Paragraphe sur le thème du bonheur. Proposition :
Le bonheur **ne réside ni** dans la possession de biens matériels **ni** dans l'origine de notre lieu de naissance ou dans l'héritage de nos parents, **mais avant tout dans** la disposition intérieure de l'esprit et du cœur, à savoir voir et comprendre qui l'on est et ce que l'on a. Être heureux d'être vivant, de produire soi-même ce dont on est capable, de travailler en harmonie avec les autres : **ce qui implique le** respect d'autrui et de ses désirs dans la mesure où ils ne gênent pas l'ordre social, l'acceptation des différences qui au lieu d'être sources de conflits, servent de tremplins pour une meilleure connaissance et une plus grande tolérance…

5. Sphère privée, sphère publique

2. **Proposition de texte :**
Comme Jean-Jacques Rousseau, l'**avait déjà écrit** dans *l'Émile*, **à mesure que** les enfants grandissent, il leur faut de plus en plus d'autonomie et de diversité dans leurs occupations d'ordre physique, intellectuel ou créatif.
Plus l'école est répressive, **plus** l'enfant se replie sur lui et **plus** il se ferme à toutes possibilités d'écoute, perdant tout intérêt pour tout enseignement dispensé.
Aussi l'école moderne allie-t-elle une directivité nécessaire à des moments pédagogiques où l'interaction entre les élèves de la classe favorise l'équilibre entre la parole du maître et celle des élèves, créant un terrain d'apprentissage où enseignants et enseignés jouent chacun leur rôle dans une réciprocité créative.

3 B - SAUVE QUI PEUT LE DIMANCHE

TEXTES	ACTIVITÉS		ENTRAÎNEMENT
	ORAL	ÉCRIT	
Table ronde, p. 176 (Transcription pp. 242, 243)	Étude des manières de dire : classement entre les expressions exprimant l'accord, le désaccord, ou l'accord partiel.		
Supprimer le dimanche ? *Le Nouvel Observateur,* p. 179	Discussion-débat. Sondage/rapport oral en classe	Lettre adressée au courrier des lecteurs du *Nouvel Observateur*	Exercice 1. (A, B, C, D,)
Le point de vue des syndicats, Jacques Poli, *Autrement,* p. 183	Discussion en petits groupes.	Rédaction d'un texte qui décrit la situation dans votre pays.	Exercice 2
Le point de vue d'une revue économique, *L'expansion,* p. 187	Travail de repérages et d'analyse du texte par groupes.		Exercice 3
Vie et engloutissement d'un gâteau dominical, Michèle Zaoui, *Autrement,* p. 189	Analyse du texte à faire par groupes.		

TABLE RONDE : SAUVE QUI PEUT LE DIMANCHE !

François et Laurence ; Marie-Jo et François ; Étienne, Delphine et les autres.

p. 178 *Repérages*

Les questions de repérage ne nécessitent pas de correction.
Elles sont suffisamment détaillées pour aider les élèves à avoir une écoute attentive.
Possibilités de mettre la classe en groupe : chaque équipe écoute une partie de l'enregistrement en essayant de répondre aux questions données dans le livre de l'élève.

p. 178 *Manières de dire*

Expressions à classer :

	Position de principe	Position personnelle
Accord	5	1 - 12
Désaccord	4 - 9 - 13	6 - 7 - 11
Accord partiel	10	2 - 3 - 8

p. 179 SUPPRIMER LE DIMANCHE ?

Yvon le Vaillant, *Le Nouvel Observateur.*

Notes

IKEA : chaîne de grands magasins suédois où l'on trouve « tout pour la maison » (grands choix de meubles à prix avantageux et idées d'aménagement intérieur).

Paris-Match : hebdomadaire d'informations générales créé en 1928, réputé pour ses reportages photos (« le poids des mots, le choc des photos »).

Virgin Megastore : grosse société d'édition musicale fondée à Londres en 1973 et présente en France depuis 1989.

p. 181 *Repérages*

- Le journaliste commence par réfuter la thèse qui soutient que le dimanche est un jour chômé et doit être respecté comme journée de repos en reconnaissant que beaucoup de monde travaille le dimanche.

  Ainsi, il annonce avec plus de force la problématique : faut-il oui ou non supprimer le dimanche ?

- **Pour ou contre**

  – La question qu'on peut entendre au beau milieu d'une conversation est :
  « Au fait, êtes-vous pour ou contre l'ouverture des magasins le dimanche ? »

  – La réaction à cette question est passionnée : elle provoque des querelles.

  – Non, les gens ne sont pas d'accord pour supprimer le dimanche puisqu'à la question posée sur la suppression du dimanche, la conversation « monte d'un cran », c'est-à-dire que la dispute devient encore plus forte car ceux qui sont « pour » et ceux qui sont « contre » s'affrontent et ne parviennent pas à se mettre d'accord.

  – Le thème de l'historique du repos dominical est introduit dans le texte par une question rhétorique qui interroge au présent la situation décrite dans le paragraphe précédent « Qu'est-ce qui se passe ? ». Elle permet d'établir un lien discursif entre la description donnée précédemment et la suite du texte qui développe le thème en l'approfondissant puisque l'histoire aide à la compréhension de cette situation.
  Note : question rhétorique = lien de cohérence textuelle argumentative.

  – Historique : le Code du travail (Loi du 13 juillet 1906) a posé trois principes fondamentaux :
  - interdiction de faire travailler plus de 6 jours un même salarié,
  - repos hebdomadaire = 24 heures consécutives,
  - ce repos doit être donné le dimanche.

  – Les chiffres des deux sondages : le premier en 1989 et le second en 1992, montrent une progression favorable à l'ouverture des magasins le dimanche (une progression de 7 % en 3 ans).

  – Le commentaire du journaliste montre son scepticisme « il faut se méfier » car « on peut manipuler les sondages ». Cependant il reconnaît que quelque chose se passe « en profondeur » : c'est un phénomène de société.

  – **Faits actuels** qui devraient favoriser l'ouverture des magasins le dimanche.
  - La loi a été « mille » fois transgressée,
  - « maquis juridique »,
  - le temps de travail s'est réduit,
  - journée de travail : 8 heures,
  - semaine de 38 heures,
  - heures de travail annuelles : 3 600,
  - plus de temps libre, donc plus de liberté d'organisation du temps personnel de chacun,
  - les grandes surfaces apparaissent en 1960, facilitant l'offre d'achats.

– **Arguments**

Pour le dimanche	**Contre le dimanche**
- recherche d'un « espace-temps » pour courses + loisirs : un seul jour, le dimanche (la femme travaille pendant la semaine) - Les employeurs étaient contents, les employés aussi (50 francs par heure supplémentaire) - occasion d'un temps créateur	- jour « vide » - jour de l'ennui - jour inutile
Pour le samedi - on aime bien le samedi - jour animé : promenades, cinéma, on reçoit les amis - possibilité de se coucher tard et de bien manger - jour du divertissement	**Contre le samedi** - synonyme de cohue - bousculades dans les magasins - queues aux caisses - embouteillages - = jour « plein, trop plein »

– Exemples de magasins ouverts le dimanche : IKEA, Virgin.

• Le dimanche de jadis et de l'avenir
  – Le dimanche n'était plus un jour férié pendant la Révolution Française de 1793 à 1805 (*cf.* « cela a duré 12 ans »).
  – Le dimanche autrefois :
    - pratiques religieuses : messe de 8 heures ou de 11 heures (la grand-messe qui généralement était chantée)
    vêpres (à 17 heures) ou complies (office divin qui se chante après les vêpres)
    - rites familiaux : déjeuner de midi sous l'autorité incontestée du père ou de la mère.
  – Phrase qui signale le malaise du dimanche actuel
    « Je n'ai rien fait de mon dimanche, qu'est-ce que je vais faire de mon dimanche ? »
  – Avenir prévu pour le dimanche : Sa disparition qui sans doute sera regrettée (cf. « en 2015, la nouvelle presse titrera 65 % des Français regrettent massivement le dimanche d'autrefois… »)

p. 182

Analyse

• Description du samedi et du dimanche

samedi, jour « **trop** »	dimanche, jour « **sans** »
« temps plein »	« temps mort »
- cohue - jour vide	
- bousculades	- rues désertes
- faire la queue	- tout semble « mort » (« assoupies/lumières éteintes, rideaux tirés »)
- « jour plein »	- jour de l'ennui
- « trop/plein »	- jour inutile
= temps positif	= temps négatif
« la vie »	« la mort »

Ces deux jours sont antinomiques. Le lexique marque ce contraste antithétique entre « le trop plein de vie du samedi » et le « trop plein de vide du dimanche ».

• L'emploi de l'imparfait s'explique par le fait que les magasins Ikea et Virgin ont ouvert le dimanche, mais cela appartient au passé puisque Virgin a été interdit d'ouverture de dimanche (amende excessivement élevées).

- La position personnelle d'Yvon Le Vaillant est contre l'ouverture des magasins le dimanche : il pense que le dimanche devrait être un « temps créateur » et non encore un temps pour la consommation. Il souhaiterait qu'on « réapprenne à perdre son temps, à faire l'éloge de la paresse ».
- Sa position coïncide avec l'évolution de la société dans la mesure où le temps de loisirs devient de plus en plus important, il est sans doute urgent de savoir occuper son temps libre sans nécessairement « acheter » comme si la consommation était la seule activité de loisirs.

p. 182 Pour fixer le vocabulaire

Expressions	Synonymes
Mine de rien	– sans avoir l'air
Monter d'un cran	– augmenter visiblement
La conversation s'embrouille	– devenir confus
Se mordre la queue	– tourner en rond
Rouler sa caisse	– se donner l'air important

p. 182 Expression écrite

Proposition de texte envoyé au courrier des lecteurs
cf. p. 158 du livre du professeur « Exercices de style » allant avec l'exercice 2 de l'entraînement (Thème : le repos, le dimanche, texte : styles neutre/marqué)

p. 183 LE POINT DE VUE DES SYNDICATS

a. Le point de vue d'un membre de la CFTC, Alain Deleu
b. Le point de vue d'un membre de la CFDT, Jean-Pierre Dufour
Dimanche, coll. Mutations, *Autrement.*

p. 186 Repérages

•

CFTC	CFDT
– La nécessité de se reposer le dimanche - raisons religieuses - le dimanche est « le jour du Seigneur » - temps de « vie spirituelle » des ouvriers.	- le repos du dimanche est « un acquis » - repos hebdomadaire - temps plus « créatif »
– L'importance de la famille - la famille est la « priorité fondamentale », « la cellule de base » de construction de la société liée à la doctrine chrétienne.	- retour de la famille (la famille est prise au sens large des amis, des groupes de loisirs).
– Les besoins des ouvriers - les ouvriers n'étant pas des machines, ils ont besoin d'une vie spirituelle, une vie personnelle. - contre la vision matérialiste de la vie. - Les produits industriels sont faits pour les hommes et non l'inverse.	- les salariés sont aussi des consommateurs, c'est ce qui crée l'ambiguïté du problème du dimanche férié ou non. - besoins pour les travailleurs d'avoir un temps plus créatif, faire ce qu'on a envie de faire.

- **Résumé.** Proposition :

  Bien que les deux syndicalistes reconnaissent la nécessité absolue du repos dominical, ils en ont l'un et l'autre une conception différente. **Si, pour Alain Deleu de la CFTC,** le dimanche est le jour du Seigneur, synonyme de temps de vie spirituel, **pour Jean-Claude Dufour de la CFDT,** il est essentiellement « un acquis qui ne doit pas être remis en cause globalement ».

  Tous les deux placent la famille au centre de leurs préoccupations mais avec des perspectives différentes. **Pour le premier,** elle est « la cellule de base », fondatrice de la société puisqu'il récuse la conception individualiste, contraire à la doctrine chrétienne. **Pour le second,** il constate un « retour sur la famille », prise au sens large, le groupe d'amis liés aux activités du dimanche.

  Quant aux besoins des ouvriers, **Alain Deleu insiste** sur le fait prioritaire qu'ils sont des personnes ayant une vie spirituelle et des besoins liés à celle-ci et non à une idéologie matérialiste qui le choque profondément. **Le point de vue de Jean-Pierre Dufour est tout autre.** Pour lui, les salariés sont aussi des consommateurs et c'est précisément cela qui crée l'ambiguïté de la question touchant au dimanche comme jour férié ou non. Il souhaiterait que le dimanche reste un temps plus social que lucratif.

p. 186 *Analyse*

- Cette différence s'explique par le fait que pour le syndicaliste de la CFTC, la référence prioritaire est le christianisme, sa doctrine et sa morale sociale. L'interprétation des faits sociaux se fait à partir de cette référence fondatrice.

  Alors que pour le syndicaliste de la CFDT, la réalité sociale est plus complexe car son point de vue est essentiellement sociologique. Il est un observateur attentif des changements sociaux donc il est sensible à leur ambiguïté ou aux contradictions.

  L'un est dans un système de pensée unitaire (la doctrine sociale chrétienne), l'autre est dans un système de pensée pluraliste (l'observation des faits sociaux et des luttes syndicales).

- La CFTC a un point de vue idéologique même si ce syndicat connaît bien la vie des travailleurs.

  La CFDT a un point de vue pragmatique (*cf.* J.-P. Dufour il ne veut pas avoir d'idées globales sur le sujet mais au contraire, traiter la question « au coup par coup », c'est-à-dire « suivant la réalité locale »).

- Jean-Pierre Dufour note que dans les pays de l'Europe du Nord qu'il connaît bien, les dimanches semblent « déserts » et tristes. Cette dernière remarque semble contredire ce qu'il a dit précédemment, que le dimanche devrait être un moment social. C'est pourquoi il dit que sans doute cette vie sociale « doit » s'exprimer autrement ou dans d'autres lieux.

p. 186 *Pour fixer le vocabulaire*

Expressions	**Synonymes**
Une dérogation.	– une dispense
Le travail est l'aune à laquelle on mesure tout.	– la mesure
« Rogner » sur.	– ôter une petite partie de
Subvenir à ses besoins.	– gagner sa vie
Traiter une question pour quantité négligeable.	– comme étant sans grande importance
Sauf cas de force majeure.	– obligation impérative
Compromettre l'outil de travail.	– mettre en danger
Un moment lucratif.	– qui rapporte de l'argent
Une idée arrêtée.	– définitif (définitive)
Au coup par coup.	– en improvisant au fur et à mesure
Être frappé par.	– étonné.

p. 187 LE POINT DE VUE D'UNE REVUE ÉCONOMIQUE : *L'EXPANSION*

Notes

FNAC : Fédération Nationale d'Achat des Cadres, fondée en 1954. Groupe de 150 magasins spécialisés en photo, son, vidéo, micro-informatique, disques et livres. La FNAC est la première librairie de France et premier vendeur de disques et de billets de spectacles.
L'Expansion : premier groupe de presse économique et financière français dont l'origine remonte à la création du magazine du même nom, en 1967.

p. 188 *Repérages/Analyse*

- Positions des partenaires sociaux

	Magasins	Groupes sociaux	Gouvernement
Pour		x	
Contre	x		
Position peu claire			x

- Raisons invoquées par chacun des partenaires :
  Les magasins : ils se battent pour leur survie.
  Les consommateurs : ils sont pour l'ouverture des magasins le dimanche mais leurs raisons sont plus complexes car elles touchent à des légitimités contradictoires.
- Caractérisation interprétative des différents acteurs :
  – Les petits commerçants : déterminés, puissants, « se battent pour leur survie, et représentent une force électorale considérable ».
  – Les consommateurs : complexes, ne sont pas responsables.
  – Les syndicats : défendent « un droit respectable » ;
  « une position crispée » ;
  « un combat d'arrière-garde » ;
  « aiment les troupes homogènes ».
  – Les défenseurs de la famille : « sourcilleux »
  – La grande distribution : « se méfient ».
  – La FNAC : « milite pieusement… pour le repos dominical ».
  – Le groupe Virgin : serait avantagé par rapport aux grandes surfaces.
  – Le gouvernement : des « tergiversations » explicables « sur un sujet épineux ».
- Les tergiversations du gouvernement peuvent s'expliquer parce que dans une telle situation il est difficile de gérer correctement une véritable équité : permettre aux uns sans retirer aux autres. La loi doit être bonne pour tous. Comment avantager les uns sans désavantager les autres ?
- Structure du texte
  1re partie : La description des positions claires
  « Faut-il autoriser… s'y entrecroisent ».
  2e partie : La description des positions complexes
  « Les syndicats ?… aisément explicables. »
  3e partie : La conclusion en forme d'accusation.
  Explicables… une opération de publicité »
- Analyse du 3e paragraphe (2e partie)
  – La question rhétorique est employée trois fois :
  - Les syndicats ?
  - Les défenseurs de la famille ?
  - Les groupes de grande distribution ?
  Elle permet d'introduire les partenaires différents. La forme de la question est elliptique. Les syndicats ? c'est-à-dire que pensent les syndicats ? ou quelle est la position des syndicats ? celle des défenseurs de la famille ? ou que pensent les groupes de grande distribution ?

– Analyse des charnières de l'argumentation :

- Les syndicats ? : question rhétorique
  Ils défendent… : position apparente des syndicats
  Mais… : réfutation
  En réalité… : énonciation de la véritable position des syndicats selon le journal *L'Expansion.*

- « les défenseurs de la famille : question rhétorique
  On ne les savait pas si sourcilleux : commentaire/jugement
  Puisque… énonciation d'une cause connue.

- Les groupes de grande distribution ? : question rhétorique
  Ils se méfient : description
  Certes… : lien argumentatif soulignant l'assertion de ce qui précède
  … mais… : réfutation
  Surtout… : intensification du propos
  C'est pourquoi… : introduction d'un lien consécutif.

p. 189 VIE ET ENGLOUTISSEMENT D'UN GÂTEAU DOMINICAL

Michèle Zaoui, *Dimanche*, coll. Mutations, *Autrement.*

p. 190 Analyse

- Différents moments de **la vie du gâteau** :
  – La naissance : un samedi à 18 h 05, un bavarois à la framboise.
  L'habillage du gâteau : « Moi, je suis nu… minaudent les commandés. »
  – Une nuit : bonne et conviviale.
  Dimanche matin : réveil à 6 h 30.
  Voyage.
  – Exposition : figuration dans la vitrine du boulanger pendant 4 heures 45.
  Achat du gâteau : 10 h 45, départ avec une petite fille et son grand-père.
  Attente-supplice : dans le petit réfrigérateur pendant 2 heures 30.
  – Délivrance : à 14 h 30.
  Triomphe : paix du devoir accompli.
  Désir posthume : avoir l'avenir de la petite madeleine de Proust.

- Termes qui montrent **la fierté** supposé du gâteau :
  « je suis vexé » (il y a cinq jumeaux : il voudrait être unique) »
  « elle me choisit pour figurer dans la vitrine »
  « stoïque »
  « j'arbore une mine réjouie »
  « Je trône tout en haut et ce n'est que justice » (il a conscience de sa supériorité sur les autres)
  « je suis le point de mire sur cette nappe… »
  « Quelle paix ! je suis fier… mon devoir est accompli ! »
  « c'est un avenir à la « madeleine de Proust ».

- On peut faire l'hypothèse que le milieu familial où ce gâteau est dégusté est « bourgeois », de la moyenne bourgeoisie car le texte dit « en semaine ils doivent manger dans la cuisine. » Ce qui indique qu'ils n'ont pas de servante pour les aider. Leur statut

social ne leur permet pas. On imagine bien que c'est le repas du midi, un dimanche. Les enfants et les petits-enfants sont venus déjeuner chez leurs parents et grands-parents. Le repas est assez traditionnellement français :
entrée : plat de charcuterie
gigot à l'ail et légumes
plateau de fromages
gâteau.

- Ce gâteau a la prétention de ressembler à la madeleine de Proust si célèbre. On se rappelle le rôle joué par le goût de la madeleine dans l'évocation du souvenir et du mécanisme de la mémoire dans le fameux passage d'*À la recherche du temps perdu* de Marcel Proust.

Texte de Marcel Proust

Extrait de *Du côté de chez Swann*

Arrivera-t-il jusqu'à la surface de ma claire conscience, ce souvenir, l'instant ancien que l'attraction d'un instant identique est venue de si loin solliciter, émouvoir, soulever tout au fond de moi ? Je ne sais. Maintenant je ne sens plus rien, il est arrêté, redescendu peut-être ; qui sait s'il remontera jamais de sa nuit ? Dix fois il me faut recommencer, me pencher vers lui. Et chaque fois la lâcheté qui nous détourne de toute tâche difficile, de toute œuvre importante, m'a conseillé de laisser cela, de boire mon thé en pensant simplement à mes ennuis d'aujourd'hui, à mes désirs de demain qui se laissent remâcher sans peine.

Et tout d'un coup le souvenir m'est apparu. Ce goût, c'était celui du petit morceau de madeleine que le dimanche matin à Combray (parce que ce jour-là je ne sortais pas avant l'heure de la messe), quand j'allais lui dire bonjour dans sa chambre, ma tante Léonie m'offrait après l'avoir trempé dans son infusion de thé ou de tilleul. La vue de la petite madeleine ne m'avait rien rappelé avant que je n'y eusse goûté ; peut-être parce que, en ayant souvent aperçu depuis, sans en manger, sur les tablettes des pâtissiers, leur image avait quitté ces jours de Combray pour se lier à d'autres plus récents ; peut-être parce que, de ces souvenirs abandonnés si longtemps hors de la mémoire, rien ne survivait, tout s'était désagrégé, les formes - et celle aussi du petit coquillage de pâtisserie, si grassement sensuel sous son plissage sévère et dévot - s'étaient abolies, ou, ensommeillées, avaient perdu la force d'expansion qui leur eût permis de rejoindre la conscience. Mais, quand d'un passé ancien rien ne subsiste, après la mort des êtres, après la destruction des choses, seules, plus frêles mais plus vivaces, plus immatérielles, plus persistantes, plus fidèles, l'odeur et la saveur restent encore longtemps, comme des âmes, à se rappeler, à attendre, à espérer, sur la ruine de tout le reste, à porter sans fléchir, sur leur gouttelette presque impalpable, l'édifice immense du souvenir[1].

Et dès que j'eus reconnu le goût du morceau de madeleine trempé dans le tilleul que me donnait ma tante (quoique je ne susse pas encore et dusse remettre à bien plus tard de découvrir pourquoi ce souvenir me rendait si heureux), aussitôt la vieille maison grise sur la rue, où était sa chambre, vint comme un décor de théâtre, s'appliquer au petit pavillon donnant sur le jardin, qu'on avait construit pour mes parents sur ses derrières (ce pan tronqué que seul j'avais revu jusque-là) ; et avec la maison, la ville, depuis le matin jusqu'au soir et par tous les temps, la Place où on m'envoyait avant déjeuner, les rues où j'allais faire des courses, les chemins qu'on prenait si le temps était beau. Et comme dans ce jeu où les Japonais s'amusent à tremper dans un bol de porcelaine rempli d'eau, de petits morceaux de papier jusque-là indistincts qui, à peine y sont-ils plongés, s'étirent, se contournent, se colorent, se différencient, deviennent des fleurs, des maisons, des personnages consistants et reconnaissables, de même maintenant toutes les fleurs de notre jardin et celles du parc de M. Swann, et les nymphéas[2] de la Vivonne, et les bonnes gens du village et leurs petits logis et l'église et tout Combray et ses environs, tout cela qui prend forme et solidité, est sorti, ville et jardins, de ma tasse de thé.

1. *Cf. Le Flacon*, poème de Charles Baudelaire : « Parfois on trouve un vieux flacon qui se souvient. D'où jaillit toute vive une âme qui revient ». Mais le symbole chez Proust est toujours lié à une expérience concrète et personnelle : ce en quoi il n'est pas « symboliste ».
2. Les nymphéas, ou plus communément nénuphars, sont des plantes aquatiques.

activités suggérées

- Situer les différentes étapes de l'analyse menée par le narrateur, en proposant un titre pour chacune des parties.
- Montrer comment la madeleine fait « remonter » à la « surface » du souvenir, un monde de plus en plus étendu et complexe.
- Quelle comparaison caractérise la forme aboutie de cette succession de métamorphoses ?

p. 191

ENTRAÎNEMENT À L'ORGANISATION TEXTUELLE

1. Raisonnement

A. Organisation interne d'un chapeau

2. **Thème :** La nouvelle génération des années 90 (proposition)

C'est vrai, la contraception généralisée, la multiplication des unions non maritales **et même** la libéralisation de l'avortement changent plus profondément une société que des nationalisations ou des dénationalisations. **Et pourtant, comme l'explique** Alain Minc, cette génération en baskets et en jeans ne redeviendra pas celle du moralisme (même si celui-ci reprend du terrain), ni de l'extrémisme, ni du militantisme. **C'est une** génération, nouvelle, sereine, décontractée, libertaire. Une société « cool » qui ne se laissera pas gouverner comme avant.

B. Procédés d'énumération

2. **Thème :** L'interdiction de fumer dans les lieux publics (proposition)

Depuis que le ministère de la Santé a décidé de s'attaquer sérieusement aux problèmes de santé liés au tabac, une loi a été votée au parlement, elle **pose trois principes fondamentaux** :
1) **Il est interdit de** fumer dans un lieu public où le panneau d'interdiction de fumer est apposé.
2) Les restaurants **doivent avoir** une salle réservée pour les fumeurs.
3) Cette loi **doit être** respectée également dans les transports en commun : bus, train. Les avions et les trains avaient devancé la loi : on y trouvait des zones fumeurs et non-fumeurs depuis longtemps.

C. Une démarche de raisonnement

2. Repères des marques de

a. **La relation de simultanéité** qui rattache dans le texte, ce paragraphe au précédent :
Dans le même temps...

b. **La relation de cause** qui explique l'apparition des grandes surfaces : « le commerce s'adapte » = c'est la cause, la raison qui explique que les grandes surfaces apparaissent en 1960 à la périphérie des grandes villes.
Il n'y a pas de terme expliquant cette cause, c'est le sens entre les deux phrases qui suffit à établir le lien de cause à conséquence (remarquez la ponctuation).

c. **Les relations d'opposition** liées à l'apparition des grandes surfaces :
Mais... pour autant.

d. **L'explication d'un effet** inattendu :
C'est... que...

e. **Les relations de conséquence** de l'augmentation de la demande :
Donc... et... devrait... (conditionnel qui annonce la concession suivante)

f. **La marque de concession** qui minimise les conséquences positives attendues :
Pourtant... : le temps.

3. **Thème :** Les banlieues (proposition).

Dans les années 60, l'urbanisme s'adapte. Les grands ensembles apparaissent, à la périphérie des villes. **Mais**, l'attraction du centre-ville ne s'effondre pas pour autant. **C'est simplement que** les villes nouvelles n'offrent pas les mêmes plaisirs que la ville. **Donc,** il faudrait repenser les infra-structures des banlieues et tout devrait s'améliorer. **Pourtant** quelque chose achoppe : le financement.

D. Autre type d'argumentation

2. **Marques argumentatives :**

a. L'auteur
– remonte à l'origine du problème :
« déjà dès le départ… »
– énumère des preuves de mauvais fonctionnement :
« Elle… d'innombrables dérogations »
« Elle… mille fois transgressée »
– En tire un bref résumé :
« Ce qui se traduit en définitive par… »

b. Il utilise une relation de cause supplémentaire qui rend actuellement la loi inutile :
« Et aujourd'hui, elle… d'autant plus archaïque que… »
– énumère des preuves :
« La journée… la semaine… l'année… »
– résume son analyse :
« Autrement dit… »

3. **Thème :** La loi sur l'audio-visuel (proposition).

Déjà **dès le départ,** la loi du 29 juillet 1982 sur l'audio-visuel a pris une mauvaise route. Elle a connu 16 modifications importantes. Elle a été remaniée près de 2 fois par an, ce qui se traduit, en définitive par un véritable casse-tête juridique pour les producteurs et les réalisateurs. Et aujourd'hui, il est d'autant plus urgent de repenser cette loi que les problèmes économiques rencontrés par l'industrie cinématographique l'exigent. Les salles de cinéma se vident, 90 % des foyers ont un ou deux postes de télévision, le nombre d'heures passées devant le petit écran atteint 1 500 heures annuelles pour les enfants. Autrement dit, tout le monde regarde la télévision et délaisse le cinéma, il serait temps de réagir.

2. « Exercices de style »

1. Choix de « style » :

a. **Pour introduire un thème de discussion.**
Formules (de la plus objective à la plus subjective) :
« le fait est que… »
« Il est évident que… »
« On sent bien que… »
« Je suis frappée par… »

b. **Pour montrer votre désaccord sur un aspect du thème.**
Formulations (de la plus catégorique à la plus atténuée) :
«… compromet… »
«… remet en cause… »
«… apparaît que…
«… implique que… »
«… laisse supposer que… »

c. **Pour expliquer les causes d'un problème.**
Formules (de la plus neutre à la plus nuancée) :
«… du fait de… »
« c'est pour ces raisons que… »
« c'est peut-être dû à… »

d. **Pour décrire une situation problématique.**
Formules (de la plus neutre à la plus nuancée) :
« on est confronté à... »
« on se trouve face à... »
« on assiste aujourd'hui me semble-t-il à... »
« on est tenté de trouver que... »

2. **Thème :** le repos de dimanche (Propositions).

Style neutre

Le fait est que le dimanche en 1993 n'a plus la même fonction qu'il y a 30 ans. **Il me semble que** l'ouverture des magasins le dimanche compromet lourdement cet acquis des travailleurs et le rythme de la vie familiale et culturelle enraciné dans des siècles marqués par la pensée judéo-chrétienne.

Si cette question est à la mode aujourd'hui, **cela vient du fait d'un temps libre** de plus en plus important. **Ce qui est** une bonne chose en soi. **Mais,** il **faut** reconnaître qu'on est confronté à des problèmes non seulement d'ordre économique mais aussi d'ordre philosophique et moral ; problèmes qui ne sont pas prêts d'être résolus.

Style marqué

Je suis très frappé(e) par cette question du travail le dimanche, **du moins par** cette question de l'ouverture des magasins le dimanche ou non. **Bien sûr,** le dimanche n'a plus la même fonction qu'autrefois. **Mais** l'ouverture des magasins le dimanche **me paraît contraire à** la bonne marche de notre société. **Elle implique** que l'**on remet en cause** cet acquis des travailleurs et que **l'on perturbe** le rythme de la vie familiale enraciné dans des siècles marqués par la pensée judéo-chrétienne.

Si cette question est à la mode aujourd'hui, **cela est peut-être dû à ce que** le temps libre devient **de plus en plus important. Ce que je trouve, personnellement,** une très bonne chose en soi. **Mais,** on assiste aujourd'hui, me semble-t-il à l'émergence de problème non seulement d'ordre économique mais aussi d'ordre philosophique et moral ; problèmes qui ne sont pas prêts d'être résolus.

3. Écriture

Proposition de texte revendicatif des petits commerçants d'une commune située dans la banlieue de Paris.

Il n'est pas question de laisser le gouvernement autoriser l'ouverture des magasins le dimanche. Car cela **provoquera** notre mort. Nous avons déjà assez de difficultés à **survivre** face aux grandes surfaces sans qu'**en plus** une loi **scélérate achève** notre mort en nous **enterrant** !

Nous sommes nombreux à nous être constitués en associations pour **défendre** nos intérêts. Si le gouvernement ne veut pas comprendre, nous **sommes déterminés à** descendre dans la rue...

Méfions-nous de l'apparente indécision du gouvernement. **Poursuivons** notre combat. **Restons vigilants** pour que le « petit commerce », comme on l'appelle, vive et continue à exercer ses services de proximité indispensables à une commune vivante.

Les commerçants de l'Arche Verte
Commune de Gretz.

3 C - L'ÉTAT ET NOUS

TEXTES	ACTIVITÉS		ENTRAÎNEMENT
	ORAL	ÉCRIT	
Table ronde, p. 194 (Transcription pp. 243, 244)	Jeu de rôles.	Rédaction d'une circulaire annonçant une délocalisation.	
La délocalisation, *L'Express, Capital,* p. 197	Discussions des avantages et des inconvénients de la vie dans la capitale de votre pays. Exposé devant la classe.		exercices 1 et 2.
L'État doit « casquer », *L'Événement du Jeudi,* p. 202	Exposé oral ou commentaire oral des principales idées du texte.	Résumé du texte. Texte sur le comportement de vos compatriotes.	exercice 3
Les Français et la loi, *Libération, l'Événement du jeudi,* p. 204		Résumé du texte. Commentaire personnel.	
Les rapports de l'individu et de l'État, Jacques Faizant, p. 206	Discussions à propos de la consigne des dessins de Faizant.	Création d'une B.D. Rédaction du texte.	

TABLE RONDE : L'ÉTAT ET NOUS

Marie-Jo, François et Laurence sur la délocalisation/Sur le statut des fonctionnaires/ Pourquoi la délocalisation ?

Notes :

Gobelins : ancienne manufacture royale dont les ateliers de tapisserie, orfèvrerie, ébénisterie et sculpture ont longtemps été situés dans le XIIIe arrondissement (quartier des Gobelins).

p. 196

Manières de dire

Énoncés	Procédés de segmentation du discours oral
– Personne ne me dira d'aller quelque part.	« y a personne qui m'dira d'aller quelque... »
– Je pense que soit on accepte soit on refuse la délocalisation.	« moi, j'pense que soit on l'accepte avec son statut de fonctionnaire, soit on la refuse, on quitte »
– Le départ à Strasbourg de cette grande école est un problème un peu particulier.	« Y a ce problème quand même un peu particulier qui est celui de cette grande école qui vient de partir à Strasbourg »
– Ce choix présente un intérêt, il est profitable et valorisant.	« Ce choix-là, il présente un intérêt, il est profitable, il est valorisant »
– Ce choix n'a pas été généreux.	« Ce choix, ça a pas été un choix généreux »
– Ce choix est politique et répond à d'autres intérêts.	« Ce choix, il est politique, il est... il répond à d'autres intérêts que le bien-être ou l'ouverture d'esprit des gens »
– Les lieux choisis sont déjà des lieux qui sont développés.	« En même temps, les lieux qui sont choisis, Strasbourg, Toulouse, c'est déjà des lieux qui sont développés où l'industrie est installée où la... ce sont des grandes villes »
– Si on voulait vraiment délocaliser il ne fallait pas choisir Strasbourg.	«... et si on voulait vraiment délocaliser c'était pas à Strasbourg, qu'il fallait le faire »

Les fonctionnaires menacés d'exil *L'Express*

Ils ont quitté Paris *Capital*

Les enchantés du lac *L'Express*

Notes

Chambre de Commerce : les Chambres de Commerce et d'Industrie sont des établissements publics qui représentent les intérêts du commerce et de l'industrie auprès des pouvoirs publics. Elles administrent également des établissements d'enseignement.

Cresson Édith : femme politique, socialiste française, Premier ministre de François Mitterrand en 1991-1992.

Deferre Gaston (1919-1986) : homme politique français, maire de Marseille, député puis sénateur socialiste, Ministre de la France d'Outre-Mer, puis de l'Intérieur, de 1981 à 1984.

ENA : École Nationale d'Administration. Établissement public supérieur créé en 1945, chargé de former les membres de grands corps de l'État. L'ENA est installée à Strasbourg.

Léviathan : monstre aquatique phénicien. L'expression « l'État léviathan » trouve son origine dans un ouvrage de Hobbes (1651). L'auteur élabore une conception matérialiste et absolutiste de l'État qu'il définit comme le pouvoir de créer et de casser toute loi.

P.A. : petites annonces. Immobilières, sentimentales, recherches d'emploi, ventes en tout genre… on en trouve dans de nombreux journaux.
Trésor : le « Trésor public » représente les finances de l'État. Ses recettes proviennent principalement des impôts et des taxes. C'est le ministère du budget qui a pour mission d'assurer l'exécution du budget.

p. 201 *Repérages*

- Fiche pour chaque délocalisé

Nom : **Anne Maldidier**
Profession : directrice des ressources humaines
Lieu de délocalisation : 12 km de Nantes (Loire-Atlantique)
Raisons : « vivre mieux », « concilier qualité de vie et réussite professionnelle »
Opinion : très satisfaite

Nom : **Bruno Coulange**
Profession : consultant d'un cabinet de recrutement
Lieu de délocalisation : Aix-en-Provence
Raisons : temps de transport trop long
avoir une qualité de vie meilleure
Opinion : globalement satisfait (car « il aurait du mal à retrouver une autre entreprise à son niveau »)

Nom : **Joël Clerc**
Profession : publicitaire
Lieu de délocalisation : Grenoble (Isère)
Raisons : travail plus clame, relations de travail meilleures.
Temps de pause de 2 heures avec possibilités d'aller faire du ski aux portes de la ville.
Opinion : globalement satisfait (car les commerces ferment tous à 8 heures, pas assez de vie culturelle). Il a quitté Grenoble et a rejoint Paris.

Nom : **Martine Descamps**
Profession : responsable du recrutement dans une grosse entreprise de Télécommunications.
Lieu de délocalisation : Bretagne
Raisons : le désir de vivre en Bretagne
Opinion : plutôt insatisfaite (car elle s'y ennuie et a le sentiment de vieillir précocement. Pourtant son mari a réussi à trouver un poste passionnant).

Nom : **Marie-Françoise Lenon**
Profession : secrétaire de direction trilingue
Lieu de délocalisation : Bourg-d'Oisans (Isère)
Raisons professionnelles : son mari, inspecteur du Trésor, a été muté dans cette ville. (note : les inspecteurs du Trésor sont des fonctionnaires de l'État. Ils doivent accepter les postes que l'État leur donne. Ils ont la sécurité de l'emploi).
Opinion : globalement satisfaite (malgré la difficulté qu'elle a eue au début de trouver un travail correspondant à ses qualifications.)

Nom : **Paul Audouy**
Profession : PDG
Lieu de délocalisation : Bourget-du-Lac (Savoie)
Raisons professionnelles : réaliser des économies en se rapprochant de sa principale filiale déjà installée en Savoie.
Opinion : très satisfait (séduit par le lac splendide, le paysage et le climat).

Nom : **Pierre Debon**
Profession : chef de produit
Lieu de délocalisation : Bourget-du-Lac (Savoie)
Raisons : professionnelles et « allergique aux bruits et à la pollution et au stress »
Opinion : Plutôt satisfait (car il sait que pour sa carrière, il devra quitter le lac du Bourget et aller à Grenoble, Genève ou Lyon).

Nom : **Alain Laneelle**
Profession : responsable « organisation et méthodes » au Crédit Agricole
Lieu de délocalisation : Vaison-la-Romaine
Raisons : professionnelles
Opinion : globalement satisfait car sa femme a dû s'installer comme infirmière libérale avec la disponibilité et les déplacements que cela exige, et lui a eu peur de perdre les avantages financiers que lui donnait la Chambre de Commerce à Paris. S'il n'a pas retrouvé son salaire parisien, il vit mieux et est très fier de sa petite maison qu'il retape lui-même pour ses deux petits garçons.

- **Aspects positifs de la qualité de la vie** évoquée par les délocalisés heureux :
  - proximité du lieu de travail et du lieu d'habitation
  - vivre au milieu d'un paysage reposant
  - avoir une jolie maison à soi
  - profiter du calme, du climat
  - avoir plus de temps pour travailler avec les collègues, les gens sont plus disponibles qu'à Paris
  - proximité du cinéma (à Aix)

- **Aspects négatifs de la province :**
  - l'ennui
  - peu d'offres de divertissements (rock ou théâtre)
  - la ville est « morte » après 22 heures
  - les salaires y sont moindres qu'à Paris
  - difficultés pour un couple de trouver deux emplois dans la même ville

- **Raisons de ne pas quitter la capitale :**
  - la vie nocturne de Paris
  - les possibilités d'avoir un métier bien rémunéré pour le mari et pour la femme
  - les promotions y sont plus rapides
  - les lycées parisiens sont bons.

- **Résumé écrit.** Proposition :

Sur les neuf cadres interrogés qui ont quitté la capitale pour faire l'expérience de la vie en province, un seul y est revenu et encore il était globalement satisfait de sa vie professionnelle, excepté l'absence d'animation dans la ville de Grenoble le soir.

Globalement, les sept autres sont satisfaits de leur nouvelle vie car ils ont gagné en qualité de vie, en particulier concernant l'organisation de leur temps même si deux épouses ont dû faire des kilomètres pour trouver un travail correspondant à leurs qualifications (Nicole Laneelle et Marie-Françoise Lenon).

Les critères positifs sont donc le gain de temps et la qualité de la vie favorisée par l'environnement géographique (paysages, climat...) et l'habitat (la maison individuelle dont ils sont propriétaires).

Un seul couple semble à part, celui de Martine Descamps qui, bien que sa vie professionnelle ainsi que celle de son mari soit une réussite, s'ennuie en ayant le sentiment d'être vieille avant l'âge.

Même si l'expérience - dans l'ensemble - semble être positive, il reste des aspects moins positifs qui rendent la province peu attractive, comme l'absence de divertissements mais surtout la difficulté pour un couple de trouver dans la même ville un travail équivalent à ceux offerts par les entreprises dont 45 % ont leur siège à Paris.

p. 201 *Pour fixer le vocabulaire*

Expressions	Synonymes
Brûler des étapes	– franchir rapidement un parcours
Le succès n'est pas au rendez-vous	– ne pas réussir/rater quelque chose
Déchaîner les passions	– causer de vives réactions
Combler une « fringale »	– un grand appétit
Sillonner la campagne	– explorer une région
Causer un préjudice	– un tort
Les « mordus » de la voile	– les passionnés
Être un frein à	– constituer un obstacle à quelque chose
Dormir sur ses deux oreilles	– être tranquille/ne pas avoir de soucis

- Expressions proposées
  - Contexte : Un professeur parle à ses étudiants :

    « Profitez de cette année universitaire pour choisir votre orientation future, après ce sera plus difficile. »

    (Premières années de « fac » : les deux premières années après le Bac au terme desquelles les étudiants passent leur DEUG, Diplôme Universitaire d'Études Générales).
  - Contexte : Un vendeur de matériels informatiques

    « Achetez ce modèle-ci (un micro-ordinateur) vous y gagnerez en maniabilité, puisque vous me dites que vous vous déplacez fréquemment à l'étranger. »
  - Contexte : Une mère à son fils de 15 ans

    « Alexis, range ta chambre, il y en a vraiment assez d'avoir tes affaires partout : les jeans sont avec les cassettes, les livres par terre et le linge sale en boule dans un coin ! »
  - Contexte : Un étudiant fatigué

    « J'en ai assez de travailler en bibliothèque, je vais faire un tour… au café. »

p. 202 L'ÉTAT DOIT « CASQUER »

Philippe Éliakim, *L'Événement du Jeudi*

Notes

Bruxelles : capitale de la Belgique, siège de la Communauté Économique Européenne.

C.S.G. : Contribution Sociale Généralisée. Prélèvement supplémentaire sur les revenus pour permettre l'indemnisation des chômeurs.

Idiosyncrasie : dispositions personnelles particulières à réagir à l'action des agents extérieurs, physiques ou autres.

P.S. : Parti Socialiste français.

p. 203 *Repérages*

– *1re partie*

Les agriculteurs exigent :
- un revenu consistant
- une bonne retraite
- des crédits pas chers
- la protection par l'État face aux céréaliers américains et aux viticulteurs italiens
- des subventions en cas de trop de pluie, de gel ou de grêle
- un impôt en cas de sécheresse excessive.

Référence au texte, en un mot :

« en exigeant tout et en refusant les contreparties »

– *2e et 3e parties*

La plupart des Français exigent :
- des routes impeccables
- des profs en nombre suffisant
- une justice rapide
- une poste où l'on ne fait pas la queue
- des policiers à tous les carrefours
- des transports en commun performants
- des allocations familiales substantielles
- des milliards pour l'emploi
- des subventions pour tout

Référence au texte : « La plupart des Français font montre, vis-à-vis de l'État, du même infantilisme financier » (que les agriculteurs)... « Jamais sans doute la demande sociale n'a été si forte, et si faible la volonté d'en payer le prix ».

– Formule qui résume cette contradiction :

« Serions-nous collectivement givrés pour persister à réclamer ainsi le beurre et l'argent du beurre ? »

– *4e partie*

Les Parisiens sont à la fois fiers d'admirer « l'impeccable ordonnancement du défilé « offert aux chefs d'États étrangers venus pour le bicentenaire de la Révolution de 89, et en même temps ils « pestent » contre les pouvoirs publics qui ont décidé de « bloquer » la capitale.

p. 203 **Analyse**

- **Différentes constructions syntaxiques répétitives**

– Première construction syntaxique répétée :
« Que, par delà Bruxelles, il leur garantisse... »
« Qu'il leur offre une bonne retraite... »
« Qu'il les protège... »
« Que + verbe au subjonctif », construction suivant les verbes de souhait. Ici, il y a l'ellipse du verbe, « ils souhaitent que » l'État fasse beaucoup pour eux.
– Deuxième construction syntaxique répétée :
« S'il a trop plu..., ils exigent... »
« S'il a gelé... »
« S'il a grêlé... »
Si + verbe au passé composé/présent, qui marque l'hypothèse.
On pourrait dire « dans le cas où... » ou « quand... »
La répétition anaphorique de la même structure syntaxique permet de ne pas répéter le verbe (« ils exigent »).
D'un point de vue stylistique et argumentatif, la fonction de la répétition joue un rôle dans la mesure où elle met en valeur la demande incessante des agriculteurs. Connotation dépréciative voulue par l'auteur de l'article qui pense que le comportement des agriculteurs n'est pas « adulte », de même que les Français en général.

•

Repérage de la construction logique	Références textuelles
– L'affirmation :	« Les paysans ne sont pas les seuls à délirer. La plupart des Français font montre, vis-à-vis de l'État, du même infantilisme financier. »
– La démonstration par un exemple : - impératif à valeur conative - question rhétorique	« Prenons la CSG... Est-ce pour payer... ? »
- réponse à la question : explication de la raison fondée de la CSG.	« Non,... »
– La conclusion qui s'oppose à la démonstration logique précédente.	« N'importe, à plus de 60 %, ils la jugent scélérate. »

-

Construction de la troisième partie	Références textuelles
– Affirmation – Description de la situation au présent : c'est un fait. L'auteur semble d'accord avec les Français quand il écrit « on le comprend » (on = je, moi, l'auteur de l'article).	« À chaque augmentation des impôts… la nation s'émeut. On parle de… on le comprend. »
– Question rhétorique. Elle permet de développer logiquement l'attitude des Français avec leurs contradictions.	« Sont-ils prêts pour autant… ? » + énumération des exigences des Français…
– Une mini-conclusion provisoire qui résume l'attitude des Français. Antithèse « si forte/si faible » qui met en valeur la contradiction des Français dans leur attitude face à l'État.	« Jamais sans doute, la demande sociale n'a été **si forte**, et **si faible** la volonté d'en payer le prix. »
– Un argument extérieur au texte : citation d'un autre confrère qui vient illustrer le propos de l'article et qui renforce la position de l'auteur de l'article.	« Il y a quelques mois… croisade anti-impôts. »
– Conclusion sous forme de question qui s'adresse au lecteur. Le journaliste s'incluant dans cette question par le « nous ». Question qui a une grande valeur conative : elle incite le lecteur de l'article à réfléchir à son comportement face à l'État.	« Serions-nous collectivement… l'argent du beurre. »

- **Champ lexical** de deux aspects contradictoires du sentiment des Français vis-à-vis de l'État :

Attraction	*Répulsion*
– attendre beaucoup de… – exiger toujours plus – attraction/répulsion – une maille de rigueur jacobine – la fierté au cœur – remercier les autorités – aimer leur État	– diaboliser – une maille d'anarcho-grognardise – s'offusquer des grotesques idiosyncrasies mitterrandiennes – pester contre ce faste de république bananière – détester l'État

p. 203 Expression écrite

Proposition de résumé du texte :

Les agriculteurs exigent de l'État des garanties, une retraite satisfaisante, des protections face à la concurrence étrangère, des subventions ou des aides ponctuelles en fonction des aléas du climat. En demandant tout à l'État sans réciprocité de leur part, ils se comportent d'une manière illogique, peu conforme à leur sens pratique bien connu.

De même, beaucoup de Français font preuve d'un manque de maturité quand il s'agit d'argent. Ils rechignent à payer la CSG, oubliant qu'elle a été établie pour équilibrer la Sécurité Sociale, garantir le paiement des retraites et maintenir le niveau élevé des prestations maladie. Ils ne supportent pas de payer plus d'impôts et pourtant requièrent de l'État un système routier fiable, un nombre d'enseignants suffisant, des services publics compétents et rapides, des allocations familiales importantes, des milliers de francs pour l'aide à l'emploi. Est-ce bien raisonnable de vouloir réclamer ainsi « le beurre et l'argent du beurre » ? En fait, les Français entretiennent avec l'État une relation antinomique d'attraction et de répulsion, d'amour et de haine.

p. 204

LES FRANÇAIS ET LA LOI

Des dangers de l'inflation juridique

Libération.

Notes

Conseil d'État : juridiction suprême de l'ordre administratif, investi d'une mission de conseil. Cette instance consultative donne obligatoirement son avis préalable sur toute ordonnance, tout projet de loi ou décret.

Cour de justice : la Cour de justice des communautés européennes est une juridiction internationale siégeant à Luxembourg.

p. 205

Repérages

Des dangers de l'inflation juridique

- Formulation de l'idée que les citoyens doivent connaître les lois de leur pays : « Nul n'est censé ignorer la loi »
- Loi, décret, règlement, circulaire
  - Une loi : 7 500 lois (une loi est une règle ou un ensemble de règles établies par le pouvoir législatif ; en France par le Parlement).
  - Un décret : 82 000 décrets (un décret est une décision écrite émanant du pouvoir exécutif. Il est publié au Journal Officiel).
  - Un règlement : 21 000 règlements (un règlement est un acte législatif qui émane d'une autorité autre que le Parlement ; décision administrative qui pose une règle générale valable pour un nombre indéterminé de personnes ou de situations).
  - Une circulaire : plusieurs dizaines de milliers (une circulaire est une lettre reproduite en plusieurs exemplaires et adressée à plusieurs personnes à la fois).

  Dans l'ordre du plus important au moins important :
  en 1er la loi puisqu'elle est votée par le Parlement
  en 2e le décret puisqu'il émane d'une autorité
  en 3e le règlement puisqu'il est une décision administrative
  en 4e la circulaire puisqu'il s'agit d'une lettre.
- Preuves de la prolifération des textes juridiques :
  - Le rapport annuel 1991 du Conseil d'État qui indique que de 7000 pages en 1976, le Journal Officiel (qui publie tous les articles de loi) est passé à 17 000 pages en 1992 (soit 10 000 pages de plus en 16 ans, et le volume annuel des circulaires s'est accru selon les départements ministériels de 50 % à 450 % !
  - La conséquence de cette prolifération de textes juridiques qui font changer le droit sans cesse, et « parfois sans cause », entraîne une situation où « le citoyen n'est plus protégé contre le risque d'arbitraire », comme le dit le rapport du Conseil d'État.
- Critiques énoncées par le rapport du Conseil d'État :
  - L'inflation des textes signifie la dévalorisation du droit.
  - Il faudrait savoir distinguer « les grandes réformes des changements maniaques ».
  - Trop de textes ne permettent pas de savoir « distinguer l'intention de l'action, le possible du souhaitable, l'accessoire de l'essentiel, le licite de l'illicite ».
  - Toute la loi si elle est mal faite favorise la fraude : elle est une atteinte à la sécurité juridique du citoyen.

– Un catalogue d'intentions ne fait pas des lois.

Ces critiques étant très graves, le Conseil d'État recommande huit actions fondamentales pour « changer cette mentalité ».

- Lois qui ont le plus changées depuis dix-sept ans :
  – En matière de loyers (« la loi a changé en moyenne tous les six mois »).
  – Le régime de l'audio-visuel (16 textes différents depuis la loi du 29 juillet 1982).
  – Le régime des impôts (159 modifications en une seule année, l'année 1990).
- Une des raisons de la prolifération des lois tient aux changements de politique (de 1976 à 1993) :
  en 1981 : victoire de la gauche avec l'élection de François Mitterrand à la présidence,
  en 1986 : gouvernement de cohabitation (premier Ministre Jacques Chirac),
  en 1988 : retour d'un gouvernement de gauche,
  en 1993 : gouvernement de cohabitation (premier Ministre Édouard Balladur).

La loi qui tue la loi

Philippe Meyer, *L'Événement du Jeudi.*

Notes

Cars Guy des (1911) : a publié de très nombreux romans de mœurs. Il est apprécié par un public très populaire qui aime ses romans où se mêlent aventures amoureuses et policières. Les titres sont significatifs : *La Tricheuse, La Maudite* (1961).

Courteline Georges (1858-1929) : un écrivain et auteur dramatique français. Il est célèbre pour la peinture pleine de drôlerie et de sarcasme qu'il a faite des petits fonctionnaires qui exercent avec despotisme leur pouvoir sur les autres citoyens. Souvent, il a décrit le citoyen-victime de la tyrannie des lois : *Un client sérieux* (1896), *Le commissaire est bon enfant* (1899). Les pièces et les nouvelles de Courteline ont été souvent portées à l'écran.

Orwell George (1903-1950) : écrivain anglais, est l'auteur du célèbre livre *Animal farms* (1945) dans lequel, sous forme d'allégorie, il critique un régime de dictature prolétarienne « où tous les animaux sont égaux, mais certains plus égaux que d'autres ». Il est également l'auteur de *1984*, ouvrage d'anticipation.

Robbe-Grillet Alain (1922) : fait partie des écrivains qui, dans les années 60, se sont définis comme faisant partie de l'école du « nouveau roman ». Alain Robbe-Grillet écrivit ce manifeste littéraire *Pour un nouveau roman* en 1964 : où il constate que les objets sont là, pour toujours, « durs et inaltérables ». Ses romans les plus célèbres sont *Les gommes* (1953), *La jalousie* (1957). Scénariste également : *L'année dernière à Marienbad,* tourné par Resnais en 1961, a été un film-culte des années 60.

***Brazil* de Terry Gillian** : fable d'anticipation de Terry Gillian (ancien membre des Monty Python), réalisée en 1984. *Brazil,* satire démentielle ou « kafkaïenne » d'un monde hyperbureaucratique tout d'un coup déréglé par un insecte tombé dans l'ordinateur d'un fonctionnaire zélé, est devenu un film-culte.

p. 205

Repérages - Analyse

- Critiques
  – **La première critique :**
  - Critique du Conseil d'État :
  « Le droit est bavard, mou, flou »
  - Commentaire du journaliste :
  Le commentaire du journaliste fait référence à la littérature en rappelant que Stendhal, qui lisait régulièrement une page du Code civil pour cultiver un style concis et précis, ne pourrait plus le faire aujourd'hui sinon son style deviendrait « cartilagineux », c'est-à-dire « dur » et « sec » comme un roman de Robbe-Grillet (ce qui prouve que Philippe Meyer n'apprécie pas le style d'Alain Robbe-Grillet), ou serait « pelucheux », c'est-à-dire trop abondant comme celui de Guy des Cars qui est un écrivain « commercial », auteur de romans-fleuves.

  Le journaliste approuve donc la critique faite par le Conseil d'État et lui donne du « relief » en comparant cette prolifération des textes juridiques à de la mauvaise littérature.

– **La deuxième critique :**
- Critique du Conseil d'État :
« des lois fourre-tout », « préparées à la hâte » à la longueur de plus en plus importante (presque doublée au cours de ces dix dernières années).
- Commentaire du journaliste :
Le journaliste est d'accord avec la critique du Conseil d'État et utilise la métaphore du jardinier qui taille ses rosiers pour faire comprendre le processus incessant de la profusion des lois (« on émonde », « on en bouture », « on en greffe... »).
Autre image : celle de l'encre d'imprimerie qui n'est pas encore sèche qu'un autre texte est sous presse.

– **L'explication de cette prolifération des lois :**
- Critique du Conseil d'État :
Cette prolifération est due à « des changements maniaques »
- Commentaire du journaliste :
Le journaliste critique chaque ministre qui « voudrait laisser son nom attaché à une loi » et chaque « bureau ministériel montrer sa puissance en allongeant la réglementation ». Il compare cet excès de textes juridiques en se référant à George Orwell et Georges Courteline, tous deux écrivains (*cf.* notes) auquel il ajoute « un zeste » c'est-à-dire une goutte du *Brazil* de Terry Gillian. Métaphore culinaire puisqu'on ajoute un zeste de citron dans un plat de poisson, ou une salade par exemple.

• Les conséquences de l'excès de lois :
– Cette surabondance de lois avantage les escrocs qui savent comment détourner les lois avec l'aide de juristes.
– Elle permet d'opposer une loi à une autre, ce qui annihile le droit.
– Elle accuse la séparation injuste entre deux types de citoyen, ceux qui connaissent la loi ou qui ont les moyens de s'en servir en payant des juristes pour leurs propres affaires, et ceux qui sont dans l'incapacité de les connaître et donc de pouvoir s'y opposer si la loi est contre eux ou de s'en servir s'ils en ont besoin pour leur propre compte.

• La conclusion du journaliste est que cet excès de loi coupe la France en deux : « celle qui subit la loi et celle qui en profite ». *Dura lex ? Non vae victis.* C'est-à-dire « la loi est dure ? Non, malheur aux vaincus ».
Paraphrase :
La loi n'est pas dure mais elle est dure pour ceux qui ne peuvent pas la connaître : malheur à ceux-là.
Le précepte latin *Dura lex, sed lex* : *la loi est dure mais c'est la loi,* était équitable pour tous. Ce qui est grave dans la situation décrite par ces deux articles, c'est que la loi, l'excès même de lois - n'est plus la loi. À force d'avoir proliféré, elle est devenue mauvaise pour le citoyen. Le résultat est le contraire de ce qui était escompté par la volonté du législateur.

• Relevé des métaphores du texte :
– « faire son miel » : telle une abeille, Stendhal se nourrissait de la lecture du Code civil.
– « structure cartilagineuse » : le cartilage est un tissu élastique, souple, qui recouvre la surface osseuse d'une articulation.
Le style d'Alain Robbe-Grillet est donc pour le journaliste à la fois souple et dur.
– « émonder » : enlever les branches mortes d'un arbre (métaphore du jardinier).
– « bouturer » : reproduire par boutures. Une bouture est une jeune pousse coupée d'une plante qui, plantée en terre, prend racine et donne naissance à une nouvelle plante.
– « greffer » : insérer une pousse d'une plante dans une autre.
– « peaufiner » : nettoyer avec une peau de chamois (au sens concret), ce qui signifie (au sens figuré) préparer avec minutie.
– « être pain béni pour » : être très profitable/très avantageux à...
– « la manne céleste » : un cadeau du ciel.
– « passer entre les gouttes » : littéralement ne pas se faire mouiller quand il pleut, ici ne pas se faire prendre par la loi puisque une loi chasse l'autre.

p. 205 *Expression écrite*

- Informations communes aux deux textes
  - la prolifération des textes de loi
  - leur longueur de plus en plus démesurée
  - cette surabondance de lois incite à la fraude
  - cette prolifération est due aux changements ministériels.
- Informations données dans l'article de *Libération*
  - réactions de plusieurs ministres face à cette situation
  - le Conseil d'État recommande une nouvelle attitude dictée en huit actions fondamentales.
- Différences entre les deux textes

Texte de *Libération*	Texte de l'*Événement du Jeudi*
– chiffres précis	– peu de chiffres
– dates précises	– un seul exemple (l'audio-visuel)
– nombreuses citations du rapport du Conseil d'État	– quelques très courtes citations du texte officiel.
– exemples illustrant cet excès de lois : audio-visuel/loyers/impôts	

Le premier article a le souci de « rendre compte » d'une situation réelle. Le journaliste donne des faits, des chiffres, pour que le lecteur ait une vision claire de la situation révélée par le Conseil d'État : il ne donne pas d'interprétation personnelle : (article objectif).

Le deuxième article est tout autre. Il s'en prend à l'esprit beaucoup plus qu'à la lettre. C'est pourquoi le journaliste prend un plaisir évident à truffer son texte de métaphores et de références littéraires. Si le lecteur partage le même héritage culturel, il s'en trouvera flatté sinon il aura peu appris de la situation.

Le rapport du Conseil d'Etat semble être pour Philippe Meyer un prétexte pour énoncer sa critique personnelle contre un système législatif surabondant et défavorisant en fin de compte le citoyen (article subjectif). Exemples :

- **Emploi de références littéraires :** « Stendhal lisait régulièrement une page du Code… La chartreuse de Parme aurait la structure cartilagineuse d'un roman de Robbe-Grillet et le Rouge et le Noir, le style pelucheux de Guy des Cars », ou encore : « Une situation à mi chemin entre Georges Orwell et Georges Courteline… ».
- **Emploi de métaphores personnelles** comme celle du jardinier : « on émonde un paragraphe, on en bouture un autre, on en greffe quelques nouveaux. »
- **Emploi de l'ironie :** « Avec de bons juristes, plus il y a de textes, plus on a de chances de passer entre les gouttes, d'opposer une loi à une autre, de profiter des contradictions… ou des superpositions de deux règles. »

- Chaque élève fera un résumé personnel du contenu informatif donné par les deux textes en y ajoutant un commentaire personnel.

p. 206 LES RAPPORTS DE L'INDIVIDU ET DE L'ÉTAT

D'après Faizant

Note

Faizant Jacques : dessinateur d'humour français dont les dessins politiques font la une du quotidien *Le Figaro* depuis 1967.

ENTRAÎNEMENT À L'ORGANISATION TEXTUELLE

p. 207

La délocalisation

1. L'État et nous

1. a. Classement en grandes catégories

Verbes de discours qui ne peuvent appartenir qu'à l'autorité :

- menacer
- trancher
- sanctionner
- décréter
- ordonner

Verbes de discours qui ne peuvent appartenir qu'aux mécontents :

- protester
- craindre
- dénoncer
- revendiquer

Verbes de discours communs aux deux :

- préciser
- constater
- annoncer
- s'inquiéter
- défendre
- s'interroger
- estimer
- confier

b. **Exemples des différents emplois** (hors texte)

- Le Gouvernement **menace de** fermer les écoles si le calme ne revient pas dans les établissements où l'agitation des élèves ne connaît plus de bornes.
- Il faudra que les syndicats des enseignants **tranchent** sur cette question du travail (ou non) le samedi.
- Les études **sont sanctionnées** par un examen final.
- Le Conseil d'établissement **a décrété** qu'à partir de la prochaine rentrée les cours commenceraient à 8 heures au lieu de 9 heures pour permettre aux enfants de sortir plus tôt, à 16 heures au lieu de 17 heures.
- Par mesure de sécurité, le préfet de l'Isère **a ordonné** la fermeture des routes des cols enneigés.
- Les élèves des classes terminales **ont protesté** contre l'exclusion d'un de leurs camarades pour indiscipline.
- Les syndicats des dockers **craignent** une réaction vive du Gouvernement car la grève se durcit et perturbe l'approvisionnement en carburant.
- Le comité des commerçants de l'Arche Verte de Grets **dénonce** la volonté encore non affichée du Gouvernement de permettre l'ouverture des magasins le dimanche.
- Les étudiants **revendiquent** le droit de consulter un dictionnaire pendant les épreuves d'examen.
- Le préfet de l'Isère **a précisé** que cette fermeture des cols était provisoire et dès que les conditions climatiques le permettraient il ferait procéder à leur réouverture.
- Les professeurs **ont constaté** une baisse d'intérêt chez leurs élèves ; cela est sans doute dû à la fatigue de la fin du trimestre.
- Les syndicats des dockers **ont annoncé** la levée de la grève. L'approvisionnement en carburant va pouvoir reprendre.
- Le gouvernement **s'inquiète** de la recrudescence des troubles dans les banlieues.
- Chacun **défend** ses intérêts dans cette affaire judiciaire : ce qui risque de porter préjudice à la victime.
- On peut **s'interroger** sur le bien fondé de cette loi.

- Le commissaire de police **estime** avoir fait son devoir en révélant le nom des malfaiteurs à la presse…
- Le Premier ministre **a confié** l'étude de ce dossier à un comité d'experts chargé d'analyser les tenants et les aboutissants du projet d'une telle loi.

Exemples pris dans le texte « La délocalisation » p. 197 :

- « Les fonctionnaires menacés d'exil en province **protestent** ».
- « Il y a un consensus en France pour **dénoncer** l'hypertrophie de la région parisienne, **constate** Édith Cresson. »
- « L'État Léviathan n'a jamais été sérieusement menacé [...] Édith Cresson **a tranché** ».
- «… au cours desquels **a été annoncé** le transfert en province… »
- «… scrutins sans appel **ont sanctionné** une méthode dépourvue… »
- « Mon épouse n'a aucune chance de retrouver un emploi », **s'inquiète** un ingénieur
- «… **la crainte** d'un « désert » culturel… »

2. **Articles journalistiques**

1. Bon gré, mal gré, la délocalisation se fera.
   Le gouvernement **a tranché** en disant que la délocalisation se fera même si cela doit déplaire aux fonctionnaires.
   ou « Bon gré, mal gré, la délocalisation se fera », a décrété le gouvernement.
2. Il n'est pas question de nous imposer de partir en province.
   Les fonctionnaires **ont protesté** en disant qu'ils n'accepteraient pas de partir en province.
   ou Les fonctionnaires **revendiquent** le droit de ne pas partir en province.
3. Nous avons le droit de travailler où nous voulons.
   Ils **estiment** qu'ils ont le droit de travailler où bon leur semble.
4. La région parisienne est hypertrophiée, il faut que cela change.
   Édith Cresson **constate** l'hypertrophie de la région parisienne et **ordonne** le déplacement des fonctionnaires en province.
5. Tout refus de délocalisation entraînera la mise au chômage.
   Tout fonctionnaire qui **refuserait** la délocalisation **serait menacé** du chômage.
6. En octobre, 4 200 emplois du secteur public seront transférés en province.
   Le gouvernement **a annoncé** que 4 200 emplois du secteur public seraient transférés en province.
7. Pourquoi ce refus de mobilité ? Pourquoi cette crainte de la province ?
   Comment expliquer ce refus de mobilité ? Pourquoi cette crainte de la province ? **s'interroge** le Gouvernement.
   Le Gouvernement **s'interroge** sur ce refus de mobilité **et sur** cette crainte de la province manifestés par nombre de fonctionnaires.
8. « À Angers… mon épouse n'a aucune chance de trouver un emploi si on me délocalise » **s'inquiète** un ingénieur de l'Agence française pour la maîtrise de l'énergie.
9. À cela, **il précise** que tous ses parents et amis habitent dans la région parisienne comme lui.
10. Et sa femme **confie** que pour elle les meilleures écoles sont à Paris et qu'elle **revendique** pour ses enfants la meilleure éducation.
11. Ils **craignent** le désert culturel de la province.
12. Les fonctionnaires menacés d'exil en province **estiment** que « la province, c'est l'enfer ».
13. « J'ai accepté l'aventure de la délocalisation et j'adore l'Alsace, ma nouvelle région », **confie** un fonctionnaire heureux.

La délocalisation

2. C'est pourtant pour notre bien !

Le port obligatoire de la ceinture de sécurité dans les voitures.

1. **Trois mois après** le décret annonçant le port obligatoire de la ceinture de sécurité, **le succès n'est pas au rendez-vous. Et pourtant,** les statistiques affichent des chiffres prou-

vant une diminution des tués et des blessés sur les routes de notre pays. **De plus, il y a dans le pays, un consensus pour convenir** de la nécessité d'arrêter cette hécatombe des accidents de la route. **Alors pourquoi ne pas** attacher sa ceinture ?

2. **Mais les** comportements des conducteurs **restent aux antipodes de** leurs exigences maintes fois proclamées quant à la nécessité de faire cesser ce trop grand nombre d'accidentés. **D'ailleurs, on s'en souvient,** l'allocution du député La Pierre **au cours de laquelle avait été annoncée** cette mesure de sécurité **avait déchaîné de violentes passions** dans l'hémicycle.
3. **Comment expliquer cette** contradiction entre les gestes et ces paroles ?

   Face à ces conducteurs irresponsables, **existe-t-il** une solution ?

   Ce serait sous-estimer leur sens civique que de croire qu'ils refusent de porter la ceinture sous prétexte qu'un décret le demande. **Le principal écueil** : les voitures ne sont pas toutes équipées de la ceinture, ce qui crée une « gêne » pour les uns (ceux qui ont une voiture neuve équipée de ceintures de sécurité à l'avant et à l'arrière du véhicule) et un « semblant de liberté » pour les autres (la majorité pour qui la pose de la ceinture occasionne des frais supplémentaires). **À croire que** le coût **pourtant** modeste de la dite ceinture ne suffit pas à inciter à l'achat.

   Espérons que dans quelques mois, l'importance du port de la ceinture de sécurité sera comprise par nos concitoyens : la campagne publicitaire « Un petit clic vaut mieux qu'un grand choc » devrait y aider.

L'État doit « casquer »

3. Une attitude paradoxale !

Nouvel impôt pour améliorer le parc hospitalier.

1. **Les** retraités **ne sont pas les seuls** à critiquer ce nouvel impôt décidé par le gouvernement pour améliorer les conditions d'hospitalisation dans notre pays.

   L'ensemble des concitoyens **fait montre vis-à-vis de l'État** du même désaccord. **Prenons** l'impôt sur la sécheresse, **ce fameux impôt** sécheresse qui avait été décidé au cœur de l'été torride de 1988.

   Est-ce pour payer des voitures au personnel de l'Élysée que le gouvernement s'était résigné à l'instaurer ? Non, cet impôt **avait été créé, tout le monde le sait, pour** venir en aide aux régions sinistrées et pour permettre aux agriculteurs de sauver leur récolte et ainsi ne pas affamer le pays. Il en est de même pour ce nouvel impôt. **En cela, il répond exactement** aux exigences combien de fois réitérées des médecins, des infirmières et des patients eux-mêmes de renouveler les locaux souvent vétustes de bon nombre d'hôpitaux dans le pays. **N'importe, à plus de 60 %,** la population le juge exagéré.
2. **À chaque** augmentation des impôts, **fût-elle minime**, le pays rechigne. **La seule idée de** mettre la main au porte-monnaie **met les citoyens** dans un état d'énervement tel que l'on croirait à une épidémie provoquant des démangeaisons sur tout le corps. **Sont-ils prêts pour autant à** réduire leurs exigences face à l'État ? **Bien au contraire. Ils** exigent des transports urbains confortables et rapides, des services publics où la compétence des employés et leur efficacité ne leur fassent pas perdre de leur temps si précieux, des réseaux de téléphone suffisamment nombreux pour que tous et chacun puissent en bénéficier dans les villes comme dans les campagnes. **Ils** demandent **toujours plus** à la collectivité sans vouloir donner le moindre sou. **Jamais sans doute,** les demandes d'amélioration de la vie quotidienne **n'ont été si grandes** et si petite la volonté d'y mettre le prix !

DOSSIER COMPLÉMENTAIRE

LES FRANÇAIS DE L'AN 2000

4 A - LES FRANÇAIS DE L'AN 2000

LA TÉLÉVISION

TEXTES	ACTIVITÉS	
	ORAL	ÉCRIT
Table ronde, p. 210 (Transcription pp. 244-245-246)		
Le point de vue d'un sociologue : Dominique Wolton, p. 213	Discussions / débats.	
Le point de vue d'un journaliste : François de Closets, p. 215	Discussions / débats.	
Le point de vue d'un sociologue américain, Neil Postman, p. 216	Discussions / débats.	Rédaction d'un texte exprimant votre point de vue sur la télévision.

TABLE RONDE : LA TÉLÉVISION, QUELLE INFLUENCE SUR NOS MODES DE PENSER ?

Notes

Antenne 2 : société nationale de programmes de télévision française constituée en 1974. Maintenant appelée « France 2 », elle est la concurrente directe de la chaîne privée TF1.
Arte : chaîne culturelle franco-allemande qui émet depuis 1992.
FR3 : France Région 3. Société de programmes de télévision française, constituée en 1974. Chaîne nationale conservant une vocation régionale spécifique : informations, reportages, vie de la région...
J.T. : journal télévisé sur TF1 ou France 2, à 13 h ou à 20 h, celui-ci est quasiment devenu une institution, avec ses présentateurs-vedettes. On parle même de « grand-messe du 20 heures ».
La roue de la fortune : jeu télévisé précédant quotidiennement le journal télévisé de TF1. Les candidats découvrent des mots en proposant des lettres. Avec un peu de chance et d'astuce, ils peuvent gagner de bonnes sommes d'argent.
PPDA : Patrick Poivre d'Arvor. Présentateur du journal télévisé sur TF1, animateur d'émissions télévisées et radiophoniques, auteur d'ouvrages à succès.
Une famille en or : émission télévisée.

p. 210 *Avez-vous compris ?*

Étant donné la longueur de cet enregistrement, il a paru nécessaire de découper cette partie en trois (A, B, C) pour le travail de repérage.

p. 212 À PROPOS DE LA TÉLÉVISION. QUELQUES DONNÉES

Notes :

IPSOS : société française d'étude et de conseil, fondée en 1975 et spécialisée dans les sondages d'opinion.

Journal des enfants : **hebdomadaire d'information destiné aux jeunes de 10-12 ans. Il présente l'actualité sous une forme journalistique, mise à la portée des enfants.**

Télérama : **hebdomadaire culturel créé en 1950. Il présente un panorama de l'actualité concernant la télévision, la radio, le cinéma, les expositions et le théâtre.**

p. 213

LE POINT DE VUE D'UN SOCIOLOGUE : DOMINIQUE WOLTON Vive la télévision généraliste !

Notes

CNRS : Centre National de Recherche Scientifique. Établissement public français chargé de développer et de coordonner les recherches scientifiques de tout ordre.

p. 214

Repérages

Points de vue	Citations du texte
– La manipulation par l'image.	– « le spectateur n'est pas manipulé par l'image qu'il reçoit à domicile... »
– La transmission de l'information à la télé.	– « Du point de vue de l'information, la télévision est une ouverture extraordinaire au monde. Mais, l'information trop souvent tragique ne peut être consommée dans de trop grandes quantités. Il faut déterminer un seuil de tolérance. »
– L'influence des hommes politiques à la télé.	– « Il faut bien reconnaître que l'influence politique d'un intellectuel est quasi nulle... Les hommes politiques se sont trompés... les aiderait à convaincre. Il s'est en fait passé l'effet inverse : la télévision supporte assez mal la langue de bois... démystifie les hommes politiques. »
– Le rôle de la télé dans le domaine culturel.	– « L'universalisation culturelle a commencé bien avant la télévision. C'est l'économie de masse... qui entraîne la standardisation... elle adresse le même message à tout le monde. Mais chacun ne fait pas le même usage de ce qu'il reçoit. En revanche, elle est le principal outil de divertissement et devrait proposer une offre qui soit la plus riche possible ... paradoxe incroyable : les gens sont beaucoup plus curieux, plus ouverts sur le monde, et la télévision ... délivre des messages de moins en moins ambitieux.
– Le rôle des chaînes thématiques.	– « Je suis donc hostile à l'idée de croire que l'avenir de l'audio visuel sera dans les chaînes thématiques, parce qu'elles ne font que rehausser les inégalités sociales... »
– La fonction d'une chaîne généraliste.	– « Le défi de la télévision est de maintenir la pluralité d'adresse des messages. »
– L'attitude des intellectuels face à la télé.	– « Les intellectuels ont raté la télévision. Parce que au lieu d'y voir un outil fantastique d'émancipation culturelle, ils y ont vu un outil d'appauvrissement et de standardisation.
– L'intérêt d'une chaîne culturelle.	– « je suis hostile à une chaîne culturelle... Ce serait former un ghetto et faire une télévision à deux vitesses.... Mieux vaut insérer les programmes à caractère culturel au sein des autres programmes plutôt que de les isoler. »

Discussion-débat sur ce thème de la télévision et de ses pouvoirs.

p. 215 LE POINT DE VUE D'UN JOURNALISTE : FRANÇOIS DE CLOSETS Le spectacle du monde

Sciences humaines.

Notes

Closets François de : journaliste et essayiste français. Auteur d'ouvrages à succès comme *Toujours plus* ou *Tant et plus*, il anime également une émission télévisée d'information-débat, *Savoir plus*, sur des sujets de société.

p. 215 *Repérages*

Points de vue de François de Closets sur :

– La transmission de l'information à la télévision.
  - L'information n'est pas « véridique et pertinente ». Pourquoi ? Parce que la télévision ne présente que de « tout petits aspects de la réalité ».
  - Parce que ce sont des « bribes » d'information choisies qui donnent au spectateur « l'illusion » d'être en contact avec la réalité.
  Donc « cette information est pire que rien ». Elle est source d'égarement ».

– La tendance générale en ce qui concerne le rôle du journaliste.
  La tendance générale des téléspectateurs est « de négliger l'analyse du journaliste » puisqu'ils « croient » que ce qu'ils regardent est la réalité. Alors que ces « images » montrées sur le petit écran sont des « pièges » pour François de Closets.

– Le rôle du journaliste.
  Le rôle du journaliste est d'interpréter les images pour aider à la reconstruction du réel.

– Les différentes fonctions du journaliste à la télévision.
  - Fonction de questionneur (*cf.* : « son discours crée un questionnement »).
  - Fonction de critique (*cf.* : « il doit garder un sens critique »).
  - Fonction de « démanipulateur » des images manipulées.
  - Fonction d'intermédiaire entre « le direct et l'opinion générale ».

– L'objectivité du journaliste à la télévision.
  - Il doit garder un sens critique. Il doit être « polémique ». Il ne doit pas être « le greffier » de l'information donc il doit au contraire exercer son pouvoir d'interprétation critique au maximum. Ce qui constitue un « défi » permanent puisque c'est ce rôle primordial qui lui est attribué selon François de Closets.

– L'objectivité des images à la télévision.
  Il n'y a pas d'objectivité des images à la télévision pour François de Closets puisqu'elles sont toutes « manipulées », c'est-à-dire qu'elles ne rendent pas compte d'une réalité objective. Au contraire, elles sont choisies pour donner une certaine vision de la réalité car « elle énonce des faits sans les analyser », laissant croire à une « pseudo-objectivité », ce qui en définitive fausse la réalité. Seul, le journaliste peut donner des repères qui devraient permettre au spectateur de mieux comprendre ce qui lui est présenté.

p. 216 LE POINT DE VUE D'UN SOCIOLOGUE AMÉRICAIN : NEIL POSTMAN

D'après Neil Postman, *Se distraire à en mourir.*

p. 216 *Analyse*

Résumé du point de vue de Postman sur la télévision : Nous numérotons les arguments de Postman pour faciliter la discussion avec les arguments de Wolton et de François de Closets) :

1. La télévision peut avoir « une influence considérable sur la nature de la civilisation ».
2. Elle ne rend possible qu'un « seul mode de discours », seul discours : celui de l'émotion.

3. Tous les sujets sont traités « sous forme de divertissement ».
4. Les images sont plus fortes que les mots et donc court-circuitent l'introspection.
5. La stimulation visuelle est un substitut de la pensée : la précision verbale est un anachronisme. »
6. Informations toujours fragmentaires et superficielles.
7. La télévision réduit le téléspectateur à la passivité et l'égoïsme, la culture risque de devenir « triviale » car l'homme a un appétit quasi-insatiable de distractions.
8. Déclin de la pensée critique.

• **Arguments** de Dominique Wolton **contre** l'argument 1 de Postman :
Pour Wolton, la télévision, même si elle n'a qu'un seul message, n'est pas un moyen de standardisation ou de nivellement de la civilisation car chacun reçoit ce message de manière différente et elle est donc pour le téléspectateur « une ouverture extraordinaire sur le monde ».

Arguments de François de Closets contre Postman :
Pour Postman (argument 4) les images sont plus fortes que les mots et donc court-circuitent l'introspection c'est-à-dire la réflexion du téléspectateur. À quoi François de Closets lui oppose l'importance du rôle du journaliste qui, par son commentaire, va donner une distance critique et des repères d'analyse, donc des possibilités de jugement au téléspectateur. Postman ne parle pas du tout des journalistes comme si pour lui seules les images comptaient. Est-ce à dire que la TV américaine est différente de la TV française ? À discuter.

• Pour répondre correctement à la question 2 de l'**Analyse** p. 216, il nous a paru pertinent de noter clairement des points de vue de D. Wolton d'une part et de François de Closets d'autre part. Faire faire aux élèves un résumé clair des trois positions
- de Postman,
- de Wolton,
- de François de Closets,

permet une discussion plus argumentée. Les élèves pourront ainsi mieux dire de quel point de vue, ils se sentent le plus proche.

Propositions de résumés du point de vue de Wolton et de François de Closets.

a. **Point de vue de Dominique Wolton :**
- Le téléspectateur n'est pas manipulé par l'image car il a à sa disposition des codes, des valeurs qui lui permettent de se défendre face à cette image.
- La télévision est une extraordinaire ouverture au monde. Il faut cependant déterminer un seuil de tolérance car l'information est souvent trop tragique.
- La TV démystifie les hommes politiques.
- La TV est le principal outil de divertissement.
- La TV est un lien social fondamental dans la société de masse :
- Elle doit rester « généraliste »
- Il est contre les chaînes thématisées qui ne feraient « accentuer le fossé entre une TV « haut de gamme » et une autre « bas de gamme ».
- Les intellectuels ont raté la télévision parce qu'ils l'ont vue comme un « outil d'appauvrissement » alors qu'elle était « un outil fantastique d'émancipation culturelle ».

b. **Point de vue de François de Closets**
- L'information à la TV n'est pas véridique car :
- Les images sont choisies, « manipulées ».
- Les images donnent l'illusion au téléspectateur de voir la réalité, ce qui est Faux ; c'est un égarement.
- Face à cette manipulation des images télévisuelles, seul le journaliste apporte par son discours un regard « critique » « questionnant » qui donne des « repères » au téléspectateur pour lui permettre d'avoir la possibilité d'un jugement ou d'un recul.
- Rôle fondamental et irremplaçable du journaliste. Les mots ont plus de poids que les images.

4 B - LES DÉCOUVERTES SCIENTIFIQUES

TEXTES	ACTIVITÉS ORALES
Table ronde, p. 217 (Transcription pp. 247-248)	Compréhension.
Le point de vue du généticiens, *Le Point,* p. 218	Discussions / débats.
L'interview de Jacques Testart, *Le Point,* p. 219	Reformulations. Analyse du texte. Discussions / débats.
Astrophysique **Les enfants des étoiles,** p. 222	Prises de paroles libres.

TABLE RONDE : LES DÉCOUVERTES SCIENTIFIQUES L'ESPOIR SURMONTERA-T-IL LA CRAINTE ?

Note

Comité d'éthique : comité créé pour l'étude des problèmes moraux posés par l'avancement des découvertes scientifiques. Comité de bioéthique.

p. 218

BIOÉTHIQUE, LE POINT DE VUE DES GÉNÉTICIENS

Les deux visages d'une révolution biomédicale

Le Point.

Notes

ADN : acide désosyribonucléïque. Constituant d'antigènes jouant un rôle essentiel dans la compatibilité de tissus, et dont dépend la réussite d'une greffe ou d'une transplantation d'organes.
Janus : dieu romain représenté avec deux visages opposés. Il ouvre et ferme l'année (mois de janvier). À Rome, les « Portes » de son temple restaient fermées en temps de paix et ouvertes en temps de guerre afin que le dieu vienne porter secours aux hommes.
Knock : *Knock ou le triomphe de la médecine,* comédie de Jules Romain (1923) qui présente une satire de la crédulité humaine et de l'exploitation faite au non de la science. « Tout bien-portant est un malade qui s'ignore ».

p. 219

Repérages

– **La formule synthétisant** les avantages et les inconvénients du déchiffrage du génome et ses corollaires :

« le déchiffrage du génome et ses corollaires, la médecine prédictive et la thérapie génétique est un Janus à deux visages, l'un aimable l'autre inquiétant ».

Avantages	*Inconvénients*
Traitement, voire disparition des maladies génétiques gravissimes.	Le choix du sexe, la taille ou la couleur des yeux des enfants à naître.

– Non. Les 100 000 gènes qui constituent notre génome ne sont pas encore tous connus. « Il faudra bien d'autres recherches, gène après gène ».
– Non. Le professeur Jean Dausset dit qu'il n'y a pas de « limite à la connaissance » mais il faut être extrêmement vigilant sur l'exploitation des connaissances. Il faut aussi mettre des « barrières » ; en tant que président du MURS il pense qu'il faut demander à l'ONU d'ajouter à la Déclaration des Droits de l'Homme d'autres articles concernant en particulier ce domaine du patrimoine génétique de l'homme, le don d'organes ainsi que les sources d'énergie.
– Pour Jacques Testart, oui. Il a décidé d'arrêter ses recherches sur la FIV (fécondation in vitro) pour réfléchir et faire réfléchir sur cette question.
– Non. Le professeur Jean Dausset pense qu'il « faut frapper plus haut, toucher l'ONU et faire insérer des articles concernant cette question dans la Déclaration des Droits de l'Homme. »
– Pathologies traitées par la médecine prédictive :
  - le myxoèdème congénital,
  - le cancer héréditaire de la thyroïde.
– Les conséquences négatives pour les porteurs de gènes de maladie graves sont de se voir refuser des emplois comme cela s'est passé pour les sidéens et les séropositifs aux États-Unis.
– Oui. Toutes les compagnies d'assurance se comportent de la même manière : une compagnie anglaise fait exception à la règle générale qui demande beaucoup de détails sur la santé de leurs clients avant d'octroyer une assurance-vie.

Note

Vétilleux : se dit de quelqu'un qui s'attache à des détails, à des vétilles (des petits détails, des riens).

– La conséquence psychologique majeure risque d'être la suivante :
Chaque individu ayant sa carte génétique risque de se comporter comme un malade en puissance et non comme un être bien portant, avec sans doute toutes les peurs que peuvent générer un tel état d'esprit.

p. 219 L'interview de Jacques Testart

p. 221 *Repérages*

- – Définition du racisme d'après J.Testart.
  « le racisme c'est considérer que certains individus sont supérieurs à d'autres ».
  – La raison qui poussera à éliminer le fœtus :
  le peu de poids affectif que l'on a de l'embryon, du fœtus.

- Non. Les femmes pour lesquelles la FIV a été créée ne représentent plus qu'une minorité.
  – Les conséquences sont que tous les couples chez qui l'enfant ne vient pas spontanément vont faire appel à cette aide médicale. Il y aura une banalisation de la FIV.
  – Le journaliste prévoit une demande exagérée d'un père qui demanderait d'avoir un enfant qui soit indemne de ses propres défauts.
  – Jacques Testart est persuadé que dans une génération, on assistera à ce genre de demande même si - aujourd'hui - elle semble outrée.
  – L'image par laquelle il décrit la situation future est celle de l'œuf, c'est-à-dire du fœtus qui déjà aura « sa carte de facteurs de risques génétiques ». Ce qui en fera un « malade en puissance ».
  – Il préconise que dans la loi sur la bioéthique : « le diagnostic préimplantatoire sur l'embryon de la mère soit interdit. »
  – Il ne pense pas qu'on écoutera son avertissement car il remarque lui-même que même si la France adoptait une telle loi, d'autres pays de la communauté européenne ne la voterait pas.

p. 221 *Étude linguistique*

- **L'expression de la certitude**

Expressions	Contextes dans l'article :
Pas du tout	« *Le Point :* Alors, on arrête tout ? » *J.T. :* Pas du tout. »
C'est tout à fait exact	« *Le Point :* Pourtant, ces travaux n'ont pas été développés avec des visées eugénistes ? *J.T. :* C'est tout à fait exact. »
J'en suis persuadé	« *J.T. :* Vous poussez un peu loin le bouchon... Mais... J'en suis persuadé. »
Absolument pas.	« *Le Point :* Vous vous rangez dans le camp très judéochrétien des tenants de la souffrance rédemptrice ? *J.T. :* Oh là là, non ! Absolument pas. »

Pour trouver d'autres contextes où l'emploi de ces expressions serait approprié, on demandera aux élèves de se mettre par deux et de jouer un mini-jeu de rôles : questions/réponses entre un journaliste et un chanteur de rock exclusivement ou entre un défenseur de la cuisine allégée et un diététicien d'accord avec cette cuisine ou encore deux partisans de la loi anti-tabac ou un journaliste et un défenseur de la loi autorisant le travail le dimanche...

- **L'expression de la cause-conséquence**

Conditions d'emploi :

Prédisposer à

cf. : « les mutations qui prédisposent certains d'entre nous à telle ou telle maladie ». (texte 1)

Sujet	*Verbe*	*Objet 1*	*Préposition*	*Objet 2*
Les mutations	**prédisposent**	certains d'entre nous	**à**	telle ou telle maladie
(cause)				(conséquence)

Entraîner quelque chose

Référence à l'interview de chapeau « ... entraîner la société sur une pente dangereuse »

Ces techniques **entraîneraient** la société **sur** une pente dangereuse.

(quelque chose entraîne quelque chose d'autre sur... quelque chose entraîne quelque chose)

Sujet	*Verbe*	*Objet 1*	*Préposition + nom*
Ces techniques	**entraîneraient**	la société	sur une pente dangereuse
(cause)		(conséquence)	

Synonyme : amener/causer/occasionner/produire/provoquer

Amener à

Exemple : Les recherches de Testart **l'ont amené à** prendre cette décision courageuse.

Synonyme : arrêter pour réfléchir.

Sujet	*Verbe 1*	*Objet 1*	*Préposition*	*Verbe 2*	*Objet 2*
Ses recherches	**ont amené**	Testart	**à**	prendre	cette décision
(cause)			(conséquence)		

(quelque chose amener quelque chose à + nom/quelque chose amener quelqu'un à + infinitif.)

Autre exemple :
Ton indécision m'**amène** à trancher : nous irons en vacances en Espagne.
Ton échec pourrait t'**amener** bien des soucis.

Provoquer quelque chose

Référence au texte : « Les deux visages d'une révolution biomédicale ».
Exemple :

Cette maladie	provoque	des retards	qui deviennent définitifs
Sujet	*Verbe*	*Objet 1*	
Cette maladie	**provoque**	des retards…	
(cause)		(conséquence)	

Prévenir quelque chose

Référence au texte : « Les deux visages d'une révolution biomédicale ».
« Chaque homme **se trouvait prévenu de** ses prédispositions au cancer… »
(être prévenu de quelque chose = se trouver prévenu de quelque chose.)
Synonyme : informer quelqu'un de quelque chose (désagréable ou illégale) pour qu'il y remédie ou essaie d'y mettre fin.
Autre exemple :
prévenir = synonyme empêcher

Sujet 1	*Verbe*	*Objet 1*
Un diagnostic précoce	**prévient**	les accidents cardiaques
(cause)		(conséquence)

Permettre quelque chose

Exemple :

Sujet	*Verbe*	*Objet 1* (conséquence)
Ce nouveau médicament	**permet**	une guérison rapide

(quelque chose/permettre/quelque chose)

Permettre à quelqu'un de

Référence à l'interview de Jacques Testart :
« il s'agissait de permettre à des couples stériles de procréer »

La FIV	**permettait**	à des couples stériles	de	procréer.
Sujet	*Verbe*	*Objet indirect 1*	*préposition*	*+ infinitif*
(cause)		(conséquence)		

Quelque chose permettre à quelqu'un de + infinitif
quelque chose permettre à quelque chose de + infinitif
Exemple :
Le pétrole **permet** à la voiture de rouler.
(cause) (conséquence)

– Relations de cause à conséquence :
- Une forte tension **entraîne** l'aggravation de la maladie.
- Le scandale du sang contaminé **a provoqué** la chute du ministre.
- Son attitude **permet de** débloquer la situation.
- Les recherches **prédisposent** à envisager l'importance d'autres facteurs.
- Ce nouveau médicament **permet** une guérison rapide.
- Cette maladie **condamne** certains d'entre nous à la perte de la mémoire.
- Un diagnostic précoce **permet** une baisse du taux de la mortalité des jeunes enfants.
- Cette maladie **prédispose** aux accidents cardiaques.
- Une forte tension **prédispose** aux accidents cardiaques.

• Relevé des parenthèses du texte 1

Parenthèses	Fonctions
– MURS (Mouvement universel de la responsabilité scientifique)	– explication du sigle
– avec quelques autres articles (les sources d'énergie, notamment l'atome, le patrimoine génétique de l'homme et le don d'organes)	– information plus précise sur le contenu des articles.
– aux illusions (de croire par exemple que tout est possible, ce qui sera loin d'être le cas)	– précision apportée par l'exemple renforcement de l'argumentation + commentaire soulignant l'illusion d'une telle croyance
– le cancer (héréditaire)	– précision de la nature du cancer. (information supplémentaire)
– (bien qu'une compagnie britannique « casse la baraque » en ne demandant aucun certificat médical)	– énonciation d'une exception par rapport à l'ensemble des compagnies d'assurance.

La fonction dominante de la parenthèse dans un texte argumenté est d'ajouter un plus d'information que ce soit en expliquant, en énonçant une vérité autre, en donnant de nouveaux éléments qui précisent un terme trop général. Ce plus informatif renforce l'argumentation.

p. 222 ASTROPHYSIQUE

Les enfants des étoiles

Jean-Marie Cavada, Hubert Reeves, Yves Coppins, extrait de l'émission *La marche du siècle.*

Note

Aristote (384-322 avant J.C.) : philosophe grec, auteur d'un grand nombre de traités de logique, politique, biologie, physique et métaphysique. Fondateur de la logique formelle, son système repose sur une conception rigoureuse de l'univers.

4 C - L'OUVERTURE À L'EUROPE

TEXTES	ACTIVITÉS	
	ORAL	ÉCRIT
Table ronde, p. 224 Transcription pp. 249-250	Compréhension.	
Les jeunes et l'Europe, *Le nouvel Observateur,* p. 226	Compréhension.	
Les Pères de l'Europe, *L'Événement du Jeudi,* p. 227	Comparaison des textes.	Élaboré un texte à la manière de Victor Hugo au service d'une idée à laquelle vous croyez.
(1849) **Oui, vive l'Europe,** Victor Hugo p. 227	Par petits groupes, faire le portrait stéréotypé des Français tel que vous pensez qu'ils sont vus pas vos compatriotes.	
Comment les Européens voient les Français, *L'Événement du Jeudi,* p. 228	Analyse du texte et discussions.	
Excusez-moi d'être français, d'André Frossard, p. 230	Discussions. Débats.	
Le goût de l'autre, d'Érik Orsenna p. 232	Analyse du texte. Discussions.	

TABLE RONDE : L'OUVERTURE À L'EUROPE

Notes

CE2, CM1, CM2 : ce sont les troisième, quatrième et cinquième années du cycle primaire obligatoire (cours élémentaire deuxième année et cours moyen première et deuxième année). Les élèves ont de 8 à 12 ans environ.
Maastricht : traité de l'Union économique, monétaire et politique conclu en décembre 1991 par les chefs d'Etat européen. Maastricht est une ville de Hollande.
Traité de Rome : traité signé le 25 mars 1957, qui a créé la Communauté Economique Européenne.

p.226 LES JEUNES ET L'EUROPE

Propos recueillis par Laure Panerai, *Le Nouvel Observateur.*

Les questions ne nécessitent aucune correction.
Nous donnons une proposition d'un résumé oral pour permettre au professeur de se faire une idée de la production attendue des élèves.

p.226 Avez-vous compris ?

François Malye est un journaliste de 34 ans. Il a fait une enquête auprès des jeunes européens. Pour cela, il a voyagé dans 14 villes de la Communauté en allant dans les bistrots, les facs pour rencontrer les jeunes.

En premier, il a observé qu'ils étaient dans l'ensemble « déboussolés ». Il faut dire qu'ils ont vécu « quatre révolutions » dont ils ne sont pas les acteurs mais des spectateurs passifs :
- la révolution « technologique »
- la révolution « économique et politique »
- et aussi la révolution « sociale » avec le sida.

Proposition de résumé « oral »

Ensuite à la question du journaliste concernant l'espoir des jeunes, il répond qu'ils espèrent que leurs craintes ne se réaliseront pas. La première crainte est celle du chômage. C'est l'emploi qui les préoccupe le plus. Puis vient la peur du sida. Et ils ont aussi peur du fascisme et de la guerre. En général, ils sont inquiets. Mais, il ajoute que les préoccupations des jeunes ne sont pas les mêmes partout. L'Europe est une mosaïque. Et il ne croit pas que l'opposition que l'on fait habituellement entre l'Europe du Nord et l'Europe du Sud soit pertinente. Chacun garde sa part d'originalité.

À la question de savoir si les jeunes connaissent l'Europe, il répond que ce sont les Hollandais qui voyagent le plus et que les Français sont les plus individualistes. Il précise que certains comme les Grecs ou les Irlandais aimeraient voyager plus mais qu'ils ne peuvent pas le faire, faute de moyens.

Quant à l'Europe, dans l'ensemble, ils n'aiment pas la manière dont les journalistes en parlent. Pour eux, le concept d'Europe reste quelque chose de formidable.

Texte complémentaire

Si ce thème de l'Europe intéresse particulièrement les élèves, ce texte du *Nouvel Observateur* du 17 décembre 1992 complètera leurs informations. Nous proposons des questions de compréhension.

L'EUROPE EN JEUX

Pendant deux mois, 50 000 étudiants européens se sont mesurés à travers des épreuves culturelles. L'occasion de faire des grandes fêtes, et une finale ce 19 décembre à Strasbourg.

« L'Europessimisme ? Connais pas. » Pour Mathieu, qui est monté à Paris avec une vingtaine de copains pour défendre les couleurs de sa fac aux Jeux du Troisième Millénaire, c'est clair : l'Europe surmontera ses problèmes actuels. *« Il s'est écoulé plus de trente ans depuis le traité de Rome, il y a eu des crises pas possibles, et pourtant c'est le marché unique dans trois semaine »*, plaide de son côté Juliette, qui défend les couleurs d'une école de commerce. Deux étudiants parmi les 2 000 qui ont passé leur dimanche 6 décembre au grand amphi de la Sorbonne, dans une atmosphère de kermesse. L'enjeu ? Désigner l'équipe de cinq étudiants qui représentera la France aux finales. En quatre-vingt-dix minutes, les candidats devaient répondre à cent questions élaborées par le CNRS et l'Insead (Institue européen d'Administration des Affaires). Dans le genre « Qu'a publié Marco Polo à son retour de Chine ? » ou « Qui s'est affronté, à la bataille de Sadowa ? » (voir encadré). Polytechnique a remporté l'épreuve avec 78 % de bonnes réponses, devant les universités de Reims, Paris-Dauphine et Nantes, deuxièmes ex æquo, suivies de HEC, le CESEM (Centre d'Etudes supérieures européennes de Management), la Catho-Lille, l'ESSCA d'Angers et Strasbourg-III.

À quelques encablures de là, dans les bureaux de CHK, la société créée par les trois anciens de la Sorbonne qui ont eu l'idée des jeux en discutant avec des sociologues, des chercheurs et des journalistes, les discussions commencent souvent en français, se poursuivent en anglais et se terminent en italien ou en espagnol. *« Cela étonne toujours les visiteurs »*, s'amuse Lucie Duparc. Elle a rejoint l'équipe des Jeux à la fin d'août. Comme la dizaine de stagiaires venus de toute l'Europe : *« Il faut régler au coup par coup tous les problèmes qui surgissent, en liaison avec toutes les villes d'Europe. C'est génial »*. Au total, plus de 500 écoles et universités de la Communauté se sont inscrites, et plus de 50 000 étudiants auront participé à cette première édition des Jeux, à la quelle est associé *Le Nouvel Observateur.* Si la finale, le 19 décembre à Strasbourg, marque l'apothéose de l'aventure, il aura fallu auparavant mettre place des éliminatoires dans chaque université, suivies de finales par pays. [...]

Dans chaque pays, les étudiants ont tout organisé. En Espagne, cette responsabilité est revenue à une jeune étudiante en relations publiques de 21 ans, Éva Mauleon :

« Sacrée expérience ! Je gère les contacts avec les facs, les sponsors, la presse... Un boulot énorme ! » Elle reconnaît avoir eu parfois *« une fameuse trouille »*. Comme à la veille de la demi-finale Espagne, remportée par l'université d'Oviedo le 4 décembre : les inscrits semblaient évaporés dans la nature. Ils seront finalement 900 à se bousculer dans l'amphi de l'Universidad autonoma de Madrid. *« Ici, c'est toujours comme ça, on fait les trucs à la dernière minute ! »*, soupire Eva. Même sueurs froides à Dublin pour la demi-finale irlandaise organisée au Trinity College. Deux jours avant, Nathalie Propper, la responsable locale, découvre que l'une des universités ne présente plus qu'une équipe au lieu des vingt-cinq prévues : *« Ils avaient organisé des éliminatoires non prévues au programme. J'ai dû rappeler tout le monde en expliquant qu'il y avait maldonne. »* Bien sûr, toutes ces rencontres s'achèvent en magistrales javas. Certaines écoles, pour se faire de la pub, ont engagé plus de 40 équipes. Côté épreuves, c'est quand même du sérieux. Les candidats ont le droit d'apporter des dossiers. A la Sorbonne, une équipe de Nancy a débarqué avec 24 volumes de l'*Encyclopædia Universalis.*

Après ces éliminatoires, les douze meilleures équipes de la CEE se sont retrouvées au village du Club Med à Opio, les 15 et 16 décembre, pour une ultime épreuve. [...] Plus de questionnaires barbares : les grosses têtes parvenues à ce stade ont eu à plancher sur un jeu de rôles qui les met dans la peau de managers prenant des décisions stratégiques.

La grande finale de Strasbourg se déroule le 19 décembre. Mise en scène grandiose pour permettre aux étudiants d'Europe de réclamer des mesures concrètes aux plus hautes personnalités. Les finalistes montreront à la tribune du Parlement pour ouvrir le débat sur la question : « Quelles propositions faites-vous pour que l'éducation soit au cœur de la construction européenne ? » *« Nous sommes tous en train de peaufiner nos discours en espérant qu'ils auront un impact »*, explique Anne Metayer, présidente de l'Aiesec à paris. L'Europe écoutera-t-elle ses étudiants ?

Laure Panerai,
Le Nouvel Observateur, 17-23 déc. 1992.

La mécanique des Jeux

Les étudiants de toute l'Europe qui ont participé à ces jeux ont été départagés entre octobre et décembre sur des batteries de questions portant sur les domaines économique, scientifique, politique et culturel. Ces questionnairs ont été mis au point par le CNRS, et informatisés par Bull pour pouvoir être administrés sur terminaux d'ordinateur dans n'importe quelle faculté ou école. Les étudiants devaient concourir par équipes de cinq. C'est l'Ecole polytechnique qui a remporté les éliminatoires pour représenter la France.

Avez-vous compris ?

Avez-vous retenu les informations suivantes :

- Quel est le but des jeux de l'Europe ?
- De quoi se compose l'épreuve destinée à sélectionner les équipes au cours des éliminatoires nationales ? Combien de temps dure-t-elle ?
- Quelle école française a remporté l'épreuve ?
- Combien d'écoles et d'universités européennes participent aux jeux ?
- Quelle équipe espagnole a remporté la demi-finale ?
- De quoi se compose la dernière épreuve avant la finale ?
- Comment se passe la finale ?

p. 227 LES PÈRES DE L'EUROPE

D'après G. Malaurie, *L'Événement du Jeudi*

Notes

Briand Aristide (1862-1932) : homme politique français excellent orateur. Il fut 25 fois ministre, 11 fois Président du Conseil et Prix Nobel de la Paix.
Claudel Paul (1868-1955) : poète chrétien et diplomate français. Il fut consul, ministre et ambassadeur. Ses œuvres dramatiques reconnaissent l'Amour sauveur de Dieu comme unique solution aux aspirations contradictoires de l'homme concernant la chair et l'esprit.
Valery Paul (1871-1945) : poète et écrivain français, membre de l'Académie Française. Auteur de plusieurs essais sur la peinture, la musique et la science.

TEXTE DE VICTOR HUGO

Extrait d'un discours qu'il fit en 1849 au Congrès de la Paix, sur l'Europe.

p. 227 *Analyse et expression*

- Le procédé stylistique employé par Victor Hugo pour convaincre son auditoire est celui de l'anaphore : « Un jour viendra où… »
  Cette expression annonçant l'avenir ponctue quatre fois cet extrait et permet au poète d'énoncer l'avenir européen qu'il souhaite. Par ailleurs, il interpelle les nations comme si elles étaient physiquement présentes telles des personnes au congrès.
  Ce « vous » conatif et personnalisant confère au texte une force persuasive et lyrique.
  Ce discours est celui d'un tribun rodé à la rhétorique de la plaidoirie, une harangue pour défendre des valeurs de paix, de fraternité et de partage.

- **Proposition** de texte écrit à la manière de Victor Hugo.
  Thème : le rêve d'un temps de travail harmonieux.

Un jour viendra où les vacances vous paraîtront
Aussi inutiles entre octobre et Juin,
Entre Noël et Mardi gras, entre Pâques et le 1er Mai,
Qu'elles étaient indispensables aux travailleurs de la
Semaine de 40 heures.
Un jour viendra où vous les professeurs, vous les étudiants,
Vous les écoliers, vous tous les travailleurs
Sans perdre de votre personnalité ni de votre santé,
Vous ne prendrez plus de vacances parce que votre vie
Professionnelle sera harmonieuse, équilibrant temps de travail et de repos.
Un jour viendra où la journée de travail sera de 4 heures au lieu de 8, où il n'y aura pas d'autres champs de bataille pour les travailleurs que leur pouvoir d'achat.
Un jour viendra où il n'y aura plus de week-ends meurtriers
De Paris, au mois d'août, délaissé
Et d'Ile de Ré trop peuplée,
Où chaque jour sera comme un jour d'été…

p. 228 COMMENT LES EUROPÉENS VOIENT LES FRANÇAIS

L'Événement du Jeudi

Notes

Jack Lang : homme politique français. Socialiste, maire de Blois, ministre de la Culture et de l'Éducation Nationale dans le gouvernement de François Mitterrand.

p. 229 *Analyse*

Les réponses sont libres et personnelles.

p. 230 LE POINT DE VUE D'ÉCRIVAINS : Excusez-moi d'être français

André Frossard

Note

Pays d'Auge : région bocagère de Normandie, réputée pour son élevage, son beurre, ses œufs et ses fromages dont le camembert, le Livarot et le Pont-l'évêque.

p. 231 *Analyse*

Cet extrait peut être divisé ainsi :

Une introduction (« Dès le début... la liste sans frémir »)

Titre : Imperfections du Français.

1re partie : (« De l'anglais... que de leçons j'ai à recevoir de mes voisins »)
Titre : Vertus et qualités manquantes au Français mais possédées par ses voisins.

2e partie : (« Mais j'y songe... le nationalisme chez moi ne devrait s'énoncer qu'au pluriel »)
Titre : La France : un pays métissé.

3e partie : (« Nul déshonneur... et qui est peut être ce que l'on appelle l'esprit »)
Titre : L'identité de la France : un goût prononcé pour la liberté. »

Conclusion : (« Telle est la France... la fin du texte »).
Excusez-moi d'être français !
(et exhortation finale pour « réveiller » les Français à sortir de la Babel matérialiste qui pèse sur eux).

• Pour expliquer la phrase qui caractérise l'identité de la France « Je suis né de mère chrétienne et de père inconnu » il faut se rappeler l'histoire de la France qui, à ses débuts, est marquée par l'Eglise : le roi Clovis qui en se faisant baptiser à Reims en 496 devint le seul roi non hérétique. L'appui de l'Eglise constitua un facteur d'assimilation entre les Francs et les Gallo-Romains (cf. Libre Echange II, Unité 6 et 9, pages de civilisation). De même Charlemagne se fit le défenseur de la papauté et son sacre à Rome en 800 lui valut un prestige spirituel considérable. L'Eglise apparaît donc comme une mère fondatrice alors qu'il n'y a pas eu qu'un seul père fondateur. Il faudra des siècles et un grand nombre de guerres et de conflits pour que l'autorité d'un seul roi soit reconnue sur tout le territoire national.

p. 232 Le goût de l'autre

Érik Orsenna, extrait de *Belvédère*, la revue européenne de *L'Express*.

Notes

Aragon Louis (1897-1982) : écrivain français fondateur du surréalisme. Son œuvre chante l'amour et illustre les thèmes du communisme et de la Résistance avec un lyrisme traditionnel. Il est aussi l'auteur d'essais sur la création artistique et littéraire.

Éducation Nationale : Ensemble des services chargés de l'organisation, la direction et la gestion de l'enseignement public et du contrôle de l'enseignement privé.

Volapük : langue artificielle créée par l'allemand Schleyer, et supplantée par l'esperanto.

COMMISSION NATIONAL

Centre Internation

Annales du DELF

Ces premières annales du DELF présentent une sélection d'épreuves passées en 87, 88, 89 dans quelques-uns des 26 pays où sont actuellement proposés les examens du DELF et du DALF.

Rappelons que ces deux diplômes, créés par l'arrêté du 11 mai 1985, s'adressent à l'ensemble des publics étrangers apprenant le français.

Le DELF, constitué de 6 unités capitalisables, vérifie la capacité du candidat à utiliser le français dans des situations de vie quotidienne.

Remarque : depuis la parution de ces annales, certaines épreuves ont été aménagées ou réorientées ; on se reportera donc, en complément, au Guide du Concepteur de sujets, qui donne des exemplaires pour les épreuves modifiées.

DELF Guide du concepteur de sujets

Conseils pratiques pour l'élaboration des sujets du DELF (1er et 2e degré) et du DALF à partir de nombreux documents authentiques sélectionnés pour chaque épreuve.

DELF
Guide de l'examinateur

Conseil pour l'organisation des examens (passations et corrections)

Descriptif des contenus attendus et grilles d'évaluation.

Le DELF
avec Libre Échange

Correspondance de la méthode Libre Échange 1 et 2 avec le DELF 1er degré.

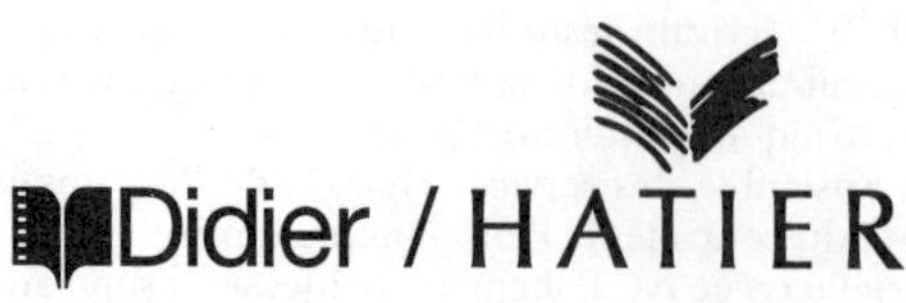

U DELF ET DU DALF

Études Pédagogiques

Collection RÉUSSIR LE DELF

Elle s'adresse à tous ceux qui préparent le Diplôme d'Études en Langue Française. Ces livrets (un par unité) s'utilisent en complément des manuels habituels. Ils proposent :

- une série d'exercices pour la préparation des épreuves écrites et orales,
- un entraînement méthodique et de nombreux conseils (pour bien lire et développer un sujet, pour utiliser au mieux son temps, pour s'entretenir avec les examinateurs),
- les corrigés types des exercices.

Réussir le DELF
Unité A1
C. Cali - V. Dupuis

Réussir le DELF
Unité A2
M. Braem

Réussir le DELF
Unité A3
P.Y. Roux

Aubin Imprimeur
LIGUGÉ, POITIERS

IMPRESSION – FINITION

Achevé d'imprimer en avril 1995
N° d'édition 4028 / N° d'impression L 48862
Dépôt légal avril 1995
Imprimé en France